CRIATIVIDADE S.A.

ED CATMULL
com Amy Wallace

CRIATIVIDADE S.A.

SUPERANDO AS FORÇAS INVISÍVEIS QUE FICAM
NO CAMINHO DA VERDADEIRA INSPIRAÇÃO

Tradução de
Nivaldo Montingelli Jr.

Título original
CREATIVITY, INC.
OVERCOMING THE UNSEEN FORCES THAT STAND
IN THE WAY OF TRUE INSPIRATION

Copyright © 2014 by Ed Catmull
Todos os direitos reservados.

Direitos para a língua portuguesa reservados
com exclusividade para o Brasil à
EDITORA ROCCO LTDA.
Rua Evaristo da Veiga, 65 – 11º andar
Passeio Corporate – Torre 1
20031-040 – Rio de Janeiro – RJ
Tel.: (21) 3525-2000 – Fax: (21) 3525-2001
rocco@rocco.com.br
www.rocco.com.br

Printed in Brazil/Impresso no Brasil

revisão técnica
CAROLINA VIGNA

preparação de originais
FÁTIMA FADEL

CIP-Brasil. Catalogação na fonte.
Sindicato Nacional dos Editores de Livros, RJ.

C354c	Catmull, Ed
	Criatividade S.A.: superando as forças invisíveis que ficam no caminho da verdadeira inspiração/Ed Catmull, Amy Wallace; tradução de Nivaldo Montingelli Jr. – 1ª ed. – Rio de Janeiro: Rocco, 2014.
	Tradução de: Creativity, Inc.: overcoming the unseen forces that stand in the way of true inspiration
	ISBN 978-85-325-2956-5
	1. Liderança. 2. Administração de empresas. I. Wallace, Amy. II. Título.
14-16303	CDD–658.4
	CDU–65.011.8

Para Steve

SUMÁRIO

INTRODUÇÃO: Perdido e achado 9

PARTE I: COMEÇANDO 17
Capítulo 1: Animado 19
Capítulo 2: Nasce a Pixar 37
Capítulo 3: Uma meta definidora 60
Capítulo 4: Estabelecendo a identidade da Pixar 80

PARTE II: PROTEGENDO O NOVO 97
Capítulo 5: Honestidade e franqueza 99
Capítulo 6: Medo e fracasso 119
Capítulo 7: A Fera Faminta e o Bebê Feio 141
Capítulo 8: Mudança e aleatoriedade 156
Capítulo 9: O oculto 177

PARTE III: CONSTRUINDO E SUSTENTANDO 195
Capítulo 10: Ampliando nossa visão 197
Capítulo 11: O futuro desfeito 230

PARTE IV: TESTANDO O QUE SABEMOS 245
Capítulo 12: Um novo desafio 247
Capítulo 13: Dia de Observações 277

POSFÁCIO: O Steve que conhecemos 296
PONTOS DE PARTIDA: Pensamentos para gerenciar uma cultura criativa 313
AGRADECIMENTOS 317

INTRODUÇÃO

PERDIDO E ACHADO

Todas as manhãs, quando entro na Pixar Animation Studios – passando pela escultura de quase sete metros de Luxo Jr., a luminária de mesa que é nossa mascote, pelas portas duplas, e chego a um átrio espetacular com teto de vidro, onde uma estátua de Buzz Lightyear e Woody [personagens de desenhos animados], feita inteiramente de peças Lego, chama a atenção, subo as escadas e passo por esboços e pinturas dos personagens que povoaram nossos 14 filmes – fico impressionado pela cultura única que define este lugar. Apesar de ter feito essa caminhada milhares de vezes, ela nunca envelhece.

Construída num local em que havia uma fábrica de latas, a sede de mais de 60 mil metros quadrados, logo acima da Bay Bridge, em San Francisco, foi projetada, dentro e fora, por Steve Jobs. (Aliás, seu nome é Edifício Steve Jobs.) Ele tem padrões bem concebidos de entrada e saída que encorajam as pessoas a se misturar, reunir e comunicar. Lá fora há um campo de futebol, uma quadra de vôlei, uma piscina e um anfiteatro com seiscentos lugares. Alguns visitantes não entendem o lugar, pensando que ele é extravagante. O que não percebem é que a ideia unificadora para o edifício não é o luxo, mas a comunidade. Steve queria que o edifício apoiasse nosso trabalho acentuando nossa capacidade para colaborar.

Os animadores que trabalham aqui são livres – ou melhor, são encorajados para decorar seus espaços de trabalho da maneira que quiserem. Eles passam seus dias dentro de casas de bonecas rosa, cujos tetos estão cheios de candelabros em miniatura, cabanas de bambu e castelos cujas torres de isopor de cinco metros de altura e cuidadosamente pintadas parecem esculpidas em pedra. As tradições anuais da empresa incluem a "Pixarpalooza", onde as bandas da casa lutam pela vitória, rasgando seus corações em palcos que construímos em nossos gramados.

Aqui damos valor à autoexpressão. Isso tende a causar uma forte impressão nos visitantes, que muitas vezes contam que a experiência de entrar na Pixar os deixa algo pensativos, como se alguma coisa estivesse faltando nas suas vidas profissionais – uma energia palpável, um sentimento de colaboração e criatividade irrestrita, uma sensação não de banalidade, mas de possibilidade. Respondo dizendo que o sentimento que eles estão assimilando – chame-o de exuberância ou irreverência, ou mesmo extravagância – é parte integrante do nosso sucesso.

Mas não é isso que torna a Pixar especial.

O que a torna especial é o fato de reconhecermos que sempre teremos problemas, muitos dos quais não conseguimos ver; que nos esforçamos para descobri-los, mesmo que isso nos deixe pouco à vontade; e que, quando encontramos um problema, juntamos todas as nossas energias para solucioná-lo. Essa é, mais que qualquer festa ou estação de trabalho elaborada, a razão pela qual gosto de vir trabalhar todas as manhãs. É o que me motiva e me dá um claro senso de missão.

Porém, houve uma época em que meu objetivo aqui parecia muito menos claro. Você ficaria surpreso em saber quando.

Em 22 de novembro de 1995, *Toy Story* debutou nos cinemas americanos e tornou-se a maior estreia do Dia de Ação de Graças da história. Os críticos saudaram-no como "inventivo" (*Time*), "brilhante" e "espirituoso" (*The New York Times*) e "visionário" (*Chicago Sun-Times*). Para encontrar um filme merecedor de comparação, escreveu *The Washington Post*, era preciso voltar a 1939, ao *Mágico de Oz*.

A produção de *Toy Story* – o primeiro filme de longa-metragem totalmente animado por computador – havia exigido cada grama de nossa tenacidade, nosso talento artístico, nossa capacidade técnica e nossa resistência. Os cerca de cem homens e mulheres que o produziram haviam enfrentado inúmeros altos e baixos, além do arrepiante conhecimento de que nossa sobrevivência iria depender daquele experimento de oitenta minutos. Por cinco anos seguidos, tínhamos brigado para fazer *Toy Story* à nossa maneira. Resistimos aos conselhos de executivos da Disney, que acreditavam que, como eles tinham tido tanto sucesso com musicais, também deveríamos musicar nosso filme. Reiniciamos a história por completo mais de uma vez, para nos certificarmos de que ela parecesse verdadeira. Trabalhávamos à noite, em fins de semana e feriados – na maior parte dos casos, sem reclamar. A despeito de sermos novatos na produção de filmes e trabalharmos num estúdio novo e em má situação financeira, tínhamos colocado nossa fé numa ideia simples: se fizéssemos algo que nós quiséssemos assistir, outras pessoas também iriam querer. Por muito tempo, parecia que estávamos tentando fazer o impossível. Houve muitos momentos em que o futuro da Pixar esteve duvidoso. De um momento para outro, estávamos sendo usados como exemplo do que poderia acontecer quando artistas confiavam em seus palpites.

Toy Story foi o sucesso de bilheteria do ano e acabou faturando 358 milhões de dólares no mundo inteiro. Mas não foram só os números que nos deixaram orgulhosos; afinal, o dinheiro é apenas uma medida de uma empresa bem-sucedida e geralmente não a mais significativa. Não, o que achei gratificante foi o que havíamos criado. Revisões e revisões focalizando o filme, seu enredo e seus personagens tridimensionais – mencionando brevemente, assim meio de lado, que ele havia sido feito num computador. Embora houvesse muitas inovações para possibilitar nosso trabalho, não tínhamos deixado que a tecnologia sobrepujasse nosso verdadeiro propósito: fazer um grande filme.

No nível pessoal, *Toy Story* representou a realização de uma meta que eu perseguia havia mais de duas décadas e com a qual sonhava desde menino. Tendo crescido nos anos 1950, eu queria muito ser animador da Disney, mas não tinha nenhuma ideia de como chegar lá. Hoje percebo que escolhi a computação gráfica – na época um novo campo – como meio para perseguir aquele sonho. Se eu não conseguia fazer animações à mão, tinha de haver outra maneira. Na faculdade, havia, em silêncio, definido a meta de fazer o primeiro longa-metragem animado por computador, e trabalhei incansavelmente por vinte anos para realizá-lo.

Agora a meta que havia sido uma força motriz em minha vida estava realizada e havia uma imensa sensação de alívio e alegria – ao menos inicialmente. Na esteira do lançamento de *Toy Story*, abrimos o capital da empresa levantando o capital que iria assegurar nosso futuro como produtora independente, e começamos a trabalhar em dois novos projetos, *Vida de inseto* e *Toy Story 2*. Tudo estava indo como queríamos, contudo eu me sentia sem direção. Ao realizar uma meta, eu havia perdido um suporte essencial: É isto que realmente quero fazer?, comecei a perguntar a mim mesmo. As dúvidas me surpreendiam e confundiam e eu as guardei para mim mesmo. Eu tinha ocupado a presidência da Pixar pela maior parte da existência da empresa. Gostava dela e de tudo que ela representava. Contudo, não posso negar que a realização da meta que havia definido minha vida profissional tinha me deixado sem metas. E ficava perguntando a mim mesmo: *Isso é tudo que existe? Está na hora de um novo desafio?*

Eu não estava pensando que a Pixar havia "chegado lá", nem que meu trabalho estava terminado. Sabia que tínhamos grandes obstáculos diante de nós. A empresa estava crescendo rapidamente, com muitos acionistas a serem satisfeitos, e estávamos correndo para colocar dois novos filmes em produção. Em resumo, eu tinha muitas coisas para ocupar minhas horas de trabalho. Mas meu senso interior de propósito – que havia me levado a dormir no chão do laboratório de computação da faculdade apenas para conseguir mais horas na máquina de grande porte, que quando criança me mantinha acordado resolvendo charadas mentalmente e alimentava meus dias de trabalho – estava faltando. Eu havia passado duas décadas construindo um trem e lançando seus trilhos. Agora, a ideia de dirigi-lo me parecia muito menos interessante. Eu me perguntava: *Será que fazer um filme atrás do outro é suficiente para que eu me envolva? Qual será meu princípio organizador agora?*

A resposta levaria um ano inteiro para surgir.

Desde o início minha vida profissional parecia destinada a ter um pé no Vale do Silício e outro em Hollywood. Entrei no negócio de filmes pela primeira vez em 1979, quando, logo depois do sucesso de *Guerra nas estrelas*, George Lucas contratou-me para ajudá-lo a trazer tecnologia para dentro da indústria de filmes. Mas ele não estava baseado em Los Angeles; havia fundado sua empresa, a Lucasfilm, no extremo norte da Baía de San

Francisco. Nossos escritórios ficavam em San Rafael, a cerca de uma hora de carro de Palo Alto, o coração do Vale do Silício – um apelido que estava ganhando popularidade com a decolagem das indústrias de semicondutores e computadores. Essa proximidade me propiciou um ponto privilegiado para observar as muitas empresas emergentes de hardware e software – para não citar a crescente indústria de capital de risco – que, no decorrer de poucos anos, viria a dominar o Vale do Silício.

Eu não poderia ter chegado em um momento mais dinâmico e instável. Via novas empresas brilharem com o sucesso – e logo depois desaparecerem. Meu mandato na Lucasfilm – para fundir produção de filmes com tecnologia – significava que vivia esbarrando com os líderes de empresas, como Sun Microsystems, Silicon Graphics e Cray Computer, vários dos quais vim a conhecer bem. Na época eu era, antes de mais nada, um cientista, não um gerente, e assim observava de perto aqueles sujeitos, esperando aprender com as trajetórias seguidas pelas suas empresas. Gradualmente começou a emergir um padrão: alguém tinha uma ideia criativa, obtinha financiamento, reunia um monte de pessoas espertas, e desenvolvia e vendia um produto que recebia muita atenção. Esse sucesso inicial produzia mais sucesso, seduzindo os melhores engenheiros e atraindo clientes que tinham problemas interessantes e importantes a resolver. À medida que essas empresas cresciam, muita coisa era escrita a respeito de suas abordagens que mudavam paradigmas e, quando seus CEOs inevitavelmente ganhavam a capa da revista *Fortune*, eram saudados como os "Titãs do Novo". Lembro especialmente da confiança que aqueles líderes irradiavam. Certamente eles só podiam ter chegado ao pico sendo muito, muito bons.

Mas quando as empresas faziam algo de estúpido – não apenas estúpido em retrospecto, mas imediatamente óbvio, eu queria entender por quê. *O que estava levando pessoas inteligentes a tomar decisões que tiravam suas empresas dos trilhos?* Eu não duvidava de que elas acreditassem estar fazendo a coisa certa, mas algo as estava cegando – e as impedindo de ver os problemas que ameaçavam derrubá-las. Como consequência, as empresas se expandiam como bolhas, e então estouravam. O que me interessava não era o fato de as empresas crescerem e caírem, ou que o cenário se alterava continuamente com as mudanças na tecnologia, mas sim que os líderes dessas empresas pareciam tão focados na concorrência que não desenvolviam qualquer introspecção profunda a respeito de outras forças destrutivas que estavam em ação.

Ao longo dos anos, enquanto a Pixar lutava para achar seu caminho – primeiro vendendo hardware, depois software e fazendo filmes animados de curta-metragem e comerciais – eu me perguntava: se a Pixar chegar a ter sucesso, também iremos fazer alguma coisa estúpida? Será que prestar atenção aos erros alheios pode nos ajudar a ficar mais alertas a respeito dos nossos? Ou será que existe algo a respeito de tornar-se líder que torna você cego para as mudanças que ameaçam o bem-estar da sua empresa? Alguma coisa estava claramente causando uma perigosa desconexão em muitas empresas inteligentes e criativas. O que exatamente era um mistério – que eu estava determinado a desvendar.

No difícil ano posterior ao lançamento de *Toy Story*, compreendi que tentar solucionar esse mistério seria meu próximo desafio. Meu desejo de proteger a Pixar das forças que arruínam tantas empresas deu-me um foco renovado. Comecei a ver com mais clareza meu papel como líder. Eu iria dedicar-me a aprender como construir não apenas uma empresa de sucesso, mas uma cultura criativa sustentável. Ao voltar minha atenção da resolução de problemas técnicos para me empenhar na filosofia de gerência sólida, fiquei novamente entusiasmado – e certo de que nosso segundo ato seria tão estimulante quanto o primeiro.

Minha meta sempre havia sido criar na Pixar uma cultura que durasse mais do que seus fundadores – Steve, John Lasseter e eu. Mas também era minha meta compartilhar nossas filosofias subjacentes com outros líderes e, francamente, com qualquer pessoa que luta com as forças concorrentes – mas necessariamente complementares – da arte e do comércio. Assim, o que você tem nas mãos é uma tentativa de colocar no papel minhas melhores ideias a respeito de como construímos a cultura que constitui a base desse lugar.

Este livro não se destina apenas ao pessoal da Pixar, a executivos do ramo de entretenimento ou animadores. É para qualquer pessoa que deseje trabalhar em um ambiente que promova a criatividade e a resolução de problemas. Acredito que uma boa liderança pode ajudar pessoas criativas a permanecer no caminho para a excelência, não importando o negócio em que elas estão. Meu objetivo na Pixar – e na Disney Animation, que meu sócio John Lasseter e eu dirigimos desde a compra da Pixar pela Walt Disney Company em 2006 – tem sido de capacitar nosso pessoal a trabalhar o melhor possível. Partimos da suposição de que nossos funcionários são talentosos e desejam contribuir. Aceitamos que, mesmo sem querer, nossa empresa está reprimindo esse talento de inúmeras maneiras. Finalmente, procuramos identificar esses impedimentos e corrigi-los.

Passei quase quarenta anos pensando a respeito de como ajudar pessoas inteligentes e ambiciosas a trabalhar em conjunto de forma eficaz. Para mim, minha função como gerente é criar um ambiente fértil, mantê-lo sadio e buscar as coisas que o prejudicam. Creio firmemente que todos têm potencial para ser criativos – qualquer que seja a forma assumida pela criatividade – e que incentivar esse desenvolvimento é uma coisa nobre. Mas para mim são mais interessantes os obstáculos que surgem no caminho, muitas vezes sem que percebamos, e prejudicam a criatividade que está em todas as empresas que prosperam.

A tese deste livro é que existem muitos obstáculos à criatividade, mas também há medidas ativas que podemos tomar para proteger o processo criativo. Nas próximas páginas irei expor muitas das medidas que adotamos na Pixar, mas para mim os mecanismos mais eficazes são aqueles que lidam com incerteza, instabilidade, falta de sinceridade e coisas que não podemos ver. Acredito que os melhores gerentes reconhecem e abrem espaço para aquilo que não conhecem – não apenas porque a humildade é uma virtude, mas porque até que a pessoa adote essa atitude mental, os grandes avanços mais importantes não podem acontecer. Acredito que os gerentes devam afrouxar os controles, e não apertá-los. Eles devem aceitar riscos; devem confiar nas pessoas com quem trabalham e lutar para abrir o caminho para elas; e devem sempre prestar atenção e enfrentar qualquer coisa que gere medo. Além disso, os líderes bem-sucedidos aceitam a realidade de que seus modelos podem estar errados ou incompletos. Só quando admitimos não saber algo é que podemos aprender.

Este livro está organizado em quatro seções – Começando, Protegendo o Novo, Construindo e Sustentando, Testando o que Sabemos. Não é um livro de memórias, mas para compreender os erros que cometemos, as lições que aprendemos e os caminhos que aprendemos com eles, é preciso mergulhar na minha história e na da Pixar. Tenho muito a dizer a respeito de capacitar grupos para a criação conjunta de coisas significativas e protegê-las das forças destrutivas que pairam até mesmo sobre as empresas mais fortes. Espero que, relatando minhas buscas pelas fontes de confusão e ilusão com a Pixar e a Disney Animation, eu possa ajudar outros a evitar as armadilhas que prejudicam e, às vezes, arruínam empresas de todos os tipos. Para mim, o segredo que tem me mantido motivado nos 19 anos desde o lançamento de *Toy Story* foi a compreensão de que identificar essas forças destrutivas não é meramente um exercício filosófico. Trata-se de uma missão vital. Na esteira do nosso primeiro sucesso, a Pixar precisava que seus líderes se mantivessem atentos. E essa necessidade de vigilância nunca acaba. Assim, este livro trata do trabalho permanente de prestar atenção – de liderar sendo autoconsciente, como gerentes e como empresas. Ele é a expressão das ideias que, para mim, tornam possível o melhor em nós.

PARTE I
COMEÇANDO

PARTE 1

COMEÇANDO

Capítulo 1

ANIMADO

Durante 13 anos, tivemos uma mesa na grande sala de reuniões da Pixar. Embora fosse bonita, passei a detestá-la. Ela era longa e estreita, como uma daquelas que se vê numa comédia a respeito de um casal velho e rico que se senta para jantar com uma pessoa em cada extremo, um candelabro no centro – e eles precisam gritar para poder conversar. A mesa havia sido escolhida por um designer de quem Steve Jobs gostava e, está certo, era elegante – mas impedia nosso trabalho.

Fazíamos reuniões regulares a respeito de nossos filmes em torno daquela mesa – trinta pessoas ao longo de duas longas fileiras, em geral com mais pessoas sentadas ao longo das paredes –, e todos ficavam tão espalhados que a comunicação era difícil. Para os infelizes sentados nos extremos, as ideias não fluíam porque era quase impossível fazer contato visual sem esticar o pescoço. Além disso, como era importante que o diretor e o produtor do filme em questão conseguissem ouvir o que todos estavam dizendo, eles tinham de ficar no centro da mesa. O mesmo se dava com os líderes criativos da Pixar: John Lasseter, diretor criativo, e eu, além de um punhado de nossos mais experientes diretores, produtores e escritores. Para garantir que essas pessoas sempre ficassem juntas, alguém começou a colocar cartões na mesa. Parecia que estávamos em um jantar formal.

Para mim, quando o assunto é inspiração criativa, cargos e hierarquia perdem o significado. Porém, involuntariamente estávamos permitindo que aquela mesa – e o resultante ritual dos cartões – transmitisse uma mensagem diferente. Quanto mais perto do centro da mesa você estivesse sentado, mais importante devia ser. E quanto mais longe, menor era sua probabilidade de falar – a distância do centro da conversação fazia com que sua participação parecesse intrusiva. Se a mesa estivesse cheia, como sempre estava, havia ainda mais pessoas sentadas ao longo das paredes da sala, criando uma terceira fila de participantes (aqueles que estavam no centro da mesa, os que estavam nos extremos e aqueles que nem estavam à mesa). Sem querer, havíamos criado um obstáculo que desencorajava a participação das pessoas.

No curso de uma década, realizamos inúmeras reuniões em torno daquela mesa – ignorando completamente que fazer aquilo ia contra nossos princípios básicos. Por que éramos cegos para o fato? Porque a distribuição dos lugares era planejada para a conveniência dos líderes, inclusive eu. Como acreditávamos estar em uma reunião inclusiva, nada percebíamos porque nós não nos sentíamos excluídos. Porém, aqueles que não estavam no centro da mesa viam claramente que ela estabelecia uma hierarquia, mas presumiam que nós, os líderes, pretendíamos que as coisas fossem assim. Afinal, quem eram eles para reclamar?

Foi somente quando tivemos uma reunião numa sala menor, com uma mesa quadrada, que John e eu percebemos o que estava errado. Sentados em torno da mesa, o intercâmbio era melhor, a troca de ideias, mais fluida, e o contato visual era automático. Todas as pessoas, independentemente do cargo, sentiam-se livres para falar. Não se tratava apenas daquilo que queríamos, mas também de uma crença fundamental da Pixar: a comunicação sem impedimentos era vital, qualquer que fosse a posição da pessoa. Em nossa mesa comprida e estreita, à vontade em nossas cadeiras centrais, não havíamos reconhecido que estávamos nos comportando de forma contrária àquele princípio básico. Tínhamos caído numa armadilha. Apesar de sabermos que as dinâmicas de uma sala são críticas para qualquer bom debate e de acreditarmos que estávamos constantemente à espera de problemas, nossa perspectiva nos cegava para aquilo que estava diante de nossos olhos.

Encorajado pela nova descoberta, fui ao nosso departamento de instalações. "Por favor", disse, "não sei como vocês vão fazer isso, mas livrem-se daquela mesa." Eu queria algo que pudesse ser montado como um quadrado mais íntimo, para que as pessoas pudessem falar umas com as outras diretamente e não se sentirem irrelevantes. Alguns dias depois, com a aproximação de uma reunião crítica a respeito de um próximo filme, nossa nova mesa foi instalada e resolveu o problema.

Porém, é interessante notar que algumas consequências do problema não desapareceram imediatamente só porque nós o tínhamos resolvido. Por exemplo, na vez seguinte em que entrei na sala de reuniões, vi a nova mesa arranjada – como havia sido pedido – de uma forma quadrada, mais íntima, que possibilitava a interação simultânea de mais pessoas. Mas a mesa estava adornada com os mesmos cartões marcadores de lugares! Embora tivéssemos corrigido o problema principal, que fizera parecer que os cartões eram necessários, eles haviam se tornado uma tradição que iria continuar até que acabássemos especificamente com ela. Não era um problema tão incômodo quanto a mesa, mas era algo que devíamos resolver porque cartões significavam hierarquia, a qual estávamos tentando evitar. Quando Andrew Stanton, um de nossos diretores, entrou na sala de reuniões naquela manhã, ele pegou vários cartões e começou a espalhá-los ao acaso, explicando: "Nós não os queremos mais!", de uma forma que foi entendida por todos na sala. Só então conseguimos eliminar o problema.

Essa é a natureza da gerência. Decisões são tomadas, em geral por boas razões, provocando por sua vez outras decisões. Assim, quando surgem problemas – e eles sempre surgem –, desembaraçá-los não é tão simples quanto corrigir o erro original. Com frequência, encontrar uma solução é um empreendimento de várias etapas. Existe o problema que você conhece e está tentando resolver – pense nele como sendo uma grande árvore –, e há todos os outros problemas – pense neles como mudas de plantas – que brotaram das sementes que caíram em torno dela. E esses problemas perduram depois que você derrubou a árvore.

Mesmo depois de todos esses anos, muitas vezes sou surpreendido por problemas que existiam bem na minha frente. Para mim, o segredo para resolvê-los é encontrar formas de ver o que está e o que não está funcionando, o que parece ser muito mais simples do que é na realidade. Hoje a Pixar é gerenciada de acordo com esse princípio, mas de certa forma passei toda a vida buscando melhores maneiras de ver. Isso começou há décadas, antes de a Pixar existir.

Quando eu era criança, costumava deitar no chão da sala de estar da modesta casa da minha família em Salt Lake City pouco antes das 19 horas todos os sábados e esperar por Walt Disney. Especificamente, esperava que ele aparecesse em nosso televisor branco e preto com sua pequena tela de 12 polegadas. Mesmo a pouco mais de três metros – a distância recomendada na época – eu ficava encantado com o que via.

Todas as semanas, Walt Disney em pessoa abria o programa *O mundo maravilhoso de Disney*. Em pé diante de mim, de terno e gravata, como um vizinho amável, ele desmistificava a magia Disney. Explicava o uso de som sincronizado no curta-metragem em preto e branco *Steamboat Willie* (estrelado por Mickey Mouse) ou falava a respeito da importância da música em *Fantasia*. Ele sempre se esforçava para conceder crédito aos seus antepassados – e, nesse ponto, todos eram homens – que haviam feito o trabalho pioneiro sobre o qual ele estava construindo seu império. Ele apresentava a audiência da televisão a pioneiros como Max Fleischer, de Koko the Clown e Betty Boop, e Winsor McCay, que fez *Gertie the Dinosaur* – o primeiro desenho animado a mostrar um personagem que expressava emoções – em 1914. Ele reunia um grupo de seus animadores, coloristas e roteiristas para explicar como eles faziam Mickey Mouse e o Pato Donald ganharem vida. Toda semana Disney criava um mundo artificial, usava tecnologia de ponta para torná-lo possível e nos contava como o havia criado.

Walt Disney foi um ídolo da minha infância. O outro foi Albert Einstein. Para mim, mesmo com pouca idade, eles representavam os dois polos da criatividade. Disney era tudo a respeito de inventar o novo. Ele trazia à existência – artística e tecnologicamente – coisas que antes não existiam. Einstein, em contraste, era um mestre para explicar aquilo que já existia. Li todas as biografias dele em que consegui pôr as mãos e também um pequeno livro que escreveu sobre sua teoria da relatividade. Eu adorava a maneira pela qual os conceitos por ele desenvolvidos forçavam as pessoas a mudar de abordagem em relação à física e à matéria, a ver o universo de uma perspectiva diferente. Despenteado e icônico, Einstein ousava direcionar as implicações daquilo que pensávamos conhecer. Ele resolveu os maiores enigmas existentes e, ao fazê-lo, mudou nosso entendimento da realidade.

Disney e Einstein me inspiraram, mas o primeiro afetou-me mais devido às suas visitas semanais à sala de estar de minha família. "Quando olha para uma estrela e faz um pedido, não faz diferença quem você é", anunciava a canção-tema do seu programa enquanto um narrador com voz de barítono prometia: "Toda semana, ao entrar na terra eterna, um destes muitos mundos irá se abrir para você..." Então o narrador assinala: Frontierland ("histórias exageradas e verdadeiras do passado lendário"), Tomorrowland ("a promessa das coisas que virão"), Adventureland ("o mundo maravilhoso do reino da natureza") e Fantasyland ("o reino mais feliz de todos"). Eu adorava a ideia de que a animação podia me levar a lugares onde nunca havia estado. Mas a terra a cujo respeito mais queria aprender era aquela ocupada pelos inovadores da Disney que faziam os desenhos animados.

Entre 1950 e 1955, Disney fez três filmes hoje considerados clássicos: *Cinderela*, *Peter Pan* e *A Dama e o Vagabundo*. Mais de meio século depois, todos nos lembramos dos sapatinhos de cristal, da Terra do Nunca e daquela cena em que a cocker spaniel e o vira-lata chupam espaguete. Mas poucos entendem a sofisticação técnica desses filmes. Os animadores da Disney estavam na vanguarda da tecnologia aplicada; em vez de meramente usar os métodos existentes, eles inventavam novos métodos. Precisavam desenvolver as ferramentas para aperfeiçoar o som e a cor, para usar telas azuis, câmeras em planos múltiplos e xerografia. Toda vez que ocorria um grande avanço tecnológico, Walt Disney o incorporava e falava a seu respeito em seu programa, de uma maneira que destacava a relação entre tecnologia e arte. Eu era jovem demais para me dar conta de que aquela sinergia era pioneira. Para mim, bastava fazer sentido o fato de elas pertencerem uma à outra.

Assistindo ao programa de Disney numa noite de domingo em abril de 1956, experimentei uma coisa que iria definir minha vida profissional. O que foi exatamente é difícil de descrever, exceto que senti algo se encaixar no lugar dentro de minha cabeça. O episódio daquela noite chamava-se "De Onde as Histórias Vêm?", e Disney começou elogiando a capacidade dos seus animadores para transformar ocorrências do dia a dia em desenhos. Mas naquela noite não foi a explicação dele que me atraiu, mas sim o que estava acontecendo na tela enquanto ele falava. Um artista estava desenhando o Pato Donald, dando-lhe uma bela roupa e um buquê de flores e uma caixa de bombons para agradar Margarida. Então, à medida que o lápis do artista se movia pela página, Donald adquiriu vida, desviando-se do lápis e depois erguendo o queixo para permitir que o artista lhe fizesse uma gravata-borboleta.

A definição de animação excelente é que cada personagem da tela faz com que você acredite que ele é um ser pensante. Quer seja um dinossauro, um cachorro magro ou um abajur, se os espectadores sentirem não apenas o movimento, mas também a intenção – ou, em outras palavras, as emoções –, então o animador realizou seu trabalho. Não se trata mais de linhas sobre o papel, mas de uma entidade que vive e sente. Foi isso que senti pela primeira vez naquela noite, enquanto observava Donald sair da página. A transformação de uma figura estática para uma imagem tridimensional animada nada mais era que um truque, mas o mistério de como era feito – não apenas o processo técnico, mas a maneira pela qual a arte estava impregnada de emoção – foi o problema mais interessante que jamais estudei. Eu queria entrar na tela da TV e fazer parte daquele mundo.

Meados da década de 1950 e o início de 1960 foram, é claro, uma época de grande prosperidade nos Estados Unidos. Crescendo numa pequena comunidade mórmon no estado de Utah, meus quatro irmãos mais novos e eu sentíamos que qualquer coisa era possível. Como os adultos que conhecíamos tinham todos vivido através da Depressão, da Segunda Guerra Mundial e da Guerra da Coreia, o período lhes parecia a calma depois da tempestade.

Lembro-me da energia otimista – uma ânsia de ir em frente que era possibilitada e apoiada por uma multidão de tecnologias emergentes. Era uma época de *boom* na América, com a fabricação e a construção residencial no auge da ocupação. Os bancos ofereciam empréstimos e crédito, o que significava que mais e mais pessoas poderiam ter uma nova TV, uma casa nova ou um Cadillac. Havia novos eletrodomésticos surpreendentes, como dispositivos que devoravam seu lixo e máquinas de lavar louças, embora eu as limpasse manualmente. Os primeiros transplantes de órgãos foram realizados em 1954; a primeira vacina contra a pólio chegou um ano depois; em 1956, a expressão *inteligência artificial* entrou no dicionário. Parecia que o futuro havia chegado.

Então, quando eu tinha 12 anos, os soviéticos colocaram o primeiro satélite artificial – o Sputnik 1 – na órbita terrestre. Essa foi uma grande notícia, não apenas nas áreas científica e política, mas na minha classe na escola, onde a rotina matinal foi interrompida por uma visita do diretor, cuja expressão grave nos disse que nossas vidas haviam mudado para sempre. Desde que nos tinham contado que os comunistas eram o inimigo e que a guerra nuclear podia ser deflagrada com o toque de um botão, o fato de eles nos terem superado no espaço parecia assustador – uma prova de que estavam em vantagem.

A resposta do governo dos Estados Unidos àquele golpe foi criar uma entidade denominada ARPA, ou Advanced Research Projects Agency [Agência de Projetos Avançados de Pesquisa]. Apesar de localizada no Departamento de Defesa, sua missão era ostensivamente pacífica: dar apoio aos pesquisadores científicos nas universidades americanas, na esperança de evitar "surpresas tecnológicas". Os arquitetos da ARPA esperavam que, patrocinando nossas melhores cabeças, teríamos melhores respostas. Em retrospecto, ainda admiro essa reação esclarecida a uma séria ameaça: só precisávamos ficar mais espertos. A ARPA viria a ter um efeito profundo sobre a América, levando diretamente à revolução do computador e à internet, entre inúmeras outras inovações. Havia uma sensação de que grandes coisas estavam acontecendo na América, com muitas mais para vir. A vida estava cheia de possibilidades.

Contudo, apesar de minha família ser da classe média, nossa visão de mundo era influenciada pela criação do meu pai. Não que ele falasse muito a esse respeito. Earl Catmull, filho de um pequeno agricultor de Idaho, era um de 14 crianças, cinco das quais haviam morrido cedo. Sua mãe, criada por pioneiros mórmons que ganhavam muito pouco procurando ouro no Snake River em Idaho, só foi à escola com 11 anos. Meu pai foi o primeiro da família a estudar numa faculdade, e pagou por seus estudos trabalhando em vários empregos. Durante minha infância, ele lecionava matemática durante o ano letivo e construía casas nos verões. Foi ele que construiu nossa casa. Embora ele nunca tenha dito de forma explícita que a educação era muito importante, meus irmãos e eu sabíamos que era esperado que estudássemos muito e chegássemos ao curso superior.

No ensino médio, eu era um estudante quieto e concentrado. Certa vez, um professor de arte disse aos meus pais que muitas vezes eu me concentrava tanto em meu trabalho que não ouvia a campainha que sinalizava o final da aula; eu ficava sentado na minha carteira, olhando para um objeto – um vaso ou uma cadeira, por exemplo. Alguma coisa a respeito do ato de colocar aquele objeto no papel era completamente atraente – a necessidade de ver somente o que estava acontecendo e deixando de lado a distração de minhas ideias a respeito de cadeiras e vasos, e da aparência que eles *deveriam* ter. Em casa, eu pedia pelo correio os kits de arte *Learn to Draw* [Aprenda a desenhar] de Jon Gnagy – que eram anunciados nas revistas em quadrinhos – e o clássico *Animation*, de 1948, escrito por Preston Blair, o animador dos hipopótamos dançarinos em *Fantasia*, de Disney. Comprei uma chapa – a placa de metal usada pelos artistas para pressionar o papel contra a tinta – e até construí um palco de animação em madeira com iluminação por baixo. Cheguei a fazer livrinhos de animação enquanto namorava minha primeira paixão, a fada Sininho, que havia conquistado meu coração em *Peter Pan*.

Não obstante, logo ficou claro para mim que eu nunca teria talento suficiente para participar das famosas fileiras da Disney Animation. Além disso, não tinha a menor ideia a respeito de como tornar-me um animador. Até onde sabia, não havia nenhuma escola para isso. Quando terminei o ensino médio, percebi que sabia muito mais como tornar-me um cientista. O caminho parecia fácil. Durante toda a minha vida, as pessoas sempre sorriam quando eu contava que havia mudado de arte para física porque, para elas, essa mudança parecia incongruente. Mas minha decisão de me formar em física e não em arte iria me levar, de forma indireta, à minha verdadeira vocação.

Quatro anos depois, em 1969, formei-me pela Universidade de Utah com dois diplomas, um de física e outro do campo emergente de ciência da Computação. Quando me inscrevi para um curso de pós-graduação, minha intenção era aprender como criar linguagens de computador. Mas logo depois que me matriculei, na mesma universidade, conheci um homem que iria me incentivar para mudar de rumo: Ivan Sutherland, um dos pioneiros da computação gráfica interativa.

O campo da computação gráfica – em essência, a criação de imagens digitais a partir de números ou dados, que podem ser manipulados por uma máquina – ainda estava na infância, mas o professor Sutherland já era uma lenda. No início da sua carreira, ele havia desenvolvido o Sketchpad, um engenhoso programa de computador que permitia que figuras fossem desenhadas, copiadas, movidas, giradas ou tivessem seu tamanho mudado sem perder suas propriedades básicas. Em 1968, ele havia participado da criação daquele que pode ser o primeiro sistema de display de realidade virtual usado na cabeça. (O dispositivo foi batizado de Espada de Dâmocles porque era tão pesado que precisava ser suspenso por um braço mecânico sobre a pessoa que iria usá-lo.) Sutherland e Dave Evans, este presidente do Departamento de Ciência da Computação da universidade, eram como ímãs para alunos brilhantes com interesses diversos e nos lideravam com um leve toque. Basicamente, eles nos davam boas-vindas ao programa, nos davam espaço para trabalhar e acesso aos computadores e nos deixavam perseguir qualquer coisa que nos interessasse. O resultado era uma comunidade participativa e apoiadora, tão inspiradora que procurei copiá-la mais tarde na Pixar.

Jim Clark, um colega de classe, fundou a Silicon Graphics e a Netscape. Outro colega, John Warnock, foi cofundador da Adobe, conhecida pelo Photoshop e pelo formato de arquivo PDF, entre outras coisas. Outro ainda, Alan Kay, atuou em várias frentes, de programação orientada para objetos até interfaces para usuários de computação gráfica. Em muitos aspectos, meus colegas de escola constituíram a parte que mais me inspirou em minha experiência de universidade; essa atmosfera de equipe colaborativa foi vital não só para me fazer gostar do programa, mas também para a qualidade dos trabalhos que fiz.

Essa tensão entre a contribuição pessoal do indivíduo e a alavancagem do grupo é uma dinâmica que existe em todos os ambientes criativos, mas eu iria prová-la pela primeira vez. Compreendi que num extremo do espectro tínhamos o gênio que parecia realizar sozinho trabalhos impressionantes; no outro extremo, tínhamos o grupo que se destacava precisamente devido à multiplicidade de visões. Eu me perguntava como equilibrar aqueles dois extremos. Ainda não tinha um bom modelo mental que me ajudaria a achar a resposta, mas estava desenvolvendo um forte desejo de encontrar um.

Grande parte da pesquisa que estava sendo realizada no Departamento de Ciência da Computação da Universidade de Utah era financiada pela ARPA. Como disse, ela havia sido criada em resposta ao Sputnik e um dos seus mais importantes princípios organizadores era que a colaboração podia conduzir à excelência. De fato, uma das realizações de que a ARPA mais se orgulhava era ligar universidades com algo que eles chamavam de "ARPANET", a qual evoluiu e transformou-se na internet. Os quatro primeiros nós da ARPANET estavam no Stanford Research Institute, na UCLA, na UC Santa Bárbara e na Universidade de Utah; assim, eu estava num lugar privilegiado para observar aquele grande experimento e o que vi teve uma profunda influência sobre mim. O mandato da ARPA – dar apoio a pessoas inteligentes em várias áreas – foi executado com base na suposição inabalável de que os pesquisadores tentariam fazer a coisa certa e, na visão da ARPA, controlá-los em excesso seria contraproducente. Os administradores da ARPA não se inclinavam sobre as costas daqueles que estavam trabalhando nos projetos por ela financiados, nem exigiam que nosso trabalho tivesse aplicações militares diretas. Eles simplesmente confiavam em nossa capacidade de inovar.

Essa confiança dava-me liberdade para tratar de todos os tipos de problemas complexos, e eu o fazia com prazer. Dormia com frequência no chão das salas dos computadores para maximizar meu tempo com eles; meus colegas de pós-graduação faziam o mesmo. Éramos jovens, movidos pelo senso de que estávamos inventando o campo a partir do zero – e isso nos entusiasmava. Vi pela primeira vez uma maneira de, ao mesmo tempo, criar arte e desenvolver uma compreensão técnica de como criar uma nova espécie de imagens. Fazer desenhos com o computador falava aos dois hemisférios do meu cérebro. É verdade que, em 1969, as figuras geradas em computadores eram muito rústicas, mas o ato de inventar novos algoritmos e ver imagens melhores era estimulante para mim. Meu sonho de infância estava se reafirmando à sua maneira.

Aos 26 anos de idade, fixei uma nova meta: desenvolver uma forma de animar, não com um lápis, mas com um computador, e tornar as imagens convincentes e belas o suficiente para usar em filmes. Pensei que afinal, talvez, eu pudesse me tornar um animador.

No segundo trimestre de 1972, passei dez semanas fazendo meu primeiro curta-metragem animado – um modelo digitalizado de minha mão esquerda. Meu processo combinava coisas antigas e novas; mais uma vez, como todos nesse campo de mudanças rápidas, eu estava ajudando a inventar a linguagem. Primeiro mergulhei minha mão em um balde de gesso – esquecendo, infelizmente, de protegê-la antes com vaselina –, o que significou que tive de arrancar cada pelo das costas da mão para libertá-la; então, de posse do molde, eu o enchi com mais gesso para fazer um modelo de minha mão; a seguir, peguei o modelo e o cobri com 350 pequenos triângulos e outros polígonos para criar algo que se assemelhava a uma rede de linhas negras sobre sua "pele". Não é fácil pensar que uma superfície curva pode ser construída a partir desses elementos planos, mas, quando eles são suficientemente pequenos, dá para chegar bem perto.

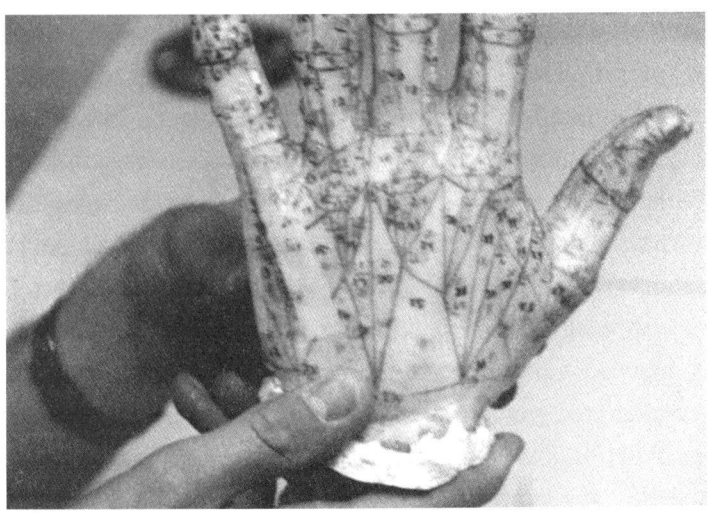

Eu havia escolhido aquele projeto porque estava interessado em desenhar objetos complexos e superfícies curvas – e estava em busca de um desafio. Naquela época, computadores não eram bons nem para mostrar objetos planos, quanto menos curvos. A matemática das superfícies curvas ainda não estava bem desenvolvida e os computadores tinham capacidade limitada de memória. No Departamento de Computação Gráfica da Universidade de Utah, onde todos ansiavam por fazer com que as imagens geradas por computador parecessem fotos de objetos reais, tínhamos três metas principais: velocidade, realismo e a capacidade para representar superfícies curvas. Meu filme pretendia cuidar dos dois últimos itens.

A mão humana não tem nenhuma superfície plana. E, ao contrário de um corpo curvo mais simples – por exemplo, uma bola –, ela tem muitas partes que agem em oposição umas com as outras, com um número aparentemente infinito de movimentos resultantes. A mão é um "objeto" incrivelmente complexo para se tentar captar e traduzir para bancos de dados. Como na época a maior parte da animação por computador consistia em objetos poligonais simples (cubos, pirâmides), eu tinha um trabalho especial para mim.

Depois de desenhar os triângulos e polígonos sobre meu modelo, medi as coordenadas de cada um de seus cantos e entrei com esses dados em um programa de animação em 3D que havia redigido. Isso possibilitou que eu exibisse num monitor os muitos triângulos e polígonos que compunham minha mão virtual. Na sua primeira encarnação, podiam ser vistas arestas agudas nos pontos de junção dos polígonos. Mas depois, graças ao "sombreamento suave" – uma técnica desenvolvida por outro estudante de pós-graduação –, isso foi em grande parte corrigido e a mão ficou com aparência mais natural. Mas o verdadeiro desafio era fazer com que ela se movesse.

A *Mão*, apresentada numa conferência sobre ciência da computação em 1973, provocou algum tumulto, porque ninguém jamais havia visto algo como ela antes. Inicialmente, ela, que parecia estar coberta por uma rede branca de polígonos, começa a se abrir e fechar, como se quisesse se cerrar. A seguir, sua superfície torna-se mais suave, mais como uma mão

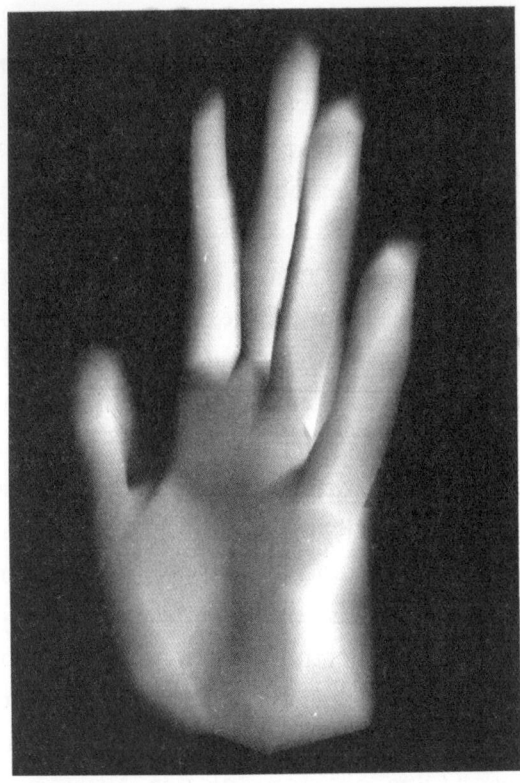

de verdade. Em dado momento, ela apontava direto para o espectador, como se dissesse: "Sim, estou falando com *você*." A seguir, a câmera *entrava* na mão e dava uma olhada, apontando as lentes para dentro da palma e de cada dedo, uma perspectiva de que eu gostava porque só podia ser vista via computador. Aqueles quatro minutos de filme haviam me custado mais de sessenta mil minutos para concluir.

Junto com um filme digitalizado feito por meu amigo Fred Parke do rosto da sua mulher mais ou menos na mesma época, *Mão* representou o estado da arte em animação por computador durante anos depois de ter sido feito. Fragmentos do filme de Fred e do meu foram apresentados no filme *Futureworld*, de 1976, o qual – apesar de quase esquecido hoje – ainda é lembrado como o primeiro longa-metragem a usar animação gerada por computador.

O professor Sutherland costumava dizer que gostava dos seus alunos graduados em Utah porque não sabíamos o que era impossível. Aparentemente, nem ele sabia. Ele foi um dos primeiros a acreditar que os executivos de filmes de Hollywood iriam se interessar pelo que estava acontecendo nos meios acadêmicos. Para isso, procurou criar um programa formal de intercâmbio com a Disney, pelo qual o estúdio iria enviar um dos seus animadores até Utah para aprender a respeito de novas tecnologias de desenho por computador e a universidade enviaria um aluno à Disney Animation para aprender mais a respeito de contar histórias.

No segundo trimestre de 1973, ele enviou-me a Burbank para tentar vender aquela ideia aos executivos da Disney. Foi emocionante para mim cruzar os portões e entrar na Disney a caminho do Edifício da Animação original, construído em 1940, sob a supervisão do próprio Disney para assegurar que o máximo de salas tivesse janelas para deixar entrar a luz natural. Apesar de ter estudado aquele lugar – ou pelo menos o que conseguia vislumbrar em nosso televisor de 12 polegadas –, caminhar para dentro dele era algo como entrar no Partenon pela primeira vez. Lá, conheci Frank Thomas e Ollie Johnston, dois dos "Nove Velhos" de Walt, o grupo de animadores lendários que haviam criado muitos dos personagens dos filmes de Disney que eu amava, de *Pinóquio* a *Peter Pan*. Em determinado momento, fui levado até os arquivos onde eram guardados todos os desenhos originais em papel de todos os filmes animados, com todas as imagens que haviam enchido minha imaginação. Eu estava na Terra Prometida.

Uma coisa ficou clara imediatamente. As pessoas que conheci na Disney – uma das quais juro que se chamava Donald Duckwall – não tinham o menor interesse pelo programa de intercâmbio de Sutherland. O espírito tecnicamente aventureiro de Walt Disney terminara havia muito tempo. Minhas descrições entusiásticas foram recebidas com indiferença. Para eles, computadores e animação simplesmente não se misturavam. Como sabiam isso? Porque na única vez em que recorreram aos computadores em busca de ajuda – para produzir imagens de milhões de bolhas no filme de ação ao vivo misturada com animação de 1971, *Se minha cama voasse* – aparentemente os computadores os haviam deixado na mão. A tecnologia na época era tão fraca, em especial para imagens curvas, que bolhas estavam fora do alcance de computadores. Isso, infelizmente, não ajudava minha causa. "Bem", disse-me mais de um executivo da Disney naquele dia, "até que a animação por computador possa fazer bolhas, ela não existe."

Em vez disso, eles me ofereceram um emprego na Divisão de Criação de Imagens de Disney, que projeta os parques temáticos. Pode parecer estranho, diante da minha antiga vontade de trabalhar na Disney, mas recusei a oferta sem hesitação. O trabalho com parques temáticos pareceu-me um desvio que iria levar-me para um caminho que eu não queria. Não desejava projetar passeios para viver. Eu queria fazer animação com computadores.

Assim como Walt Disney e os pioneiros da animação em acetato haviam feito décadas antes, quem estava tentando gerar imagens com computadores estava tentando criar algo de novo. Quando um dos colegas da Universidade de Utah inventava alguma coisa nova, todos os outros queriam participar, levando adiante a nova ideia. É claro que também havia reveses. Mas o sentimento geral era de progresso, de nos movermos firmemente no sentido de uma meta distante.

Muito antes de ter ouvido falar a respeito do problema da Disney com bolhas, o que mantinha meus colegas e a mim acordados à noite era a necessidade de continuar a aperfeiçoar nossos métodos para criar superfícies curvas com computadores – além de descobrir como adicionar riqueza e complexidade às imagens que estávamos criando. Minha dissertação "Um Algoritmo de Subdivisão para a Apresentação de Superfícies Curvas por Computador" oferecia uma solução para aquele problema.

Grande parte daquilo em que eu estava pensando na época era extremamente técnico e difícil de explicar, mas eu iria tentar. A ideia por trás do que chamei de "superfícies de subdivisão" era que, em vez de procurar descrever toda a superfície de uma garrafa vermelha e brilhante, por exemplo, poderíamos dividir essa superfície em muitas superfícies menores. Era mais fácil calcular como colorir e apresentar cada um dos pequenos segmentos – os quais podíamos depois juntar para criar nossa garrafa. (Como já observei, a capacidade de memória dos computadores era pequena naquela época; assim, dedicávamos muito tempo ao desenvolvimento de truques para superar essa limitação. Esse era um deles.) Mas e se você quisesse que aquela garrafa vermelha fosse listrada? Em minha dissertação, descobri uma maneira pela qual poderia pegar um padrão de couro de zebra ou veios de madeira, por exemplo, e aplicá-lo sobre qualquer objeto.

O "mapeamento de textura", nome que dei ao processo, era semelhante a um papel de embrulho elástico que podia ser aplicado a uma superfície curva com encaixe perfeito. O primeiro mapa de textura que fiz envolvia a projeção de uma imagem de Mickey Mouse sobre uma superfície ondulada.

Também usei outros personagens, como Winnie the Pooh e Tigger, para ilustrar minha argumentação. Eu podia não estar pronto para trabalhar na Disney, mas seus personagens ainda eram minhas referências.

Na Universidade de Utah, estávamos inventando uma nova linguagem. Um de nós contribuía com um verbo, outro com um substantivo e um terceiro procurava maneiras para juntar os elementos para de fato dizer algo. Minha invenção, batizada de "Z-buffer", era um bom exemplo disso, porque construía sobre o trabalho de outras pessoas. O Z-buffer foi concebido para resolver o problema daquilo que acontece quando um objeto animado por computador fica oculto, total ou parcialmente, por trás de outro. Mesmo que os dados que descrevem cada aspecto do objeto oculto estejam na memória do computador (significando que você poderia vê-lo, caso fosse necessário), as relações espaciais desejadas significam que ele não deve ser visto por inteiro. O desafio estava em descobrir uma forma de explicar ao computador como conseguir esse efeito. Por exemplo, se uma esfera estivesse na frente de um cubo, bloqueando-o parcialmente, sua superfície deveria ser visível sobre a tela, assim como as partes do cubo não bloqueadas pela esfera. O Z-buffer conseguia isso atribuindo uma profundidade a cada objeto no espaço tridimensional e dizendo ao computador para adaptar cada um dos pixels da tela ao objeto que estivesse mais próximo. Como eu disse, a memória dos computadores era tão limitada que aquela solução não era prática, mas eu havia encontrado uma nova maneira de resolver o problema. Apesar de parecer simples, ela certamente não era. Hoje existe um Z-buffer em todo videogame e todo chip de PC produzido no mundo.

Depois de receber meu Ph.D. em 1974, deixei Utah com uma bela lista de inovações embaixo do braço, mas eu estava perfeitamente consciente de que tinha feito tudo isso em prol de um objetivo mútuo mais amplo. Como era o caso de todos os meus colegas, o trabalho que eu havia liderado tinha ocorrido em grande parte por causa do ambiente protetor, eclético e intensamente desafiador em que eu estava. Os líderes de meu departamento compreendiam que, para criar um laboratório fértil, precisavam reunir diferentes espécies de pensadores e incentivar sua autonomia. Eles tinham de oferecer ajuda quando necessário, mas também se conterem e nos dar espaço. Instintivamente, eu sentia que aquele tipo de ambiente era raro e que sua busca era válida. Sabia que a coisa mais valiosa que estava levando da Universidade de Utah era o modelo, dado por meus professores, de como liderar e inspirar outros pensadores criativos. Mas para mim a pergunta era como encontrar outro ambiente como aquele – ou como construir o meu.

Deixei Utah com um senso mais claro de minha meta e estava preparado a dedicar minha vida a ela: produzir o primeiro filme animado por computador. Mas chegar lá não iria ser fácil. Eu achava que seriam necessários pelo menos mais dez anos de desenvolvimento até descobrirmos como modelar e animar personagens e gerá-los em ambientes complexos para que pudéssemos começar a conceber como fazer um filme de curta-metragem, para não falar em um filme de duração normal. Também ainda não sabia que a missão que designara para mim envolvia muito mais que tecnologia. Para realizá-la, teríamos que ser criativos não só em termos técnicos, mas também nas maneiras pelas quais trabalhávamos em conjunto.

Naquela época, nenhuma outra empresa ou universidade compartilhava minha meta de fazer um filme gerado em computador; na verdade, cada vez que expressei esse objetivo em entrevistas para empregos em universidades, ele parecia provocar desânimo na sala. "Mas queremos que você lecione *ciência da computação*", diziam meus entrevistadores. Para a maioria dos acadêmicos, aquilo que eu estava propondo parecia um castelo no ar, uma fantasia dispendiosa.

Então, em novembro de 1974, recebi uma chamada misteriosa de uma mulher, que disse trabalhar em um lugar chamado New York Institute of Technology. Ela declarou ser a secretária do presidente do instituto e que estava ligando para reservar minha passagem de avião. Eu não sabia do que ela estava falando, e disse isso. Qual era mesmo o nome do instituto? Por que ela queria que eu voasse até Nova York? Houve um silêncio embaraçoso. "Sinto muito", disse ela. "Alguém deveria ter lhe telefonado antes de mim."

E com isso ela desligou. A próxima ligação que recebi iria mudar minha vida.

Capítulo 2

NASCE A PIXAR

O que significa gerenciar bem?

Quando eu era jovem, certamente não tinha nenhuma ideia, mas estava prestes a descobrir isso tendo uma série de empregos – trabalhando para três iconoclastas com estilos muito diferentes – que iriam me fazer passar por um curso intensivo de liderança. Na década seguinte, eu iria aprender muito a respeito do que os gerentes devem e não devem fazer, a respeito de visão e ilusão, de confiança e arrogância, do que encoraja a criatividade e o que a mata. À medida que ganhava experiência, eu estava fazendo perguntas que me intrigavam tanto quanto me confundiam. Mesmo hoje, quarenta anos depois, continuo a fazer perguntas.

Quero começar com meu primeiro chefe, Alex Schure – o homem cuja secretária ligou para mim naquele dia em 1974 para me reservar uma passagem de avião e depois, quando entendeu seu erro, desligou na minha cara. Alguns minutos depois, quando o telefone tocou novamente, uma voz desconhecida – dessa vez de um homem que disse que trabalhava para Alex – explicou tudo: Alex estava começando um laboratório de pesquisa em Long Island, cuja missão era trazer os computadores para o processo de animação de filmes. Dinheiro não era problema, garantiu ele – Alex era multimilionário. Eles precisavam de alguém para dirigir o lugar. Eu estaria interessado em conversar?

Em poucas semanas, eu estava entrando em meu novo escritório no Instituto de Tecnologia de Nova York.

Alex, um ex-diretor de faculdade, nada entendia de ciência da computação. Na época, isso era comum, mas Alex certamente não era. Ele pensava, ingenuamente, que em pouco tempo os computadores iriam substituir as pessoas, e liderar esse ataque era o que o entusiasmava. (Sabíamos que essa concepção estava errada, apesar de ser comum na época, mas ficamos gratos por sua disposição para financiar nosso trabalho.) Ele tinha uma maneira estranha de falar que misturava petulância, argumentos falaciosos e até mesmo trechos de versos numa espécie de dialeto do Chapeleiro Maluco – ou uma "salada de palavras", como dizia um dos meus colegas. ("Nossa visão irá acelerar o tempo", dizia ele, "e acabará por eliminá-lo.") Aqueles entre nós que trabalhavam com ele tinham muitas vezes dificuldade para entender o que queria dizer. Alex tinha uma ambição secreta – bem, não tão secreta. Ele dizia quase todos os dias que não queria ser o próximo Walt Disney, que só nos levava a pensar que ele queria. Quando cheguei, ele estava no processo de dirigir um desenho animado, desenhado manualmente, denominado *Tubby the Tuba*. Na verdade, o projeto não tinha futuro – ninguém no NYIT tinha treinamento ou sensibilidade para fazer um filme e, quando ele foi lançado, desapareceu sem deixar traços.

Apesar de iludido a respeito de seus próprios talentos, Alex era um visionário. Era incrivelmente presciente a respeito do papel que o computador viria a desempenhar em animação e estava disposto a gastar grande parte do seu próprio dinheiro para levar avante aquela visão. Seu inquebrantável compromisso com aquilo que muitos chamavam de fantasia – a fusão da tecnologia com sua forma de arte desenhada manualmente – possibilitou a realização de muitos trabalhos pioneiros.

Depois de me trazer, Alex deixou em minhas mãos a formação de uma equipe. Ele tinha total confiança nas pessoas que contratava. Isso era algo que eu admirava e, mais tarde, tentei imitar. Uma das primeiras pessoas que entrevistei foi Alvy Ray Smith, um texano carismático com Ph.D. em ciência da computação e um currículo brilhante que incluía trabalhos na New York University e em Berkeley e um estágio no Xerox PARC, o conhecido laboratório de pesquisa em Palo Alto. Eu tive dúvidas quando conheci Alvy porque, francamente, ele parecia mais qualificado que eu para dirigir o laboratório. Ainda posso lembrar meu incômodo interior, aquela reação instintiva causada por uma ameaça em potencial: aquele, pensei, podia ser o sujeito que tomaria meu emprego um dia. Mas mesmo assim eu o contratei.

Alguns viram a contratação de Alvy como um gesto de confiança. Na verdade, como uma pessoa de 29 anos que havia se concentrado em pesquisa por cinco anos e nunca tivera um assistente, sem falar em contratar e chefiar pessoas, eu estava me sentindo qualquer coisa, menos confiante. Mas podia ver que o NYIT era um lugar onde poderia explorar aquilo que me dispusera a fazer como estudante graduado. Para garantir meu sucesso, eu precisava atrair as mentes mais agudas; para atraí-las, precisava deixar de lado minhas inseguranças. A lição da ARPA estava alojada em minha mente. Diante de um desafio, seja mais inteligente.

E assim fizemos. Alvy viria a se tornar um dos meus melhores amigos e colaborador da maior confiança. E desde então formulei uma política de tentar contratar pessoas mais inteligentes do que eu. Os retornos óbvios de pessoas excepcionais são que elas inovam, superam-se e, em geral, fazem com que sua empresa – e você por extensão – pareça melhor. Mas existe outro retorno, menos óbvio, que só me ocorreu em retrospecto. O ato de contratar Alvy causou em mim uma mudança como gerente. Ao ignorar o medo, percebi que ele era infundado. Ao longo dos anos, tenho conhecido pessoas que optaram pelo caminho que parecia mais seguro e perderam com isso. Ao contratar Alvy, eu havia assumido um risco e aquele risco produziu a mais alta recompensa – um colega de equipe brilhante e comprometido. Durante o curso de pós-graduação, eu me perguntava como conseguiria reproduzir o ambiente singular da Universidade de Utah. E de repente eu vi o caminho. Aposte sempre no melhor, mesmo que pareça ameaçador.

No NYIT, tínhamos uma única meta: ampliar os limites do que os computadores podiam fazer em animação e imagens gráficas. E, à medida que nossa missão tornou-se conhecida, começamos a atrair as melhores pessoas da área. Quanto maior se tornava minha equipe, maior a urgência de eu descobrir como gerenciá-la. Criei uma estrutura organizacional plana, semelhante à que havia usado nos meios acadêmicos, em grande parte porque pensava ingenuamente que, se criasse uma estrutura hierárquica – com um grupo de gerentes respondendo para mim –, eu teria de gastar tempo demais gerenciando e pouco tempo com meu próprio trabalho. Essa estrutura – na qual eu confiava que cada um tocasse seus próprios projetos, no seu próprio ritmo – tinha suas limitações, mas o fato de darmos muita liberdade a pessoas altamente motivadas nos permitiu dar importantes saltos tecnológicos em um curto período. Fizemos em conjunto o trabalho pioneiro, grande parte do qual visava integrar o computador à animação feita manualmente.

Por exemplo, em 1977 redigi um programa de animação em duas dimensões, denominado Tween, que executava aquilo que é conhecido como "inbetweening automático" – preencher quadros intermediários entre quadros-chaves, um processo normalmente dispendioso e intensivo de mão de obra. Outro desafio técnico que nos ocupava era a necessidade de uma coisa chamada de *motion blur*. Com a animação em geral e a animação por computador em particular, as imagens criadas estão perfeitamente em foco. Isso pode parecer bom, mas na verdade os seres humanos reagem negativamente. Quando objetos em movimento estão em foco perfeito, os espectadores experimentam uma sensação desagradável, que descrevem como "irregular". Quando assistimos a filmes ao vivo, não percebemos esse problema porque as câmeras de filmagem tradicionais captam uma leve mancha na direção em que um objeto está se movendo. Essa mancha impede que nossos cérebros percebam as arestas agudas e a mancha é considerada natural. Sem essa "mancha do movimento", nossos cérebros acham que alguma coisa está errada. Assim, a questão para nós era como estimular a mancha para a animação. Se o cérebro humano não pudesse aceitar a animação por computador, esse campo não teria futuro.

Entre as poucas empresas que estavam tentando resolver esses problemas, a maior parte adotou uma cultura de sigilo semelhante ao da CIA. Afinal, estávamos numa corrida para sermos os primeiros a produzir um longa-metragem animado por computador; assim, muitas das empresas que estavam perseguindo essa tecnologia trancavam suas descobertas à chave. Porém, depois de conversar sobre o assunto, Alvy e eu decidimos fazer o oposto – compartilhar nosso trabalho com o mundo exterior. Minha visão era de que estávamos tão longe de atingir nossa meta, que ocultar ideias somente iria prejudicar nossa capacidade para alcançar a linha de chegada. Em vez disso, o NYIT juntou-se à comunidade de computação gráfica, publicando tudo o que descobríamos, participando de comitês para revisar estudos publicados por todos os pesquisadores e assumindo papéis ativos em todas as principais conferências acadêmicas. Os benefícios dessa transparência não foram sentidos imediatamente (e quando nos decidimos por ela, não estávamos pensando em retorno; apenas pareceu a coisa certa a fazer). Mas os relacionamentos e as conexões que fizemos com o tempo mostraram-se muito mais valiosos do que poderíamos ter imaginado, alimentando nossa inovação técnica e nossa compreensão de criatividade em geral.

Porém, apesar do bom trabalho que estávamos fazendo, eu me sentia num dilema no NYIT. Graças a Alex, tivemos a sorte de dispor de fundos para comprar o equipamento e contratar as pessoas necessárias para inovar no mundo da animação por computador, mas não dispúnhamos de ninguém com conhecimento de produção de filmes. Estávamos desenvolvendo a capacidade para contar uma história com um computador, mas ainda não tínhamos entre nós contadores de histórias. Alvy e eu estávamos tão conscientes dessa limitação que começamos a fazer aberturas discretas para a Disney e outros estúdios, tentando avaliar seu interesse em investir em nossos instrumentos. Caso achássemos um pretendente interessado, Alvy e eu estávamos preparados para deixar o NYIT e mudar nossa equipe para Los Angeles para trabalhar com produtores e redatores profissionais de filmes. Mas não era para acontecer. Um por um, eles não se interessaram. É difícil de imaginar isso hoje, mas em 1976 a ideia de incorporar alta tecnologia à produção de filmes em Hollywood não era apenas uma baixa prioridade, mas nem mesmo estava no radar. Mas um homem estava prestes a mudar isso com um filme intitulado *Guerra nas estrelas*.

Em 25 de maio de 1977, *Guerra nas estrelas* estreou nos cinemas em toda a América. Os incríveis efeitos visuais do filme – e seu sucesso de bilheteria sem precedentes – iriam mudar a indústria para sempre. E o autor-diretor George Lucas, de 32 anos, estava apenas começando. Sua empresa, a Lucasfilm, e seu estúdio em ascensão, o Industrial Light & Magic, já havia assumido a liderança desenvolvendo novas ferramentas em efeitos visuais e sonoros. E, numa época em que mais ninguém na indústria cinematográfica demonstrava qualquer desejo de investir nessas coisas, George Lucas resolveu, em julho de 1979, criar uma divisão de computadores. Graças a Luke Skywalker, ele dispunha de recursos para fazer aquilo da maneira certa.

Para dirigir a nova divisão, ele queria alguém que não só conhecesse computadores, mas também gostasse de filmes e acreditasse que os dois poderiam não apenas coexistir, mas também aumentar um ao outro. Isso acabou levando George até mim. Um dos seus colaboradores mais importantes, Richard Edlund, um pioneiro em efeitos especiais, veio me ver em meu escritório numa tarde de janeiro usando um cinto com uma fivela enorme com a inscrição "Star Wars". Aquilo era preocupante, pois eu estava tentando manter sua visita fora do conhecimento de Alex Schure. Mas de alguma forma ele nada percebeu. O emissário de George aparentemente gostou daquilo que lhe mostrei, porque algumas semanas depois eu estava a caminho da Lucasfilm, na Califórnia, para uma entrevista formal.

Lá, minha primeira reunião foi com um sujeito chamado Bob Gindy, que dirigia os projetos pessoais de George – não exatamente as qualificações que se esperaria para a pessoa que liderava a busca por um novo executivo de computadores. A primeira pergunta que ele me fez foi: "Quem mais a Lucasfilm poderia considerar para este lugar?" Sem hesitar, citei os nomes de diversas pessoas que estavam fazendo bons trabalhos em várias áreas técnicas. Minha disposição para fazê-lo refletia minha visão de mundo, forjada nos meios acadêmicos, de que qualquer problema difícil deveria ter muitas boas mentes tentando resolvê-lo ao mesmo tempo. Só depois eu soube que os dirigentes da Lucasfilm já haviam entrevistado todas as pessoas que citei e lhes pediram recomendações semelhantes – e que nenhum deles havia citado outros nomes! Trabalhar para George Lucas era certamente muito bom e só um louco não iria querer aquele emprego. Mas ficar mudos, como fizeram meus rivais quando solicitados a dar indicações, sinalizava não só uma intensa competitividade, mas também falta de confiança. Logo tive uma entrevista com George em pessoa.

A caminho do encontro, lembro-me de ter ficado nervoso como poucas vezes havia me sentido. Mesmo antes de *Guerra nas estrelas*, George havia provado, com *Loucuras de verão*, que era um autor-diretor-produtor de sucesso. Eu era um sujeito de computadores com um sonho dispendioso. Contudo, quando cheguei ao estúdio de Los Angeles onde ele estava trabalhando, vi que éramos bastante parecidos: magros e barbudos, com pouco mais de 30 anos, ambos usávamos óculos, trabalhávamos intensamente e tínhamos a tendência de falar só quando tínhamos algo a dizer. Mas o que me impressionou imediatamente foi o inflexível espírito prático de George. Ele não era um amador tentando introduzir tecnologia na produção de filmes só por prazer. Seu interesse por computadores começava e terminava com o potencial deles para adicionar valor ao processo de produção de filmes – fosse através de impressão digital, audiodigital, edição digital não linear ou computação gráfica. Eu tinha certeza de que eles poderiam fazê-lo e lhe disse isso.

Posteriormente, George disse que havia me contratado por minha honestidade, "clareza de visão" e minha firme crença naquilo que computadores podiam fazer. Pouco tempo depois daquele encontro, ele me ofereceu o emprego.

Quando mudei-me para o prédio em San Anselmo que serviria como sede temporária para a nova divisão de computadores da Lucasfilm, eu tinha assumido um compromisso comigo mesmo: repensar como gerenciar pessoas. O que George queria criar era uma empreitada muito mais ambiciosa que aquela por mim imaginada no NYIT, com perfil mais alto, orçamento maior e, dadas as suas ambições em Hollywood, a promessa de um impacto muito maior. Eu queria me certificar de que estava capacitando minha equipe para fazer a maior parte daquilo. No NYIT, eu havia criado uma estrutura plana semelhante à que tinha visto na Universidade de Utah, dando aos meus colegas muito espaço e pouca supervisão, e havia gostado dos resultados. Mas agora eu tinha de admitir que lá nossa equipe atuava mais como uma coleção de estudantes – pensadores independentes com projetos individuais – do que como uma equipe com uma meta comum. Um laboratório de pesquisa não é uma universidade e a estrutura não funcionava bem. Então decidi que na Lucasfilm iria contratar gerentes para dirigir os grupos de computação gráfica, vídeo e áudio; eles se reportariam a mim. Eu sabia que precisava introduzir algum tipo de hierarquia, mas também me preocupava com a possibilidade de ela causar problemas. Assim, fui devagar, desconfiado no início, mas sabendo que parte dela era necessária.

Em 1979, a área da Baía de San Francisco não poderia ter oferecido um ambiente mais fértil para nosso trabalho. No Vale do Silício, o número de empresas crescia depressa demais. Também crescia exponencialmente o número de tarefas que os computadores deveriam realizar. Pouco depois de eu chegar à Califórnia, Bill Gates, da Microsoft, concordou em criar um sistema operacional para o novo computador pessoal da IBM – que iria transformar a maneira pela qual os americanos trabalhavam. Um ano depois, a Atari lançou o primeiro console de jogos de mesa, significando que os populares jogos de fliperama, como Space Invaders ou Pac-Man, poderiam ser jogados em todas as casas da América, abrindo um mercado que hoje responde por mais de 65 bilhões de dólares em vendas globais.

Para ter uma ideia da velocidade com a qual as coisas estavam mudando, pense que, quando eu era um estudante de pós-graduação em 1970, nós usávamos computadores enormes da IBM e outras sete empresas (um grupo apelidado de "IBM e os Sete Anões"). Imagine uma sala cheia de prateleiras para equipamentos medindo 1,80 metro de altura, 60 centímetros de largura e um metro de profundidade. Cinco anos depois, quando cheguei ao NYIT, o minicomputador – mais ou menos do tamanho de um armário – estava em ascensão, com a Digital Equipment sendo a maior fabricante. Quando cheguei à Lucasfilm em 1979, todos estavam mudando para estações de trabalho como aquelas feitas por novas empresas do Vale do Silício, como a Sun Microsystems e a Silicon Graphics, além da IBM, mas naquela época todos podiam ver que as estações de trabalho eram apenas mais uma etapa no caminho para os PCs e, finalmente, os computadores pessoais de mesa. A rapidez daquela evolução criava oportunidades aparentemente infindáveis para quem estivesse disposto a inovar. A sedução de enriquecer era um ímã para pessoas brilhantes e ambiciosas, e a competição resultante era intensa – assim como os riscos. Os antigos modelos de negócios estavam sofrendo mudanças contínuas e profundas.

A Lucasfilm estava sediada em Marin County, uma hora ao norte do Vale do Silício de carro e a uma hora de Hollywood de avião. Isso não era por acaso. George se via, acima de tudo, como um produtor de filmes; assim, o Vale do Silício nada tinha a ver com ele. Mas ele também não desejava ficar perto demais de Los Angeles, porque achava que havia alguma coisa inconveniente e inata a respeito da cidade. Assim, ele criou sua própria ilha, uma comunidade que adorava filmes e computadores, mas não jurava fidelidade a nenhuma das culturas predominantes que definiam aqueles negócios. O ambiente resultante parecia tão protegido quanto uma instituição acadêmica – uma ideia que iria permanecer comigo e ajudar a dar forma àquilo que eu iria tentar mais tarde construir na Pixar. Dava-se muito valor à experimentação, mas a urgência de um empreendimento com fins lucrativos estava claramente no ar. Em outras palavras, sentíamos que estávamos resolvendo problemas com um objetivo.

Encarreguei Alvy do grupo de computação gráfica, que era inicialmente dedicado à criação de uma abordagem digital para o *blue-screen matting* (chroma key) – o processo pelo qual uma imagem (p. ex., um homem numa prancha de surfe) pode ser inserida numa imagem separada (digamos, uma onda de 30 metros). Antes da tecnologia digital, esse efeito era realizado em filme com o uso de sofisticados dispositivos ópticos, e os magos dos efeitos especiais da época não tinham nenhum interesse em deixar esse meticuloso método para trás. Nossa tarefa era convencê-los do contrário. A equipe de Alvy preparou-se para projetar um computador altamente especializado que dispunha de resolução e poder de processamento para escanear filmes, combinar imagens de efeitos especiais com cenas de ação ao vivo e registrar o resultado final em um filme. Levamos cerca de quatro anos, mas nossos engenheiros construíram o dispositivo, que foi chamado de Pixar Image Computer.

Por que "Pixar"? O nome surgiu de uma discussão entre Alvy e Loren Carpenter, um de nossos colegas. Alvy, que havia passado grande parte da sua infância no Texas e no Novo México, simpatizava com o idioma espanhol e tinha curiosidade sobre como determinados substantivos em inglês pareciam verbos espanhóis – por exemplo, palavras como "laser". Assim, ele preferia o nome "Pixer", que (erradamente) imaginava ser um verbo espanhol que significava "fazer imagens". Loren preferia "Radar", que para ele soava como alta tecnologia. Foi então que eles se entenderam: Pixer + Radar = Pixar! E ficou assim.

Na Lucasfilm, os especialistas em efeitos especiais eram relativamente indiferentes à nossa tecnologia de computação gráfica. Porém, seus colegas editores de filmes eram totalmente contra nós. Isso foi revelado quando, por solicitação de George, desenvolvemos um sistema de edição de vídeo que iria possibilitar que os editores fizessem seu trabalho no computador. George antevia um programa em que cenas fossem facilmente arquivadas e os cortes fossem feitos com rapidez muito maior do que em filme. Ralph Guggenheim, um programador de computadores (também formado em produção de filmes pela Carnegie Mellon) que eu havia tirado do NYIT, assumiu a liderança do projeto, o qual era tão avançado que o hardware necessário ao seu suporte ainda nem existia. (Para chegar perto dele, Ralph precisou criar um elaborado sistema de quebra-galhos usando discos a laser.) Mas por mais desafiador que fosse o problema, não era nada comparado com o maior e eterno impedimento ao nosso progresso: a resistência humana a mudanças.

Embora George quisesse o novo sistema de edição em vídeo, os editores de filmes não o queriam. Eles estavam perfeitamente felizes com o sistema que já haviam dominado, o qual envolvia o corte do filme em fragmentos com lâminas de barbear e sua recolagem. Eles não podiam estar menos interessados em fazer mudanças que iriam tornar seu trabalho mais lento a curto prazo. Eles se sentiam bem com os processos que conheciam e mudar significava desconforto. Assim, quando chegou o momento de testar nosso trabalho, os editores recusaram-se a participar. Nossa certeza de que a edição em vídeo iria revolucionar o processo não tinha valor, nem o apoio de George. Pelo fato de as pessoas que nosso novo sistema iria ajudar resistirem a ele, o progresso foi interrompido.

O que fazer?

Se dependesse dos editores, nenhuma nova ferramenta seria concebida e nenhum aperfeiçoamento seria possível. Eles não viam vantagem nenhuma em mudar, nem podiam imaginar que usando um computador seu trabalho seria mais fácil ou melhor. Mas se projetássemos o novo sistema no vácuo, indo em frente sem as indicações dos editores, acabaríamos tendo uma ferramenta que não iria satisfazer suas necessidades. Confiar no valor da nossa inovação não era suficiente. Precisávamos de contribuições da comunidade que estávamos tentando ajudar. Sem ela, seríamos forçados a abandonar nossos planos.

Estava claro que não bastava os gerentes terem boas ideias – eles precisavam conseguir apoio para essas ideias entre as pessoas que deveriam colocá-las em uso. Levei essa lição muito a sério.

Durante os anos na Lucasfilm, eu tive meus períodos de sentir-me superado como gerente, em que eu me perguntava a respeito da minha capacidade e se deveria adotar um estilo gerencial mais enérgico, do tipo macho alfa. Eu havia posto em funcionamento minha versão de hierarquia delegando a outros gerentes, mas também fazia parte de uma cadeia de comando dentro do império da Lucasfilm. Lembro-me de voltar à noite para casa esgotado, sentindo-me como se estivesse me equilibrando sobre as costas de um bando de cavalos – somente alguns deles eram puros-sangues, alguns eram completamente selvagens e outros, pôneis lutando para prosseguir. Eu já achava aguentar aquilo duro demais e nem pensava em pilotá-los.

Em outras palavras, gerenciar era difícil. Ninguém me dava indicações. Os livros que eu lia que prometiam a compreensão do assunto eram quase todos destituídos de conteúdo. Assim eu olhava para George para ver como ele fazia. Via que ele parecia refletir parte da filosofia que havia colocado em Yoda. Assim como Yoda dizia coisas como: "Faça ou não faça. Não há testes", George gostava de analogias coloquiais que procuravam descrever a confusão da vida. Ele comparava o processo em geral árduo de desenvolver seu Skywalker Ranch, de quase dois mil hectares (uma minicidade de residências e instalações de produção) em um navio descendo um rio... que havia sido cortado pela metade... e cujo capitão havia sido atirado pela amurada. "Ainda vamos chegar lá", dizia ele. "Peguem os remos e mantenham o barco em movimento!"

Outra das suas analogias favoritas era que construir uma empresa era como estar em uma caravana a caminho do oeste. Na longa jornada até a terra da fartura, os pioneiros estariam cheios de determinação e unidos pela meta de atingir seu destino. Depois de chegar, dizia ele, as pessoas iam e vinham e era assim que devia ser. Mas o processo de se mover *no sentido* de alguma coisa – de ainda não ter chegado – era o que ele idealizava.

Quer evocando carroças ou navios, George pensava em termos de visão de longo prazo; ele acreditava no futuro e na sua capacidade para moldá-lo. Foi contada e recontada a história de como, como jovem produtor de cinema, na esteira de *Loucuras de verão*, ele foi aconselhado a exigir um salário maior em seu novo filme, *Guerra nas estrelas*. Esse seria o movimento esperado em Hollywood: aumente sua quota. Mas não para George. Ele deixou de lado o aumento e, em vez disso, pediu para deter a propriedade dos direitos de licenciamento e merchandising para *Guerra nas estrelas*. A 20th Century Fox, estúdio que estava distribuindo o filme, concordou imediatamente com seu pedido, achando que não estava dando muito. George provaria que ela estava errada, preparando o cenário para mudanças importantes na indústria que ele amava. Ele apostou em si mesmo – e venceu.

Nos dias posteriores a *Guerra nas estrelas*, a Lucasfilm atraía grandes nomes. Diretores famosos, de Steven Spielberg a Martin Scorsese, passavam sempre por lá para ver em que estávamos trabalhando e quais novos efeitos ou inovações poderiam usar em seus filmes. Porém, mais que essas passagens de pessoas importantes, a visita que mais mexeu comigo foi a do grupo de animadores da Disney em meados de fevereiro de 1983. Enquanto eu lhes mostrava a empresa, observei que um deles – um jovem de jeans chamado John – parecia especialmente entusiasmado a respeito do que estávamos fazendo. Na verdade, a primeira coisa que notei foi sua curiosidade. Quando mostrei a todos uma imagem animada por computador da qual nos orgulhávamos tanto que lhe demos um nome – "The Road to Point Reyes" –, ele ficou petrificado. Contei-lhe que havíamos desenvolvido a imagem de uma estrada suavemente curva com vista para o oceano Pacífico usando um programa desenvolvido por nós denominado Reyes (para Renders Everything You Ever Saw [Desenha Tudo Aquilo que Você Sempre Viu]) e o nome era intencional: Point Reyes, Califórnia, é uma cidadezinha à beira-mar que fica perto da Lucasfilm. Na ocasião, Reyes representava a vanguarda em termos de computação gráfica e deixou perplexo aquele rapaz.

Logo fiquei sabendo por quê. Ele contou-me que tinha uma ideia para um filme chamado *The Brave Little Toaster* [A Valente Torradeira], a respeito de uma torradeira, um cobertor, uma lâmpada, um rádio e um aspirador de pó que vão até a cidade para encontrar seu mestre depois de terem sido abandonados numa cabana na floresta. Ele contou que aquele filme, que estava para mostrar aos seus chefes na Disney Animation, seria o primeiro a colocar personagens desenhados à mão dentro de cenários gerados por computador e era muito parecido com aquele que eu acabara de lhe mostrar. E queria saber se poderíamos trabalhar juntos para que isso acontecesse.

O animador era John Lasseter. Logo depois de nosso encontro na Lucasfilm, ele perderia seu emprego na Disney. Aparentemente, seus supervisores acharam que *The Brave Little Toaster* era – como ele – um pouco avançado demais. Eles ouviram sua apresentação e imediatamente depois o demitiram. Alguns meses depois, encontrei-o novamente no Queen Mary. O histórico hotel de Long Beach, que era um transatlântico ancorado, era o local do Pratt Institute Symposium on Computer Graphics. Sem saber que ele estava desempregado, perguntei se haveria uma maneira de ele ir à Lucasfilm para nos ajudar a fazer nosso primeiro curta-metragem. Ele disse sim sem hesitação. Lembro-me de ter pensado que era como se a ideia de intercâmbio do professor Sutherland estivesse finalmente se tornando realidade. Ter um animador da Disney em nossa equipe, mesmo que temporariamente, seria um enorme salto à frente. Pela primeira vez, um contador de histórias de verdade estaria em nossas trincheiras.

John era um sonhador nato. Quando criança, vivia sonhando com as casas em árvores e os túneis e naves espaciais que desenhava em seu caderno. Seu pai era gerente de peças da concessionária Chevrolet em Whittier, Califórnia – incutindo nele uma obsessão duradoura por carros –, e sua mãe era professora de arte no ensino médio. Como eu, John se lembra de descobrir que havia pessoas que faziam animação para viver e de ter pensado que encontrara seu lugar no mundo. Para ele, como para mim, essa descoberta estava relacionada à Disney; ela veio quando ele encontrou um velho exemplar de *The Art of Animation*, a história dos Estúdios Disney por Bob Thomas, na biblioteca da sua escola. Quando conheci John, ele estava tão ligado a Walt Disney quanto qualquer rapaz de 26 anos. Ele tinha se formado pela CalArts, a lendária escola de arte fundada por Walt, onde havia aprendido com alguns dos maiores artistas da Era de Ouro da Disney; havia trabalhado como guia na Disneylândia e recebido o prêmio Student Academy de 1979 pelo seu curta-metragem *The Lady and the Lamp* – uma homenagem ao desenho *A Dama e o Vagabundo*, de Disney – cujo personagem principal, uma luminária de mesa branca, ia ser mais tarde o logo da Pixar.

O que John não percebeu quando entrou para a Disney Animation foi que o estúdio estava passando por um período difícil de ociosidade. A animação havia parado de crescer muito tempo antes – não tinha havido nenhum avanço importante desde *A guerra dos dálmatas*, de 1961, e muitos animadores jovens e talentosos tinham deixado o estúdio, reagindo em parte a uma cultura cada vez mais hierárquica que não dava valor às suas ideias. Quando John chegou em 1979, Frank Thomas, Ollie Johnston e o restante dos Nove Velhos estavam em idade avançada – o mais jovem estava com 65 anos – e haviam deixado o dia a dia da produção de filmes, deixando o estúdio nas mãos de artistas menores que também lá estavam havia décadas. Esses homens achavam que era sua vez de assumir as rédeas, mas eram tão inseguros a respeito da sua posição na empresa que se agarravam ao seu novo status reprimindo – e não incentivando – os jovens talentos. Eles não só não estavam interessados nas ideias dos mais novos, mas também exerciam uma espécie de poder punitivo. Aparentemente, estavam determinados a não permitir que seus subordinados crescessem mais depressa que eles. John sentiu-se quase imediatamente infeliz naquele ambiente hostil, embora tenha tido um choque quando foi demitido. Não era de admirar que estivesse tão ansioso para juntar-se a nós na Lucasfilm.

O projeto para o qual contratamos a ajuda de John iria originalmente se chamar *Café da manhã com André*, uma homenagem a um filme de 1981 chamado *Meu jantar com André*, de que todos nós gostávamos. A ideia era simples: um androide de nome André deveria acordar, bocejar e se espreguiçar com o nascer do sol, revelando um mundo exuberante produzido por computador. Alvy havia desenhado os primeiros roteiros e estava assumindo a liderança do projeto, que era para nós uma forma de testar algumas das novas tecnologias de animação por nós desenvolvidas, e estava entusiasmado com o fato de John estar vindo nos ajudar. John era uma presença efusiva, que conseguia extrair o melhor das outras pessoas. Sua energia iria dar vida ao filme.

"Posso falar algumas coisas?", perguntou John a Alvy depois de ver os primeiros roteiros.

"Claro que sim", respondeu Alvy. "É para isso que você está aqui."

Nas palavras de Alvy, a seguir John "começou a alterar o material. Tolamente, eu havia pensado que seria o animador, mas francamente eu não tinha a magia. Eu podia fazer os objetos se moverem, mas não pensar, demonstrar emoções e até mesmo consciência. Esse é o John". John fez algumas sugestões a respeito da aparência do personagem principal, uma figura simples, de aparência humana, com uma esfera como cabeça e outra como nariz. Mas sua contribuição mais brilhante foi acrescentar um segundo personagem, um besouro chamado Wally, para interagir com André. (E que, a propósito, recebeu o nome de Wallace Shawn, que estrelou o filme no qual nosso curta-metragem foi inspirado.) O filme foi rebatizado como *As aventuras de André e Wally B.*, e começava com André dormindo na floresta e acordando com Wally B. curvado sobre seu rosto. Assustado, ele foge, seguido por Wally B., zumbindo logo atrás dele. Essa é toda a trama, se é que pode ser assim chamada – francamente, estávamos menos interessados na história do que em mostrar o que é possível produzir num computador. A genialidade de John foi criar uma tensão emocional, mesmo naquele formato brevíssimo.

O filme foi concebido para durar dois minutos, mas ainda estávamos correndo contra o tempo para terminá-lo. Não era apenas porque o processo de animação era intensivo de trabalho, coisa que certamente era, mas também porque estávamos inventando o processo enquanto prosseguíamos. Para piorar a tensão, havia o fato de termos dado a nós mesmos um prazo apertado demais para terminar tudo. Nosso prazo era até julho de 1984 – apenas oito meses depois da vinda de John –, porque essa era a data de abertura da Conferência Anual SIGGRAPH, em Minneapolis. Aquele encontro de uma semana sobre computação gráfica era um ótimo lugar para descobrir o que o pessoal da área estava fazendo, a única ocasião do ano em que acadêmicos, educadores, artistas, vendedores de hardware, estudantes graduados e programadores se reuniam todos sob o mesmo teto. Pela tradição, a terça-feira na semana da conferência era reservada para a "noite de filmes", com a apresentação dos melhores trabalhos visuais produzidos no ano. Até então, isso quase sempre tinha significado filmes de 15 segundos mostrando logos de notícias (como globos girando e bandeiras americanas ondulando ao vento) e visualizações científicas (da passagem da nave Voyager 2 da NASA por Saturno a ilustrações da dissolução de cápsulas de Contac). *Wally B.* seria a primeira animação computadorizada de personagens jamais mostrada na SIGGRAPH.

Porém, com a aproximação do prazo final, nós nos demos conta de que não iríamos cumpri-lo. Tínhamos trabalhado duro para criar imagens melhores e mais claras e, para piorar as coisas, havíamos ambientado o filme numa floresta (cuja folhagem na época testava os limites da nossa capacidade de animação). Mas não tínhamos levado em conta quanto poder de computação aquelas imagens iriam exigir para gerar cenas e quanto tempo o processo iria tomar. Poderíamos terminar em tempo uma versão esboçada do filme, mas partes dele não estariam concluídas, aparecendo como imagens de arame, e não como imagens totalmente coloridas. Na noite de estreia, vimos, envergonhados, quando aqueles segmentos surgiram na tela, mas ocorreu uma coisa surpreendente. Apesar de nossas preocupações, as pessoas com quem falei depois da projeção disseram que nem tinham percebido que o filme havia passado de colorido para esboços em branco e preto! Elas haviam se prendido tanto à emoção da história que nem tinham notado suas falhas.

Aquele foi meu primeiro encontro com um fenômeno que eu iria observar muitas vezes em minha carreira: apesar de todo o cuidado que você toma com o talento artístico, o acabamento visual em geral não tem importância se a história está sendo bem comunicada.

Em 1983, George separou-se da sua mulher, Marcia, e esse fato viria a afetar fortemente a posição financeira da Lucasfilm. George não havia perdido nada da sua ambição, mas as novas realidades financeiras significavam que ele tinha de simplificar seu negócio. Ao mesmo tempo, eu estava começando a me dar conta de que, enquanto nós da divisão de computação queríamos mais que tudo fazer um filme animado de longa-metragem, George estava mais interessado naquilo que os computadores poderiam fazer para melhorar filmes com personagens vivos. Durante algum tempo, nossas metas, apesar de diferentes, haviam se superposto e se ajudado mutuamente. Mas agora, pressionado para consolidar seus investimentos, George decidiu nos vender. O principal ativo da divisão de computação era o negócio por nós criado em torno da Pixar Image Computer. Embora tivesse sido originalmente concebido para a produção de filmes, ele tinha mostrado ter múltiplas aplicações, inclusive a criação de imagens médicas e o desenho de protótipos e o processamento de imagens para muitas agências de defesa em torno de Washington, D.C.

O ano seguinte foi um dos mais estressantes de minha vida.

Uma equipe gerencial trazida por George para reestruturar a Lucasfilm parecia preocupada principalmente com o fluxo de caixa e, com o passar do tempo, tornou-se abertamente cética a respeito da nossa divisão chegar a atrair um comprador. A equipe era chefiada por dois homens com o mesmo primeiro nome, e Alvy e eu os apelidamos de "imbecis", porque eles nada entendiam a respeito do negócio em que estávamos. Aqueles sujeitos usavam muitos termos de consultoria gerencial (eles adoravam elogiar sua "intuição corporativa" e insistiam constantemente para que fizéssemos "alianças estratégicas"), mas não pareciam saber muito a respeito de como nos tornar atraentes para os compradores ou de quais advogados contratar. A certa altura, eles nos puseram num escritório e disseram que, para cortar custos, deveríamos demitir todos os nossos funcionários até depois da venda da nossa divisão, quando poderíamos discutir sua recontratação. Além do custo emocional daquela medida, o que nos incomodava a respeito daquela sugestão era que nosso verdadeiro ponto de venda – a coisa que havia, até aquele momento, atraído compradores em potencial – eram os talentos que havíamos reunido. Sem eles, nada tínhamos.

Assim, quando nossos soberanos exigiram uma lista de nomes de pessoas a demitir, Alvy e eu lhes demos dois: o dele e o meu. Aquilo deteve temporariamente o plano, mas, quando entramos em 1985, eu estava bem ciente de que, se não fôssemos vendidos, a empresa poderia ser fechada a qualquer momento.

A Lucasfilm queria desistir do acordo com 15 milhões de dólares em dinheiro, mas havia um problema: nossa divisão de computadores tinha um plano de negócio que requeria um investimento adicional de 15 milhões de dólares para nos levar do protótipo até o produto e garantir que poderíamos nos sustentar. Aquela estrutura não combinava bem com os capitalistas de risco que esperavam que nos comprassem, que normalmente não assumem compromissos tão grandes quando adquirem empresas. Fomos apresentados a vinte possíveis compradores, mas nenhum deles quis fechar negócio. Quando aquela lista acabou, apareceram muitas empresas manufatureiras para nos conhecer, e, mais uma vez, não tivemos sorte.

Depois de algum tempo, nosso grupo chegou a um acordo com a General Motors e a Philips, o conglomerado holandês de eletrônica e engenharia. A Philips estava interessada porque, com nossa Pixar Image Computer, havíamos desenvolvido a tecnologia básica para a geração de volumes de dados, como aqueles obtidos de tomografias computadorizadas ou ressonâncias magnéticas. A General Motors estava intrigada porque éramos líderes na modelagem de objetos, a qual eles achavam que poderia ser usada no projeto de carros. Estávamos a uma semana da assinatura do acordo quando tudo foi desfeito.

Àquela altura, lembro-me de ter sentido um misto de desespero e alívio. Sabíamos desde o início que entrar em um relacionamento com a GM e a Philips iria provavelmente acabar com nosso sonho de fazer o primeiro filme animado de longa-metragem, mas aquele era um risco que corríamos, não importava com quem nos juntássemos. Cada investidor teria sua própria agenda e esse era o preço da nossa sobrevivência. Agradeço até hoje que nosso acordo tenha ido para o brejo, porque ele abriu o caminho para Steve Jobs.

Conheci Steve Jobs em fevereiro de 1985, quando ele era diretor da Apple Computer, Inc. Nosso encontro havia sido arranjado por Alan Kay, principal cientista da Apple, que sabia que Alvy e eu estávamos em busca de investidores para tirar nossa divisão de computação gráfica das mãos de George. Alan tinha estado comigo na Universidade de Utah e na Xerox PARC com Alvy, e contou a Steve que ele deveria nos visitar para conhecer a vanguarda da computação gráfica. Nos encontramos numa sala com um quadro-branco e uma grande mesa rodeada de cadeiras – não que Steve ficasse sentado por muito tempo. Depois de poucos minutos, ele estava em pé junto ao quadro-branco, fazendo para nós um quadro das receitas da Apple.

Lembro-me da sua assertividade. Não havia conversa fiada, mas perguntas, muitas perguntas. *O que vocês queriam?*, perguntou Steve. *Para onde querem ir? Quais são suas metas de longo prazo?* Ele usou a frase "produtos loucamente notáveis" para explicar em que acreditava. Ele era claramente o tipo de pessoa prática e logo estava falando a respeito de fazermos um acordo.

Para ser honesto, eu estava preocupado com Steve. Ele tinha uma personalidade forte, coisa que não tenho, e eu me sentia ameaçado por ele. Apesar de toda a conversa a respeito de me cercar de pessoas mais inteligentes que eu, sua intensidade estava num nível tão diferente que eu não sabia como interpretá-la. Ele me fez lembrar de uma campanha publicitária da fita cassete Maxell, veiculada na mesma ocasião, apresentando aquela que viria a ser uma imagem icônica: um sujeito sentado numa poltrona de Le Corbusier com seus longos cabelos sendo literalmente soprados pelo alto-falante estéreo que estava na sua frente. Assim era estar com Steve. Ele era o alto-falante e todos os outros eram aquele sujeito.

Depois daquela reunião inicial, por quatro meses não houve notícias. Silêncio total.

Estávamos perplexos, tendo em vista a objetividade de Steve em nosso encontro. Finalmente soubemos a razão, no final de maio, quando lemos nos jornais a respeito do rompimento de Steve com John Sculley, CEO da Apple. Este havia persuadido o conselho de administração da empresa a afastar Steve como cabeça da divisão Macintosh da empresa depois de terem surgido rumores de que Steve estava tentando aplicar um golpe no conselho para voltar ao poder.

Quando baixou a poeira, Steve voltou a nos procurar. Queria um novo desafio e achava que nós talvez fôssemos ele.

Ele foi à Lucasfilm certa tarde para conhecer nosso laboratório de hardware. E novamente forçou, espicaçou e sondou. O que a Pixar Image Computer pode fazer que as outras máquinas no mercado não podem? Para vocês, quem irá usar isso? Qual é seu plano de longo prazo? Seu objetivo não parecia ser de absorver as complicações da nossa tecnologia, e sim aperfeiçoar seu próprio argumento treinando conosco. A natureza dominadora de Steve era de tirar o fôlego. A certa altura ele voltou-se para mim e explicou calmamente que queria meu cargo. Disse que, com ele em meu lugar, eu iria aprender tanto em apenas dois anos que estaria apto para dirigir sozinho a empresa. É claro que eu já estava dirigindo sozinho a empresa, mas fiquei impressionado com seu atrevimento. Ele não só planejava afastar-me da direção do dia a dia da empresa, mas também esperava que eu pensasse que aquela era uma grande ideia!

Steve era insistente, até mesmo implacável – mas uma conversa com ele o levava a lugares inesperados. Ele o forçava não apenas a se defender, mas também a se engajar. E vim a crer que aquilo tinha valor.

No dia seguinte, vários de nós fomos nos reunir com Steve em sua casa em Woodside, perto de Menlo Park. A casa estava quase vazia, exceto por uma moto, um grande piano e dois chefs pessoais que haviam trabalhado no Chez Panisse. Sentado no chão, olhando para seu gramado de mais de 28 hectares, ele propôs formalmente que compraria o grupo de computação gráfica da Lucasfilm e nos mostrou uma proposta de organograma para a nova empresa. Enquanto ele falava, ficou claro para nós que sua meta não era construir um estúdio de animação; sua meta era construir a próxima geração de computadores domésticos para concorrer com a Apple.

Aquilo não era meramente um desvio da nossa visão, era seu total abandono; assim, recusamos educadamente. Voltamos à tarefa de tentar achar um comprador. O tempo estava acabando.

Passaram-se meses. Quando nos aproximávamos do primeiro aniversário da apresentação de *As aventuras de André e Wally B.*, a ansiedade – do tipo que surge quando sua sobrevivência está em jogo e salvadores estão em falta – estava evidente em nossas faces. Contudo, a sorte estava do nosso lado – ou pelo menos a geografia. A SIGGRAPH de 1985 foi realizada em San Francisco, perto do Vale do Silício. Montamos um estande na feira, onde apresentamos a Pixar Image Computer. Steve Jobs passou por lá no primeiro dia.

Senti imediatamente uma mudança no ar. Depois da última vez que nos vimos, Steve havia fundado uma nova empresa de computadores pessoais, a NeXT. Acho que isso lhe deu a capacidade para nos abordar com uma atitude diferente. Ele precisava provar menos. Dessa vez, ele olhou para nosso estande e proclamou que nossa máquina era a coisa mais interessante da feira. "Vamos dar uma caminhada", disse ele, e demos uma volta pela feira. "Como vão as coisas?"

"Não muito bem", confessei. Ainda estávamos em busca de um investidor externo, mas estávamos quase sem opções. Foi quando ele levantou a ideia de retomarmos nossas negociações. "Talvez consigamos chegar a um acordo", disse.

Enquanto andávamos, nos encontramos com Bill Joy, um dos fundadores da Sun Computer. Ele, como Steve, era uma pessoa brilhante, competitiva, articulada e obstinada. Não me lembro sobre o que eles conversaram, mas nunca esquecerei a maneira pela qual falavam: nariz contra nariz, os braços para trás, balançando de um lado para outro – em perfeita sincronização –, completamente alheios ao que se passava à sua volta. Isto durou algum tempo, até que Steve precisou sair para se encontrar com outra pessoa.

Depois que ele se foi, Bill virou-se para mim e disse: "Puxa, como ele é arrogante."

Mais tarde, quando Steve voltou ao nosso estande, foi até mim e disse a respeito de Bill: "Puxa, como ele é arrogante."

Lembro-me de minha surpresa com aquele choque de titãs. Diverti-me com o fato de um homem poder ver o ego do outro, mas não o seu próprio.

Passaram-se alguns meses, mas em 3 de janeiro de 1986 Steve disse que estava pronto para fazer um acordo e abordou imediatamente a questão que mais me preocupava – sua insistência anterior em controlar a empresa e dirigi-la. Ele disse que estava disposto a abrir mão daquilo e também que estava disposto a permitir que criássemos um negócio a partir de computadores e computação gráfica. No final da reunião, Alvy e eu sentimo-nos confortáveis a respeito da sua proposta – e suas intenções. O único problema era que ele iria atuar como sócio. Conhecíamos muito bem sua reputação como pessoa difícil. Só o tempo diria se ele iria cumprir sua palavra.

Em certo momento daquele período, encontrei-me com Steve e perguntei educadamente como as coisas eram resolvidas quando as pessoas discordavam dele. Ele pareceu não entender que o que eu estava realmente perguntando era como as coisas seriam resolvidas se trabalhássemos juntos e eu discordasse dele, pois deu uma resposta mais genérica.

Ele disse: "Quando não chego a um acordo com uma pessoa, trato de melhorar minha explicação, para que ela entenda perfeitamente."

Mais tarde, quando transmiti aquilo aos meus colegas na Lucasfilm, eles riram. Nervosamente. Lembro-me de um dos advogados de Steve dizendo que, se fôssemos adquiridos pelo cliente dele, seria melhor estarmos prontos para "embarcar na montanha-russa de Steve Jobs". Dada a nossa situação, aquele era um passeio em que Alvy e eu estávamos prontos para embarcar.

O processo de aquisição foi complicado pelo fato de os negociadores da Lucasfilm não serem muito bons. O diretor financeiro, em especial, subestimou Steve, assumindo que ele fosse apenas mais um garoto rico. Ele me disse que a maneira de estabelecer sua autoridade na sala era chegar em último lugar. Pela sua concepção, articulada para mim, isso iria estabelecê-lo como o "participante mais poderoso", uma vez que ele era o único que poderia manter todos os outros à espera.

Porém, tudo que ele conseguiu provar foi que nunca havia enfrentado alguém como Steve Jobs.

Na manhã da grande sessão de negociação, com exceção do diretor financeiro, todos chegaram no horário – Steve e seu advogado, eu, Alvy e nosso advogado e os advogados da Lucasfilm, além de um banqueiro de investimentos. Precisamente às 10 da manhã, Steve olhou ao redor e, constatando a falta do diretor financeiro, começou a reunião sem ele! Com um único movimento, Steve não só havia frustrado a tentativa do diretor de se colocar no topo da hierarquia, mas também assumido o controle da reunião. Aquele desempenho estratégico agressivo iria definir a atuação de Steve na Pixar no futuro – depois que unimos as forças, ele tornou-se nosso protetor, tão feroz em nosso nome quanto era em seu próprio. No final, Steve pagou 5 milhões de dólares para tirar a Pixar da Lucasfilm – então, depois de fechada a venda, concordou em pagar mais 5 milhões para financiar a empresa, com 70% das ações indo para Steve e 30% para os funcionários.

O fechamento teve lugar numa manhã de segunda-feira em fevereiro de 1986, e a sala estava silenciosa porque todos estavam esgotados pelas negociações. Depois que assinamos nossos nomes, Steve chamou Alvy e eu de lado e disse: "Seja lá o que aconteça, devemos ser leais uns com os outros." Considerei aquilo uma expressão de seus sentimentos ainda feridos na esteira do seu afastamento forçado da Apple, mas nunca esqueci. A gestação tinha sido difícil, mas a pequena e combativa empresa de nome Pixar havia nascido.

Capítulo 3

UMA META DEFINIDORA

Não há nada como ignorância combinada com uma necessidade premente de sucesso para forçar um aprendizado rápido. Sei isso por experiência própria. Em 1986, tornei-me presidente de uma nova empresa de hardware cuja matriz estava vendendo a Pixar Image Computer.

O único problema era que eu não tinha a menor ideia do que estava fazendo.

Desde o início, a Pixar provavelmente se parecia com qualquer nova empresa típica do Vale do Silício. Mas por dentro éramos qualquer coisa, menos isso. Steve Jobs nunca havia manufaturado ou comercializado antes uma máquina de alta qualidade, e assim não possuía nem experiência nem a intuição a respeito de como fazer isso. Não tínhamos pessoal de vendas, nem de marketing, nem ideia de como encontrá-los. Steve, Alvy Ray Smith, John Lasseter, eu – nenhum de nós sabia nada a respeito de como dirigir o negócio que acabávamos de iniciar. Estávamos nos afogando.

Apesar de estar acostumado a trabalhar dentro de um orçamento, eu nunca havia sido responsável por uma declaração de lucros e perdas. Nada sabia a respeito de como gerenciar estoques, como garantir qualidade ou qualquer das outras coisas que uma empresa disposta a vender produtos deve dominar.

Sem saber o que fazer, lembro-me de ter comprado um exemplar do livro *Buy Low, Sell High, Collect Early, and Pay Late: The Manager's Guide to Financial Survival*, de Dick Levin, muito popular na época, e de tê-lo devorado de uma só vez.

Li muitos desses livros enquanto me preparava para ser um gerente melhor e mais eficaz. Constatei que a maior parte deles se limitava a uma espécie de simplicidade que parecia prejudicial ao oferecer uma falsa segurança. Aqueles livros estavam repletos de frases atraentes, como "Não ouse falhar!" ou "Siga as pessoas e elas irão segui-lo!", ou "Foco, foco, foco!" (esta última era um bom exemplo de inutilidade. Quando a ouvem, as pessoas acenam com a cabeça em assentimento, como se uma grande verdade acabasse de ser apresentada, sem perceberem que foram desviadas da solução do problema muito maior: decidir no que deveriam focalizar. Nesse conselho não há nada que lhe dê qualquer ideia de como descobrir onde deveria ser o foco, ou como aplicar sua energia a ele. É um conselho que não significa nada). Esses slogans eram oferecidos como conclusões – como sabedoria – e suponho que possam ter sido. Mas nenhum deles me deu qualquer indicação a respeito do que fazer ou o que eu deveria focalizar.

Uma coisa que tivemos de descobrir nos primeiros dias da Pixar foi o yin e yang de se trabalhar com Steve. Sua determinação para o sucesso e sua disposição para pensar grande com frequência eram inspiradoras. Por exemplo, ele insistiu para que Alvy e eu abríssemos escritórios de vendas para a Pixar Image Computer em todo o país – um movimento ousado, que nunca teríamos sonhado em propor. Alvy e eu achávamos que estávamos vendendo um produto sexy, mas altamente especializado, o que significava que havia um limite natural para o tamanho do seu mercado. Porém Steve, vindo do mundo dos computadores de consumo, nos forçava a pensar além. Para vender nossa máquina, raciocinava ele, precisávamos estabelecer uma presença nacional. Alvy e eu não tínhamos certeza, mas gostávamos da visão de Steve.

Porém, com a visão vinha algo mais: um estilo incomum de interagir com as pessoas. Muitas vezes Steve era impaciente e lacônico. Quando participava de reuniões com clientes em potencial, ele não hesitava em chamar a atenção deles se percebesse mediocridade ou falta de preparo – uma tática nada útil quando se quer fechar um negócio ou desenvolver uma base de clientes leais. Ele era jovem e determinado e ainda não se dava conta do seu impacto sobre os outros. Em nossos primeiros anos de convivência, ele não "entendia" pessoas normais – que não dirigiam empresas ou careciam de confiança pessoal. Seu método para medir uma sala era dizer alguma coisa definitiva e ofensiva – "Estas plantas são um lixo!" ou "Este acordo não presta!" – e observar as reações das pessoas. Se você tivesse coragem de retorquir, geralmente ele respeitava sua atitude – incitando-o e registrando sua resposta era sua maneira de deduzir o que você pensava e se tinha coragem para defender suas ideias. Observá-lo me fazia lembrar de um princípio de engenharia: enviar um impulso agudo, como um golfinho usa a ecolocalização para determinar a posição de um peixe – pode lhe ensinar coisas importantes a respeito do seu ambiente. Steve usava a interação agressiva como uma espécie de sonar biológico. Era assim que ele media o mundo.

Minha primeira ordem de serviço como presidente da Pixar era encontrar e contratar boas pessoas, uma equipe básica que poderia nos ajudar a corrigir nossas inadequações. Para desenvolver uma empresa com a venda de hardware, então precisaríamos montar departamentos adequados de fabricação, vendas, atendimento e marketing. Procurei amigos que haviam iniciado suas próprias empresas no Vale do Silício e solicitei suas opiniões a respeito de tudo, de margens de lucro e preços a comissões e relações com clientes. Embora eles tenham sido generosos com seus conselhos, as lições mais valiosas que aprendi foram extraídas das falhas nos conselhos dados.

A primeira pergunta foi bem básica: como calcular quanto cobrar pela nossa máquina? Os presidentes da Sun e da Silicon Graphics disseram para começar com uma cifra alta. Se você começa por cima, disseram eles, sempre pode reduzir o preço; se começa por baixo e depois precisa elevar o preço, você só irrita seus clientes. Assim, com base nas margens de lucro desejadas, nos decidimos por um preço de 122 mil dólares por unidade. O Pixar Image Computer ganhou rapidamente a reputação de ser poderoso, mas muito caro. Quando reduzimos seu preço mais tarde, descobrimos que nossa reputação de cobrar caro era tudo de que as pessoas se lembravam. A despeito de nossas tentativas de corrigi-la, a primeira impressão se manteve.

O conselho que recebi a respeito de preços – de pessoas inteligentes, experimentadas e bem-intencionadas – não estava apenas errado, mas também nos impediu de fazer as perguntas certas. Em vez de falar a respeito de ser ou não mais fácil reduzir um preço do que elevá-lo, deveríamos ter abordado questões mais importantes, por exemplo, como satisfazer as expectativas dos clientes e como continuar a investir em desenvolvimento de software para que os clientes que compraram nosso produto pudessem utilizá-lo melhor. Em retrospecto, quando busquei o conselho daquelas pessoas mais experientes, estava em busca de respostas simples para perguntas complexas – faça isto, não aquilo – porque estava inseguro de mim mesmo e estressado pelas demandas do meu novo trabalho. Mas respostas simples como "comece cobrando alto" a respeito de preços, tão sedutoras em sua racionalidade, haviam me distraído e impedido que fizesse perguntas mais básicas.

Na época, éramos uma empresa fabricante de computadores; assim, precisávamos aprender depressa o que significava produzir computadores. Foi nessa ocasião que aprendi uma das mais valiosas lições dos primeiros dias da Pixar. E ela veio de uma fonte inesperada – a história da manufatura japonesa. Ninguém pensa na linha de montagem como um lugar que gera criatividade. Até aquele ponto, eu havia associado a manufatura mais à eficiência do que à inspiração. Mas logo descobri que os japoneses haviam descoberto uma forma de tornar a produção um empreendimento criativo que engajava seus trabalhadores – na época, uma ideia completamente radical e anti-intuitiva. De fato, os japoneses tinham muito para me ensinar a respeito de construir um ambiente criativo.

Na esteira da Segunda Guerra Mundial, quando os Estados Unidos entraram em um período sustentado de prosperidade, o Japão lutava para reconstruir sua infraestrutura. Sua economia fora posta de joelhos e sua base manufatureira era cronicamente inferior, paralisada por sua reputação de qualidade extremamente baixa. Lembro-me de quando era criança na década de 1950 e os produtos japoneses eram vistos como inferiores. (Hoje não existe mais esse estigma. Se você vê artigos feitos na China ou no México, eles não têm nada próximo da conotação negativa que tinha a etiqueta "Made in Japan" naquela época.) Em contraste, naqueles anos os Estados Unidos eram uma usina de manufatura e a indústria automotiva estava na liderança. A Ford Motor Company tinha sido a pioneira da linha de montagem, o segredo para produzir grandes quantidades de bens a preços baixos e que havia revolucionado o processo de fabricação. Em pouco tempo, todos os fabricantes de automóveis americanos haviam adotado a prática de levar o produto de um trabalhador para outro através de um transportador até que sua montagem estivesse concluída. O tempo economizado se traduzia em grandes lucros e muitas outras indústrias, de eletrodomésticos a móveis e eletroeletrônicos, seguiram o exemplo da Ford.

O mantra da produção em massa passou a ser: manter a linha de montagem em movimento, apesar de tudo, porque assim a eficiência era mantida alta e os custos, baixos. Tempo perdido equivalia a dinheiro perdido. Se um determinado produto na linha estivesse com defeito, era tirado dela imediatamente, *mas a linha era sempre mantida em movimento*. Para se certificar de que os produtos restantes estavam perfeitos, você confiava em inspetores de controle de qualidade. A hierarquia prevalecia. Somente altos gerentes dispunham de autoridade para interromper a linha.

Mas em 1947 um americano que trabalhava no Japão virou esse modo de pensar de pernas para o ar. Seu nome era W. Edwards Deming, um estatístico conhecido por seus conhecimentos de controle de qualidade. Por solicitação do Exército dos EUA, ele havia ido à Ásia para ajudar no planejamento do censo japonês de 1951. Logo que chegou, envolveu-se profundamente com o esforço de reconstrução do país e acabou ensinando a centenas de engenheiros, gerentes e acadêmicos japoneses suas teorias a respeito de como melhorar a produtividade. Entre os que ouviram suas ideias estava Akio Morita, cofundador da Sony Corp. – uma das muitas empresas japonesas que iriam aplicar suas ideias e colher as recompensas. Na mesma época, a Toyota introduziu novas e radicais maneiras de pensar a respeito de produção que estavam de acordo com as filosofias de Deming.

Mais tarde, várias frases foram cunhadas para descrever essas abordagens revolucionárias – como "manufatura just-in-time" ou "controle total da qualidade" –, mas a essência era a seguinte: a responsabilidade para encontrar e corrigir problemas deveria estar com *qualquer* funcionário, do mais alto gerente ao operário mais simples na linha de produção. Caso qualquer um, de qualquer nível, identificasse um problema no processo de produção, acreditava Deming, deveria ser encorajado a parar a linha de montagem. As empresas japonesas que implantaram as ideias de Deming facilitaram isso para os trabalhadores. Elas instalaram um cordão que qualquer um podia puxar para interromper a produção. Em pouco tempo, as empresas japonesas estavam apresentando níveis inéditos de qualidade, produtividade e participação de mercado.

A abordagem de Deming – e também da Toyota – dava a propriedade e a responsabilidade pela qualidade do produto às pessoas mais envolvidas na sua criação. Em vez de meramente repetir uma ação, os trabalhadores podiam sugerir mudanças, comunicar problemas e – este próximo elemento me parece particularmente importante – sentir o orgulho por terem ajudado a corrigir o que estava errado. Isso resultava em aperfeiçoamento contínuo, eliminando falhas e melhorando a qualidade. Em outras palavras, a linha de montagem japonesa tornou-se um lugar em que o empenho dos trabalhadores fortaleceu o produto resultante. E isso acabaria por transformar a manufatura no mundo inteiro.

Enquanto lutávamos para fazer a Pixar decolar, a obra de Deming era como um farol que iluminava meu caminho. Eu estava fascinado pelo fato de que, por muitos anos, os líderes empresariais americanos foram incapazes até mesmo de conceber a sabedoria do seu pensamento. Não era que eles estivessem rejeitando as ideias de Deming tanto quanto estavam cegos para elas. Sua certeza a respeito dos sistemas existentes os havia tornado incapazes de ver. Afinal, eles haviam estado no topo por algum tempo. Por que precisariam mudar seu modo de agir?

Passaram-se décadas antes que as ideias de Deming fossem aceitas na América. Foi só na década de 1980, quando algumas empresas do Vale do Silício, como Hewlett Packard e Apple, começaram a incorporá-las. Mas a obra de Deming iria causar uma enorme impressão em mim e ajudar a moldar minha abordagem ao gerenciamento do avanço da Pixar. Embora a Toyota fosse uma organização hierárquica, ela era guiada por um princípio central democrático: não é preciso pedir permissão para assumir responsabilidade.

Há alguns anos, quando a Toyota tropeçou – inicialmente deixando de reconhecer problemas sérios com seus sistemas de freio, o que conduziu a um raro embaraço público –, lembro-me de ter ficado impressionado com o fato de uma empresa inteligente como a Toyota agir de uma forma tão contrária aos seus mais profundos valores culturais. Quaisquer que sejam essas forças que levam as pessoas a fazer coisas estúpidas, elas são poderosas, com frequência invisíveis e estão à espreita até mesmo nos melhores ambientes.

No final da década de 1980, enquanto estávamos construindo a Pixar, Steve Jobs gastava a maior parte do seu tempo tentando estabelecer a NeXT, a empresa de computadores pessoais que havia iniciado depois de ser forçado a deixar a Apple. Ele ia aos escritórios da Pixar somente uma vez por ano – tão poucas vezes que eu precisava lhe dar instruções para evitar que se perdesse. Mas eu visitava regularmente a NeXT. Quase todas as semanas eu ia até o escritório de Steve, em Redwood City, para informá-lo sobre nosso progresso. Para ser honesto, eu não gostava muito das reuniões porque elas costumavam ser frustrantes. Enquanto nos esforçávamos para descobrir como tornar a Pixar lucrativa, precisávamos com frequência de aportes de dinheiro de Steve para continuar na superfície. Muitas vezes ele tentava impor condições para ceder o dinheiro, o que era compreensível, mas também complicado, porque as condições que impunha – quer envolvessem a comercialização ou a criação de novos produtos – nem sempre correspondiam às nossas realidades. Minha lembrança desse período é que ele estava numa busca constante por um modelo de negócio que nos pusesse no azul. Sempre havia razões para acreditar que a próxima coisa que tentássemos seria aquela que finalmente iria funcionar.

Nos primeiros anos de existência da Pixar, tivemos poucos triunfos – *Luxo Jr.*, um curta-metragem dirigido por John, estrelando a lâmpada que hoje é o logo da Pixar, foi indicado para o Prêmio da Academia em 1987, e no ano seguinte, *Tin Toy*, um curta-metragem a respeito de um brinquedo de corda que é uma banda de um só músico e do bebê humano babão que o atormenta, garantiu o primeiro Oscar da Pixar. Mas na maior parte do tempo estávamos apenas perdendo dinheiro. Por motivos óbvios, isso aumentou as tensões com Steve. Não achávamos que ele entendia do que precisávamos e ele não achava que entendíamos como dirigir uma empresa. Ambos estávamos certos. Ele tinha todos os motivos para estar ansioso a nosso respeito. No ponto mais baixo da Pixar, quando não conseguíamos ter lucro, Steve havia aplicado 54 milhões de dólares do seu próprio dinheiro na empresa, uma parcela significativa do seu patrimônio, e mais dinheiro do que qualquer empresa de capital de risco pensaria em investir, dado o triste estado do nosso balanço.

Por que estávamos tão afundados no vermelho? Porque nosso impulso inicial de vendas acabou quase instantaneamente – somente trezentas máquinas Pixar Image Computers foram vendidas – e não éramos grandes o suficiente para projetar rapidamente novos produtos. Já tínhamos mais de setenta funcionários e nossos custos indiretos estavam ameaçando nos consumir. À medida que os prejuízos cresciam, ficou claro que só havia um caminho: precisávamos abandonar a venda de equipamento. Depois de tentar tudo para vender nosso computador, estávamos finalmente encarando o fato de que ele não podia nos sustentar. Como um explorador empoleirado num bloco de gelo que derretia, precisávamos pular para um terreno mais estável. É claro que não tínhamos como saber se aquele terreno poderia suportar nosso peso. A única coisa que tornava o pulo mais fácil era o fato de havermos decidido entrar naquilo que queríamos fazer desde o começo: animação por computador. Era naquilo que estava nossa verdadeira paixão e a única opção que restava era ir atrás dela com tudo.

A partir de 1990, mais ou menos na mesma época em que nos mudamos para um prédio no distrito de depósitos de Point Richmond, ao norte de Berkeley, começamos a focalizar nossas energias no lado criativo. Começamos fazendo comerciais animados para a goma de mascar Trident e o suco de laranja Tropicana, e quase imediatamente ganhamos prêmios pelo conteúdo criativo, enquanto continuávamos a melhorar nossos talentos técnicos e de narração de histórias. O problema era que ainda estávamos ganhando muito menos do que gastávamos. Em 1991, dispensamos mais de um terço dos nossos funcionários.

Entre 1987 e 1991, Steve tentou vender a Pixar. Contudo, apesar das suas frustrações, ele não conseguia separar-se de nós. Quando a Microsoft ofereceu 90 milhões de dólares pela Pixar, ele recusou. Steve queria 120 milhões de dólares e achou a oferta não só insultuosa, mas também uma prova de que eles não nos mereciam. O mesmo aconteceu com a Alias, a empresa de design automotivo e de software, e com a Silicon Graphics. Em cada caso, Steve começou com um preço alto e não estava disposto a ceder. Passei a crer que ele de fato não estava em busca de uma estratégia de saída, mas sim de validação externa. Esse era seu raciocínio. Se a Microsoft estava disposta a dar 90 milhões, então valia a pena manter a empresa. Era difícil – e enervante – acompanhar aquela dança.

A Pixar não poderia ter sobrevivido sem Steve, mas mais de uma vez naqueles anos eu não sabia se iríamos sobreviver *com* ele. Steve podia ser brilhante e inspirador, capaz de mergulhar de forma profunda e inteligente em qualquer problema que enfrentássemos. Mas também podia ser impossível: desdenhoso, condescendente, ameaçador, até mesmo provocador. O que causava mais preocupação do ponto de vista gerencial era o fato de ele demonstrar tão pouca empatia. Àquela altura da vida, ele era simplesmente incapaz de se colocar no lugar de outra pessoa e seu senso de humor era inexistente. Sempre tivemos na Pixar um bando de piadistas e a crença básica em nos divertirmos, mas tudo que tentávamos com Steve não dava certo. Conhecido por dominar as reuniões, excluindo todos os outros participantes, certa vez ele deu a seguinte instrução a um grupo que estava prestes a entrar em reunião com executivos da Disney para salientar sua importância: "Ouçam e não falem." A ironia era tão óbvia que não resisti e disse: "OK, Steve, tentarei me conter." Todos na sala riram, mas ele nem mesmo sorriu. Então entramos na reunião e Steve dominou-a por uma hora inteira, mal permitindo que os diretores da Disney terminassem uma frase.

Àquela altura, eu já tinha passado tempo suficiente com Steve para saber que no fundo ele não era insensível – o problema era que ele ainda não havia descoberto como se comportar de forma que todos vissem. Certa vez, ele me chamou para dizer que se recusava a pagar a folha de pagamentos; só mudou de ideia quando liguei furioso e mencionei quantas famílias dependiam daqueles cheques de pagamento. Em toda a minha carreira, aquela pode ter sido a única vez em que bati a porta de minha sala, frustrado. Mesmo que a Pixar dobrasse de valor, disse-me Steve, ainda não valeria grande coisa. Eu me sentia cada vez mais esgotado. Cheguei a pensar em deixar o cargo.

Mas aconteceu uma coisa enquanto passávamos por aqueles maus momentos. Steve e eu descobrimos gradualmente uma forma de trabalhar juntos. E ao fazê-lo, começamos a nos entender. Você se lembra da pergunta que fiz a Steve pouco antes de ele comprar a Pixar: Como iríamos resolver conflitos? E sua resposta, que considerei comicamente egoísta, foi que ele continuaria a explicar por que tinha razão até que eu entendesse. A ironia foi que aquela logo tornou-se a técnica que eu usava com ele. Quando discordávamos, eu enunciava minha posição, mas como Steve conseguia pensar muito mais depressa que eu, com frequência refutava meus argumentos. Então eu esperava uma semana, ordenava meus pensamentos e explicava novamente. Ele podia refutar de novo meus argumentos, mas eu continuava voltando, até que ocorresse uma de três coisas: (1) Ele dizia: "OK, já entendi", e dava aquilo que eu queria; (2) Eu dizia que ele estava certo e parava de argumentar; ou (3) nosso debate era inconclusivo, caso em que eu ia em frente e fazia aquilo que havia proposto inicialmente. Cada resultado era igualmente provável, mas, quando ocorria a terceira opção, Steve nunca me questionava. Apesar de toda sua insistência, ele respeitava a paixão e parecia sentir que, se eu acreditava tanto em alguma coisa, ela não poderia estar totalmente errada.

Jeffrey Katzenberg sentou-se na ponta de uma longa e escura mesa de reuniões no edifício da Equipe Disney em Burbank. O chefe da divisão de filmes estava de bom humor – ao menos até certo ponto. "Está claro que o talentoso aqui é John Lasseter", disse ele enquanto John, Steve e eu nos sentávamos, tentando não ser ofendidos. "E John, como você não quer trabalhar para mim, acho que terá de fazer as coisas funcionarem dessa forma."

Katzenberg queria que a Pixar fizesse um filme de longa-metragem e queria que a Disney fosse sua dona e o distribuísse.

A oferta, apesar de constituir para nós uma surpresa, não aparecera totalmente do nada. No início da existência da Pixar, fizemos um contrato para redigir um sistema gráfico para a Disney – denominado Computer Animation Production System, ou CAPS – que iria colorir e gerenciar as células de animação. Enquanto o CAPS estava sendo criado, a Disney estava produzindo *A pequena sereia*, que viria a se tornar um grande sucesso em 1989 e lançou a Segunda Era de Ouro da Animação, que também incluiria *A Bela e a Fera, Aladdin* e *O Rei Leão*. Esses filmes tiveram tanto sucesso que inspiraram a Disney Animation a buscar parceiros para elevar sua produção de longas-metragens e, como nosso histórico com o estúdio era bom, eles nos procuraram.

Chegar a um acordo com a Disney significava chegar a um acordo com Katzenberg – um negociador notoriamente exigente e difícil. Steve tomou as rédeas, rejeitando o raciocínio de Jeffrey, para quem, uma vez que a Disney estava investindo no primeiro filme da Pixar, também merecia ser sócia da nossa tecnologia. "Vocês estão nos dando dinheiro para *fazer* o filme", disse Steve, "não para comprar nossos segredos exclusivos". A Disney trouxe para a negociação seu poder de marketing e distribuição; nós trouxemos nossas inovações técnicas e elas não estavam à venda. Steve afirmou que não iríamos ceder e se manteve firme, até que Jeffrey finalmente concordou. Quando as apostas ficavam mais altas, Steve conseguia passar para outro nível de jogo.

Em 1991, fechamos um contrato para três filmes pelo qual a Disney faria a maior parte do financiamento dos filmes da Pixar, os quais seriam de propriedade da Disney e por ela distribuídos. Parecia que tínhamos levado uma vida inteira para chegar àquele ponto, o que de certa forma era verdade. Embora a empresa Pixar tivesse apenas cinco anos de existência, meu sonho de fazer um longa-metragem animado por computador estava chegando aos vinte anos. Mais uma vez, estávamos embarcando em algo a cujo respeito pouco sabíamos. Nenhum de nós havia feito um filme antes – pelo menos não mais longo do que cinco minutos –, e como estávamos usando animação por computador, não tínhamos a quem pedir ajuda. Dados os milhões de dólares em jogo e o conhecimento de que nunca teríamos outra chance se estragássemos tudo, precisávamos descobrir depressa.

Felizmente, John já tinha uma ideia. *Toy Story* seria a respeito de um grupo de brinquedos e um garoto – Andy – que gosta muito deles. O truque era que a história seria contada do ponto de vista dos brinquedos. A trama iria evoluir ao longo de muitos meses, mas acabaria girando em torno do brinquedo favorito de Andy, um vaqueiro chamado Woody, cujo mundo é abalado quando um novo rival, um patrulheiro espacial chamado Buzz Lightyear, chega à cena e passa a ser o preferido de Andy. John apresentou a ideia básica à Disney e, depois de muitas revisões, tivemos a aprovação do roteiro em janeiro de 1993.

Àquela altura, John tinha começado a formar uma equipe, cercando-se com vários jovens talentosos e ambiciosos. Ele contratou Andrew Stanton e Pete Docter, que viriam a ser dois de nossos diretores mais inspirados na produção de comerciais. Enérgico a ponto de ficar vermelho quando afirmava algo em que acreditava muito, Andrew era um redator-diretor com profunda compreensão da estrutura do roteiro; ele gostava de reduzir uma trama às suas sequências de maior carga emocional e reconstruí-la a partir do zero. Pete era um desenhista extremamente talentoso, com capacidade para colocar emoções na tela. No último trimestre de 1992 foi a vez de Joe Ranft, antigo colega de John na Disney, depois de trabalhar em *O estranho mundo de Jack*, de Tim Burton. Joe, alto e forte como um urso, tinha um grande senso de humor que tornava mais fácil aceitar suas críticas. Nossa equipe era forte, mas um tanto inexperiente. Você provavelmente já ouviu que é melhor arrumar seu paraquedas antes de saltar do avião. Bem, em nosso caso, já estávamos em queda livre – e ninguém havia arrumado antes um paraquedas.

No primeiro ano, John e sua equipe iriam roteirizar sequências e levá-las à sede da Disney para ouvir as observações de Jeffrey Katzenberg e seus dois altos executivos, Peter Schneider e Tom Schumacher. Jeffrey pedia sem parar por mais "ação". Para ele, Woody era sério demais. Isso não coincidia necessariamente com o que achávamos da história, mas, sendo novatos, levamos a sério seus conselhos. Gradualmente, o personagem de Woody – originalmente imaginado como afável e despreocupado

– tornou-se mais obscuro, mais malvado... e totalmente antipático. Woody era ciumento. Jogou Buzz pela janela por maldade. Era autoritário com os outros brinquedos e os xingava. Em resumo, ele havia se transformado num idiota. Em 19 de novembro de 1993, fomos à Disney para mostrar o novo Woody, mais irritado numa série de rolos de filme – um esboço, como uma versão em quadrinhos com vozes e música provisórias e desenhos do roteiro. Aquele dia ficará para sempre conhecido na Pixar como "Sexta-feira Negra", porque a reação da Disney, totalmente compreensível, foi de interromper a produção até que fosse escrito um roteiro mais aceitável.

A interrupção foi terrível. Com nosso primeiro longa-metragem na UTI, John convocou rapidamente Andrew, Pete e Joe. Nos meses seguintes, eles passaram todos os minutos trabalhando para redescobrir o centro do filme, aquilo que John havia imaginado em primeiro lugar, um vaqueiro de brinquedo que queria ser amado. Eles também aprenderam uma lição importante – confiar em seus próprios instintos na criação de uma narrativa.

Ao mesmo tempo, enquanto lutávamos para terminar *Toy Story*, o trabalho que havíamos iniciado na Lucasfilm estava começando a ter um impacto perceptível em Hollywood. Em 1991, os dois maiores sucessos do ano em bilheteria – *A Bela e a Fera* e *Exterminador 2* – tinham se baseado fortemente em tecnologias desenvolvidas na Pixar e o pessoal em Hollywood estava começando a prestar atenção. Em 1993, quando *O parque dos dinossauros* foi lançado, os efeitos especiais gerados por computador não eram mais considerados experimentos de nerds; eles estavam começando a ser vistos pelo que eram: ferramentas que possibilitam a produção de entretenimento de primeira linha. A revolução digital – com seus efeitos especiais, qualidade cristalina do som e capacidade de edição em vídeo – tinha chegado.

Certa vez, John descreveu a história de Steve como uma clássica Jornada do Herói. Expulso da empresa que havia fundado por sua arrogância, vagava pelas matas vivendo uma série de aventuras que, no final, fizeram com que ele mudasse para melhor. Tenho muito a dizer a respeito da transformação de Steve e do papel nela desempenhado pela Pixar, mas por enquanto irei dizer simplesmente que o fracasso fez dele uma pessoa melhor, mais sábia e amável. Todos nós fomos afetados e humilhados pelos fracassos e desafios dos nossos primeiros nove anos, mas também ganhamos algo importante. O apoio mútuo através de todas as dificuldades aumentou nossa confiança e aprofundou nossa ligação.

É claro que uma coisa com a qual podíamos contar era que, em algum ponto, Steve iria nos surpreender. Ao nos aproximarmos do lançamento de *Toy Story*, estava ficando claro que ele tinha em mente algo muito maior. Aquilo não era apenas a respeito de um filme – aquele filme, acreditava, iria mudar o campo da animação. E, antes que isso acontecesse, ele queria abrir o capital da nossa empresa.

"Não é uma boa ideia", John e eu lhe dissemos. "Vamos fazer antes uns dois filmes com a nossa marca. Com isso, iremos aumentar nosso valor."

Steve discordou. "Este é o nosso momento", disse.

A seguir, expôs sua lógica: Suponhamos que *Toy Story* seja um sucesso, disse ele. Não só isso, suponhamos que seja um grande sucesso. Quando isso acontecer, Michael Eisner, CEO da Disney, irá descobrir que criou seu pior pesadelo: um concorrente viável para sua empresa. (Pelo contrato, devíamos a ele somente mais dois filmes e depois poderíamos seguir por conta própria.) Steve previa que, tão logo *Toy Story* fosse lançado, Eisner tentaria renegociar nosso acordo e nos manter como um parceiro. Nesse cenário, disse Steve, ele queria conseguir negociar termos mais favoráveis. Ele queria dividir igualmente os lucros com a Disney – uma demanda, salientou, que era moralmente correta. Porém, para conseguir aqueles termos, ele teria de conseguir o dinheiro para cobrir nossa metade dos orçamentos de produção – uma quantia considerável. E para isso, teríamos de abrir nosso capital.

Como sempre, sua lógica era impecável.

Logo eu estava cruzando o país com Steve, naquele que chamávamos de nosso "espetáculo circense", tentando despertar interesse pela nossa oferta pública inicial. Enquanto viajávamos de um investidor para outro, Steve, sempre sem gravata, se esforçava para garantir os primeiros compromissos, enquanto eu acrescentava uma presença professoral usando, por insistência dele, um casaco de tweed com proteções de camurça nos cotovelos. Eu deveria incorporar a imagem de um "gênio da tecnologia" – embora, francamente, eu não conhecesse ninguém na área de ciência da computação que se vestisse assim. Steve, como o que abria caminhos, estava a toda. A Pixar era um estúdio desconhecido, dizia ele, construída sobre uma base de tecnologia de ponta e narração original de histórias. Iríamos abrir o capital uma semana depois do lançamento de *Toy Story*, quando ninguém iria questionar se a Pixar era real.

E ele tinha razão. Quando nosso primeiro filme estava quebrando recordes de bilheteria e todos os nossos sonhos pareciam estar se tornando realidade, nossa oferta inicial levantou 140 milhões de dólares para a empresa – a maior IPO de 1995. E alguns meses depois Eisner ligou dizendo que desejava renegociar o contrato e nos manter como sócios. E aceitou a oferta de Steve de uma divisão de 50% para cada um. Fiquei surpreso. Aquilo era exatamente o que Steve havia previsto. Sua clareza e sua execução foram impressionantes.

Para mim, aquele momento foi o ápice de uma longa série de buscas, era quase impossível de acreditar. Eu havia passado vinte anos inventando novas ferramentas tecnológicas, ajudando a fundar uma empresa e me esforçando para fazer com que todas as suas facetas se comunicassem e trabalhassem bem em conjunto. E tudo isso tinha sido a serviço de uma única meta: fazer um filme de longa-metragem animado por computador. E agora não só tínhamos feito o filme; graças a Steve, estávamos financeiramente muito mais sólidos do que nunca. Pela primeira vez desde a fundação da empresa, nossos empregos estavam seguros.

Eu queria ter sido capaz de engarrafar o que sentíamos ao chegar ao trabalho durante os primeiros dias depois do lançamento de *Toy Story*. As pessoas pareciam estar um pouco mais altas; elas estavam muito orgulhosas daquilo que havíamos realizado. Tínhamos sido os primeiros a fazer um filme com computadores, e – ainda melhor – o público ficou profundamente emocionado pela história que contamos. Quando meus colegas voltaram ao trabalho – e havia muito o que fazer, inclusive conseguir mais filmes e finalizar nossas negociações com a Disney –, cada interação continha um senso de orgulho e realização. Tínhamos tido sucesso nos mantendo fiéis aos nossos ideais; nada poderia ser melhor que isso. A equipe central de John, Andrew, Pete, Joe e Lee Unkrich, que havia se juntado a nós em 1994 para editar *Toy Story*, começou imediatamente a trabalhar em *Vida de inseto*, nosso filme a respeito do mundo deles. Havia excitação no ar.

Mas, embora pudesse *sentir* aquela euforia, eu era estranhamente incapaz de participar dela.

Por trinta anos, minha vida havia sido definida pela meta de fazer o primeiro filme por computação gráfica. Agora que a meta havia sido atingida, eu me sentia vazio e perdido. Como gerente, sentia uma perturbadora ausência de propósito. *E agora?* A meta havia sido aparentemente substituída pelo ato de dirigir uma empresa, que era mais que suficiente para manter-me ocupado, mas não era *especial*. A Pixar agora era uma empresa de capital aberto e bem-sucedida; contudo, havia algo insatisfatório a respeito da perspectiva de simplesmente mantê-la em funcionamento.

Foi preciso um problema sério e inesperado para me dar um novo sentido de missão.

Apesar de tudo que eu falava a respeito dos líderes de empresas prósperas que faziam coisas estúpidas porque deixavam de prestar atenção, descobri que, durante a produção de *Toy Story*, eu havia deixado passar completamente uma coisa que ameaçava acabar conosco. E deixei passar mesmo quando *pensava* estar prestando atenção.

Durante toda a produção do filme, eu via minha função, em grande parte, como de focalizar as dinâmicas internas e externas que poderiam nos desviar de nossa meta. Estava determinado a evitar que a Pixar cometesse os mesmos erros que havia observado em outras empresas do Vale do Silício. Para tanto, fazia questão de estar sempre acessível aos nossos funcionários, entrando na sala das pessoas para ver o que estava acontecendo. John e eu tínhamos procurado nos certificar de que cada um na Pixar pudesse ser ouvido e fosse tratado com respeito. Eu realmente acreditava que autoavaliação e críticas construtivas tivessem de ocorrer em todos os níveis de uma empresa e havia feito um esforço para praticar aquilo que pregava.

Mas agora que estávamos reunindo a equipe para trabalhar no nosso segundo filme, *Vida de inseto*, usando as pessoas que haviam sido vitais para a evolução de *Toy Story*, descobri que havíamos deixado passar uma brecha séria e permanente entre nossos departamentos de criação e produção. Em resumo, os gerentes de produção contaram-me que trabalhar para *Toy Story* havia sido um pesadelo. Eles se sentiram desrespeitados e marginalizados – como cidadãos de segunda classe. E embora estivessem gratificados pelo sucesso do filme, estavam relutando em assinar um contrato para trabalhar em outro filme da Pixar.

Fiquei arrasado. Como havíamos deixado aquilo passar?

A resposta, pelo menos em parte, estava no papel desempenhado pelos gerentes de produção em nossos filmes. Eles são as pessoas que fazem o acompanhamento dos infindáveis detalhes que garantem que um filme seja entregue no prazo e dentro do orçamento. Monitoram o progresso geral da equipe; registram os milhares de tomadas de cenas; avaliam como os recursos estão sendo usados; persuadem, lisonjeiam, cutucam e dizem não quando necessário. Em outras palavras, fazem uma coisa essencial para uma empresa cujo sucesso depende de se cumprir prazos e permanecer dentro do orçamento. Gerenciam as pessoas e protegem o projeto.

Se havia algo de que nos orgulhávamos na Pixar, era garantir que artistas e técnicos se tratassem como iguais e eu tinha assumido que o mesmo respeito mútuo seria dado àqueles que gerenciavam as produções. Eu estava errado. Certamente, quando eu conversava com os artistas e os técnicos, eles *acreditavam* que os gerentes de produção eram pessoas de segunda classe que impediam – em vez de facilitar – a boa produção de filmes, controlando excessivamente o processo. As pessoas que consultei disseram que os gerentes de produção eram apenas areia nas engrenagens.

Minha total ignorância daquela dinâmica pegou-me de surpresa. Minha porta sempre estava aberta! Eu tinha suposto que aquilo iria me garantir um lugar no circuito, ao menos no caso de grandes fontes de tensão como aquela. Nos cinco anos que trabalhamos em *Toy Story*, nenhum gerente de produção havia se apresentado para expressar sua frustração ou fazer uma sugestão. Por quê? Precisei pensar para descobrir.

Em primeiro lugar, como quando nos preparávamos para fazer *Toy Story* não sabíamos o que estávamos fazendo, havíamos trazido de Los Angeles gerentes de produção experimentados para nos ajudar na organização. Eles achavam que seu trabalho era temporário e, portanto, que suas queixas não seriam bem recebidas. No mundo deles – produções convencionais de Hollywood –, pessoas autônomas se agrupavam para fazer um filme, trabalhavam lado a lado por vários meses e depois cada uma ia para seu lado. Reclamar tendia a custar futuras oportunidades de trabalho; assim, mantinham suas bocas fechadas. Somente quando solicitadas a permanecer na Pixar foi que expressaram suas objeções.

Em segundo lugar, a despeito de suas frustrações, aqueles gerentes de produção sentiam que estavam fazendo história e que John era um líder inspirado. Era importante participar de um projeto como *Toy Story*. Eles gostavam tanto do que estavam fazendo que se dispuseram a relevar as partes do trabalho com as quais se ressentiam. Aquilo para mim foi uma revelação: as coisas boas estavam ocultando as más. Compreendi que aquela era uma coisa que eu deveria buscar: quando fatores positivos convivem com os negativos, como costuma ocorrer, as pessoas relutam em explorar aquilo que as está incomodando por medo de serem taxadas como reclamonas. Compreendi também que esse tipo de coisa, quando não corrigida, poderia infectar e destruir a Pixar.

Para mim, aquela foi uma descoberta providencial. Estar alerta para problemas não era o mesmo que *ver* problemas. Aquela seria a ideia – o desafio – em torno da qual eu construiria meu novo senso de propósito.

Embora hoje eu entenda *por que* deixamos de detectar o problema, na ocasião precisávamos compreender o que os estava perturbando. Para isso, comecei a aparecer nas salas das pessoas, pegando uma cadeira e perguntando como elas achavam que a Pixar estava ou não funcionando. Essas conversas eram intencionalmente abertas. Eu não pedia uma lista de reclamações específicas. Pouco a pouco, de conversa a conversa, vim a entender como tínhamos chegado àquele emaranhado.

Houve muitos comentários sobre *Toy Story* e, como fazer um filme é uma proposição extremamente complicada, nossos líderes de produção sofriam uma tremenda pressão para controlar o processo. Por exemplo, se um animador quisesse falar com um modelador, era obrigado a passar pelos "canais competentes". Os artistas e técnicos consideravam aquela mentalidade de "tudo tem de passar por mim" irritante e obstrutiva. Para mim, não passava de uma microgestão bem-intencionada.

Como a produção de um grande filme envolve centenas de pessoas, é essencial uma cadeia de comando. Neste caso, porém, cometemos o erro de confundir a estrutura de comunicação com a estrutura organizacional. É claro que um animador deveria ser capaz de falar diretamente com um modelador, sem antes falar com o seu gerente. Assim, reunimos a empresa e dissemos: daqui em diante, todos podem falar com todos, em qualquer nível, a qualquer momento, sem medo de reprimendas. A comunicação não teria mais de se dar pelos canais hierárquicos. É claro que a troca de informações era vital para nosso negócio, mas eu acreditava que ela poderia – e em muitos casos deveria – se dar fora de ordem, sem forçar as pessoas. Pessoas falando diretamente uma com a outra e depois informando o gerente era mais eficiente do que tentar se certificar de que tudo acontecia na ordem "correta" e pelos canais "adequados".

Melhoramentos não aconteciam da noite para o dia. Mas, quando terminamos *Vida de inseto*, os gerentes de produção não eram mais vistos como impedimentos ao progresso criativo, mas como pares – como cidadãos de primeira classe. Tínhamos melhorado.

Aquilo era por si só um sucesso, mas veio com um inesperado benefício adicional: o ato de pensar a respeito do problema e a ele reagir era revigorante e estimulante. Compreendemos que nosso objetivo não era simplesmente construir um estúdio que fizesse filmes, mas promover uma cultura criativa que continuamente iria fazer perguntas, como: se tivéssemos feito algumas coisas certas para chegar ao sucesso, como poderíamos nos assegurar de que entendemos o que eram aquelas coisas? Poderíamos reproduzi-las em nossos próximos projetos? Será que a replicação do sucesso é tão importante, ou mesmo a coisa certa a ser feita? Quantos problemas sérios, potencialmente desastrosos, estavam ocultos e ameaçando nos destruir? O que poderíamos fazer para expô-los? Até que ponto nosso sucesso deveu-se à sorte? E o que iria acontecer com nosso ego se continuássemos a ter sucesso? Cresceria até o ponto de poder nos prejudicar e, neste caso, o que teríamos que fazer para acabar com esse excesso de confiança? Que dinâmicas iriam surgir agora que estávamos trazendo pessoas novas para um empreendimento de sucesso, o oposto de uma nova empresa em luta para sobreviver?

O que tinha me atraído para a ciência muitos anos antes era a busca pela compreensão. A interação humana é muito mais complexa do que a teoria da relatividade ou a das cordas, é claro, mas isso apenas tornou-a mais interessante e importante; ela desafiava constantemente minhas presunções. Com o aumento do número de filmes feitos, eu iria aprender que algumas de minhas crenças a respeito de como e por que a Pixar tivera sucesso estavam erradas. Mas uma coisa estava clara: descobrir como construir uma cultura criativa sustentável – que levasse de fato, *a sério*, coisas, como honestidade, excelência, comunicação, originalidade e autoavaliação, por mais que isso incomodasse – não era uma tarefa única. Era um trabalho de todos os dias, em tempo integral, que eu queria realizar.

Para mim, nosso mandato consistia em promover uma cultura que buscasse manter claras nossas visões, mesmo que aceitássemos que muitas vezes tentávamos nos engajar naquilo que não podíamos ver. Eu esperava tornar essa cultura tão vigorosa que ela iria sobreviver aos fundadores da Pixar, possibilitando que a empresa continuasse a produzir filmes originais, que dessem dinheiro, é claro, mas também contribuíssem de forma positiva para o mundo. Soa como uma meta elevada, mas foi a nossa desde o início. Fomos abençoados com um grupo notável de funcionários que davam valor às mudanças, ao risco e ao desconhecido e queriam repensar a maneira de criar. Como poderíamos liberar os talentos daquelas pessoas, mantê-las satisfeitas e não permitir que as inevitáveis complexidades que acompanham qualquer empreendimento colaborativo nos prejudicassem no caminho? Essa foi a tarefa que designei para mim mesmo – e que me anima até hoje.

Capítulo 4

ESTABELECENDO A IDENTIDADE DA PIXAR

Dois princípios criativos definidores emergiram na esteira de *Toy Story*. Eles se tornaram um tipo de mantra, frases às quais nos agarrávamos e repetíamos infinitamente nas reuniões. Acreditávamos que elas nos tinham guiado através da provação de *Toy Story* e dos primeiros estágios de *Vida de inseto* e, em consequência disso, nos causavam grande conforto.

O primeiro princípio era "A História É Soberana", pelo qual queríamos dizer que não permitiríamos que nada – nem a tecnologia, nem as possibilidades de merchandising – tivesse prioridade sobre nossa história. Tínhamos orgulho do fato de os críticos falarem principalmente a respeito da maneira pela qual *Toy Story* os fez sentir, e não a respeito da genialidade com computadores que nos possibilitou levar o filme às telas. Acreditávamos que aquele era um resultado direto da nossa determinação de sempre manter a história como nossa orientadora.

O outro princípio do qual dependíamos era "Confie no Processo". Gostávamos dele porque nos trazia tranquilidade: embora haja inevitavelmente dificuldades e deslizes em qualquer empreendimento criativo complexo, você pode confiar que "o processo" irá colocá-lo a salvo. De certa forma, isso não era diferente de qualquer aforismo otimista ("Aguente firme, rapaz!"), exceto pelo fato de o nosso processo ser tão diferente dos outros estúdios, levando-nos a sentir que ele de fato tinha poder. A Pixar era um lugar que dava espaço aos artistas e controle aos diretores que acreditavam que seu pessoal resolveria os problemas. Sempre fui cauteloso a respeito de máximas ou regras porque, com muita frequência, elas não passam de banalidades vazias, que desviam sua atenção, mas aqueles dois princípios de fato pareciam ajudar nosso pessoal.

O que era bom, porque em pouco tempo iríamos precisar de toda ajuda que conseguíssemos obter.

Em 1997, executivos da Disney vieram nos fazer uma solicitação: Conseguiríamos fazer *Toy Story 2* como um lançamento diretamente para vídeo – isto é, sem lançá-lo nos cinemas? Na época, a sugestão da Disney fazia muito sentido. Na sua história, o estúdio havia lançado nos cinemas somente uma sequência animada, *Bernardo e Bianca na terra dos cangurus*, na década de 1990, que tinha sido um fracasso de bilheteria. Desde então, o mercado de lançamentos diretamente para vídeo tinha se tornado extremamente lucrativo; assim, quando a Disney propôs *Toy Story 2* para lançamento somente em vídeo – um produto de nicho com menos pretensões artísticas –, nós dissemos que sim. Apesar de questionarmos a qualidade da maior parte das sequências feitas para o mercado de vídeo, achamos que poderíamos fazer melhor.

Imediatamente nos demos conta de que havíamos cometido um erro terrível. Tudo a respeito do projeto ia contra aquilo em que acreditávamos. Não sabíamos como baixar nosso padrão. Em teoria, nada tínhamos contra o modelo direto para vídeo; a Disney o estava praticando e ganhando muito dinheiro. Simplesmente não sabíamos como fazê-lo sem sacrificar a qualidade. Além disso, logo ficou claro que a redução das expectativas para fazer um produto direto para vídeo estava tendo um impacto negativo sobre nossa cultura interna, porque criava uma equipe A (*Vida de inseto*) e uma equipe B (*Toy Story 2*). A equipe designada para fazer *Toy Story 2* não estava interessada na produção de trabalhos de nível B e vários dos seus membros foram à minha sala para dizer isso. Eu teria sido um tolo se ignorasse a paixão deles.

Alguns meses depois do início do projeto, convocamos uma reunião com os executivos da Disney para lhes vender a ideia de que o modelo direto para o vídeo não iria funcionar para nós. Não estava dentro dos objetivos da Pixar. Propusemos uma mudança de curso e fazer *Toy Story 2* para lançamento nos cinemas. Para nossa surpresa, eles concordaram prontamente. De repente, estávamos fazendo dois filmes ambiciosos ao mesmo tempo – dobrando da noite para o dia nossa produção para lançamento em cinemas. Isso era algo assustador, mas também era como uma afirmação de nossos valores centrais. Enquanto nosso quadro crescia, eu sentia orgulho por havermos insistido na qualidade. Para mim, decisões como aquela iriam garantir o sucesso no futuro.

Porém, a produção de *Toy Story 2* seria seriamente prejudicada por uma série de suposições erradas de minha parte. Como se tratava "somente" de uma sequência, pensamos, ela não seria tão difícil de fazer como o filme original. Enquanto a equipe criativa que havia liderado a produção de *Toy Story* se concentrava em *Vida de inseto*, colocamos dois animadores experientes (e pela primeira vez diretores) para comandar *Toy Story 2*. Todos nós esperávamos que uma equipe inexperiente – quando apoiada por uma experiente – seria capaz de simplesmente reproduzir o sucesso do nosso primeiro filme. Reforçando nossa confiança, havia o fato de que os esboços do enredo de *Toy Story 2* já haviam sido desenvolvidos por John Lasseter e a equipe original de *Toy Story*. Woody seria, por engano, vendido numa liquidação de garagem a um colecionador, que – para preservar o valor do brinquedo – o tinha trancado para que nunca brincassem com ele até sua venda a um museu japonês. Os personagens eram conhecidos, a aparência estava estabelecida, a equipe técnica era experiente e ágil, e nós como empresa tínhamos uma compreensão total do processo de produção de filmes. Achamos que tínhamos tudo calculado.

Estávamos errados.

Um ano depois de iniciada a produção, comecei a perceber sinais de problemas. O principal era que os diretores estavam solicitando cada vez mais o "tempo de John" – tentando um lugar na sua agenda para tirar ideias do seu cérebro. Aquilo era preocupante. Para mim, sinalizava que, por mais talentosos que fossem individualmente, os diretores de *Toy Story 2* careciam de confiança e não estavam se dando bem como equipe.

E também havia os rolos. Na Pixar, nossos diretores se reúnem a cada dois ou três meses para mostrar os "rolos" do seu filme – desenhos juntados, combinados com músicas e vozes "temporárias". Os primeiros rolos constituem uma aproximação primária do que será o produto final; eles estavam falhos e confusos, não importando se a equipe era boa ou não. Mas vê-los era a única maneira de saber o que precisava ser corrigido. Não se pode julgar uma equipe pelos primeiros rolos. Mas você espera que, com o tempo, os rolos melhorem. Mas, naquele caso, não estavam melhorando – os meses se passavam e os rolos ainda estavam ruins em graus variados. Alarmados, comunicamos nossas preocupações com John e a equipe criativa original de *Toy Story*. Eles nos aconselharam a dar mais tempo, a confiar no processo.

Foi somente depois do lançamento de *Vida de inseto*, no final de 1998, que John teve tempo para sentar-se e analisar aquilo que os diretores de *Toy Story 2* haviam produzido até aquele ponto. Ele entrou numa de nossas salas de projeção para olhar os rolos. Algumas horas depois, ele saiu, foi direto para minha sala e fechou a porta. *Desastre* foi a palavra que usou. A história era vazia, previsível e sem tensão; o humor, inexistente. Tínhamos procurado a Disney e insistido em mudar, rejeitando a ideia de um produto de nível B. E agora nos perguntávamos se era isso que estávamos fazendo. Aquela era uma crise total.

Porém, antes que pudéssemos elaborar um plano para corrigi-la, havia uma reunião com a Disney – programada previamente, para manter os executivos da empresa em dia com o andamento de *Toy Story 2*. Em dezembro, Andrew – que costumava atuar como braço direito de John – levou a versão profundamente falha do filme para Burbank. Um grupo de executivos reuniu-se numa das salas de projeção, as luzes se apagaram e Andrew sentou-se lá, rangendo os dentes, à espera do fim. Quando as luzes foram acesas, ele começou a falar.

"Sabemos que o filme necessita de grandes mudanças", disse ele. "E já começamos a planejá-las."

Para sua surpresa, os executivos da Disney discordaram – o filme estava suficientemente bom e, além disso, não havia tempo para reformulá-lo. É apenas uma sequência. Educadamente, mas com firmeza, Andrew discordou. "Vamos refazê-lo", insistiu.

De volta à Pixar, John disse a todos que descansassem nos feriados de fim de ano, porque a partir de 2 de janeiro iríamos reformular o filme inteiro. Em conjunto, procuramos transmitir uma mensagem curta e clara: o conserto do navio iria exigir toda a tripulação.

No entanto, antes, precisávamos tomar uma decisão difícil. Era óbvio que, para salvar o filme, era necessária uma mudança no topo. Aquela seria a primeira vez em que teríamos que dizer aos diretores de um filme que iríamos substituí-los e isso era tudo, menos fácil. Nem eu nem John gostaríamos de lhes dizer que eles estavam fora, e John iria assumir *Toy Story 2*, mas aquilo tinha que ser feito. Não podíamos convencer a Disney a fazer um lançamento nos cinemas, insistir em nossa excelência e entregar um produto inferior.

Os diretores ficaram abalados, e nós também. Em certo sentido, havíamos falhado com eles – fazendo com que sofressem colocando-os numa posição para a qual não estavam preparados. Nosso papel naquela falha exigiu um exame de consciência de minha parte. O que havíamos deixado passar? O que nos levou a fazer suposições tão falhas e a deixar de intervir quando cresciam as evidências de que o filme tinha problemas? Foi a primeira vez em que demos posições a pessoas acreditando que elas estavam à altura, só para descobrir que não estavam. Eu queria entender por quê. Enquanto eu fazia essas ponderações, a pressão do prazo nos forçou a ir em frente. Tínhamos nove meses para entregar o filme – um prazo insuficiente, até mesmo para a equipe mais experimentada. Mas estávamos determinados. Era impensável não fazermos o melhor possível.

Nossa primeira tarefa foi consertar a história. A correção das suas falhas seria responsabilidade de um grupo surgido de forma orgânica durante a produção de *Toy Story*, que havíamos começado a chamar de Banco de Cérebros. Seus membros eram comprovadamente solucionadores de problemas que trabalhavam muito bem em conjunto para dissecar cenas que não estavam dando certo. Falarei mais sobre o Banco de Cérebros e como ele funciona no próximo capítulo, mas sua característica mais importante era a capacidade para analisar as pulsações emocionais de um filme sem que qualquer dos seus membros ficasse emotivo ou caísse na defensiva. Para ser claro, não se tratava de um grupo que havíamos preparado para criar, mas era uma grande ajuda para a empresa. Mais tarde o grupo se expandiu, mas naquele ponto ele consistia em apenas cinco membros: John, Andrew Stanton, Peter Docter, Joe Ranft e Lee Unkrich, um grande editor de uma cidadezinha de Ohio cujo nome parece saído de um filme da Pixar: Chagrin Falls, ou seja, Cataratas da Tristeza. Lee havia se juntado a nós em 1994 e logo ficou conhecido pelo seu grande senso de oportunidade. John nomeou-o codiretor de *Toy Story 2*. Os nove meses subsequentes iriam constituir a programação de produção mais extenuante que jamais tivemos – o suplício no qual foi forjada a verdadeira identidade da Pixar.

Enquanto John e sua equipe de criação foram trabalhar, eu pensava na dura realidade que enfrentávamos. Estávamos pedindo que nossa equipe produzisse o equivalente cinematográfico de um transplante cardíaco. Tínhamos menos de um ano até o lançamento de *Toy Story 2*. A produção dentro do prazo iria levar nossa força de trabalho ao ponto de ruptura e certamente haveria um preço para isso. Mas eu também acreditava que a alternativa – a aceitação da mediocridade – teria consequências muito mais destrutivas.

O maior problema com o filme, disse John quando reuniu sua equipe pela primeira vez, era que ele era a saga de uma fuga com um enredo previsível e não muito emocional. A narrativa, que teve lugar cerca de três anos depois dos eventos em *Toy Story*, girava em torno de se Woody iria preferir fugir da sua existência mimada e protegida (mas isolada) – a vida de um "colecionável" – que Al, o colecionador, havia escolhido para ele. Iria ele lutar pela chance de voltar para Andy, seu dono original? Para que o filme funcionasse, os espectadores teriam de acreditar que a escolha de Woody – voltar ou não a um mundo em que Andy iria crescer e descartá-lo, ou permanecer num lugar seguro, sem ninguém para amá-lo – era real. Mas como os espectadores sabiam que o filme era da Pixar e da Disney, eles iriam assumir que haveria um final feliz – significando que Woody iria optar por voltar para Andy. O filme necessitava de razões para que se acreditasse que o dilema de Woody era real, com o qual os espectadores poderiam se relacionar. Em outras palavras, ele precisava de dramaticidade.

O filme sempre começava com Woody se preparando para ir para o acampamento dos vaqueiros com Andy, onde sofreria um rasgão no braço e por isso seria deixado para trás por Andy (e guardado num armário pela mãe de Andy). Naquele ponto, o Banco de Cérebros fez a primeira de duas mudanças vitais: acrescentou um personagem chamado Wheezy, o pinguim, que conta a Woody que estava no mesmo armário havia meses devido a um problema no seu dispositivo de voz. Wheezy introduz a ideia de que, por mais que gostem de um brinquedo, quando ele é danificado é provável que vá para o armário ou mesmo seja jogado fora. Wheezy estabelece as apostas emocionais da história.

A segunda mudança básica feita pela equipe foi reforçar o papel de Jessie, uma boneca vaqueira que havia amado sua dona, assim como Woody havia amado Andy, até que ela cresceu e deixou de lado seus brinquedos. A mensagem de Jessie para Woody – que agora seria contada de forma chocante, com acompanhamento da canção "When She Loved Me", de Sarah McLachlan – era de que, não importando quanto você gostasse dele, Andy algum dia iria abandonar seus objetos de infância. Jessie pega o tema iniciado por Wheezy e suas interações corajosas com Woody permitem que o tema, antes implícito, seja discutido abertamente.

Com a adição de Wheezy e Jessie, a opção de Woody fica mais difícil. Ele poderá ficar com alguém que ama, sabendo que acabará sendo descartado, ou fugir para um mundo em que poderá ser mimado para sempre, mas sem o amor para o qual ele foi criado. Essa é uma escolha, uma pergunta real. A frase criada pela equipe foi dura: *Você escolheria viver para sempre sem amor?* Quando puder sentir a agonia dessa escolha, você terá um filme.

Embora Woody, no final, escolha Andy, ele o faz com a consciência de que certamente irá sofrer no futuro. "Não posso impedir que Andy cresça", conta ele a Stinky Pete, o garimpeiro. "Mas eu não perderia isso por nada neste mundo."

Com a história reconcebida, toda a empresa se reuniu certa manhã no refeitório de um prédio em frente ao nosso armazém original em Point Richmond que também havíamos alugado. O nome daquele anexo era Frogtown (no passado, o local era um pântano). No horário marcado, John entrou e descreveu o novo e emocionante enredo de *Toy Story 2* aos nossos colegas, que aplaudiram no final. Em outra reunião, esta com apenas a equipe de *Toy Story 2*, Steve Jobs expressou seu apoio: "A Disney não acha que podemos fazer isso", disse ele. "Então, vamos provar que ela está errada."

Então o trabalho pesado começou.

Nos seis meses subsequentes, nossos funcionários raramente viram suas famílias. Eles trabalhavam até tarde da noite, sete dias por semana. A despeito de dois filmes de sucesso, estávamos conscientes da necessidade de provar para nós mesmos e para os outros, e todos deram tudo de si. Faltando ainda vários meses, o pessoal estava exausto e começando a fraquejar.

Certa manhã, em junho, um artista esgotado saiu para o trabalho com seu filho bebê preso no banquinho para crianças, pretendendo deixá-lo na creche no caminho do escritório. Algumas horas depois, sua mulher (também funcionária da Pixar) perguntou-lhe como tinha sido a entrega na creche – foi quando ele se deu conta de que havia deixado o filho no carro, no estacionamento da Pixar, quente como uma estufa. Eles correram até o carro e o bebê estava inconsciente. Jogaram sobre ele um pouco de água fria e, graças a Deus, a criança ficou bem, mas o trauma daquele momento ficou profundamente gravado em meu cérebro. Estávamos pedindo demais dos nossos funcionários. Eu havia esperado que o caminho fosse difícil, mas tive de admitir que estávamos caindo aos pedaços. Quando o filme foi terminado, um terço da equipe havia sofrido algum tipo de estresse repetitivo.

No final, cumprimos nosso prazo – e lançamos nosso terceiro filme de sucesso. Os críticos disseram que *Toy Story 2* era uma das poucas sequências que superavam o filme original e a bilheteria rendeu 500 milhões de dólares. Todos estavam esgotados, mas também havia um sentimento de que havíamos produzido algo importante, que iria definir a Pixar nos anos seguintes.

Como diz Lee Unkrich: "Fizemos o impossível. Fizemos aquilo que todos diziam que não poderíamos fazer. E fizemos espetacularmente bem. Aquele foi o combustível que tem continuado a queimar em todos nós."

A gestação de *Toy Story 2* oferece várias lições que foram vitais para a evolução da Pixar. Você se lembra do centro da história – o dilema de Woody, ir ou ficar –, era o mesmo, antes e depois de o Banco de Cérebros reformular a história. Uma versão não funcionou e a outra foi profundamente emocionante. Por quê? Os escritores talentosos tinham descoberto uma maneira de atrair a atenção dos leitores e a evolução dessa linha narrativa é bem clara para mim: se você der uma boa ideia para uma equipe medíocre, ela irá estragá-la. Se der uma ideia medíocre para uma equipe brilhante, ela irá consertá-la ou jogá-la fora e propor algo melhor.

Vale a pena repetir a lição: conseguir a equipe certa é a condição necessária para conseguir as boas ideias. É fácil dizer que você quer pessoas talentosas, mas a maneira pela qual elas interagem umas com as outras é o segredo. Até mesmo as pessoas mais inteligentes podem formar uma equipe ineficaz se forem incompatíveis. Isso significa que é melhor se concentrar em como uma equipe está se desempenhando, e não nos talentos dos seus membros. Uma boa equipe é feita de pessoas que se complementam umas às outras. Existe aqui um princípio que pode parecer óbvio, mas pela minha experiência não é. Conseguir as pessoas e a química certas é mais importante do que conseguir a ideia certa.

Essa é uma questão na qual venho pensando há anos. Certa vez, eu estava almoçando com o presidente de outro estúdio e ele disse que seu maior problema não era encontrar boas pessoas, mas boas ideias. Lembro-me de ter ficado surpreso com o que ele disse, porque me pareceu falso, em parte porque na produção de *Toy Story 2* meu problema tinha sido exatamente o contrário. Decidi testar se aquilo que para mim era um dado era de fato uma crença comum. Assim, nos dois anos seguintes, adquiri o hábito de, em minhas palestras, colocar a questão para meu público: o que tem mais valor, boas ideias ou boas pessoas? Quer eu estivesse falando a executivos aposentados ou estudantes, diretores de escolas ou artistas, quando eu pedia que erguessem as mãos, o público se dividia em 50% para cada lado. (Os estatísticos dizem que, quando se obtém uma divisão assim perfeita, não quer dizer que metade do público saiba a resposta certa, apenas que ela está escolhendo ao acaso, como no jogo de cara ou coroa.)

As pessoas pensam tão pouco a esse respeito que, em todos esses anos, somente uma salientou a falsa dicotomia. Para mim, a resposta deveria ser óbvia. Ideias vêm de pessoas. Portanto, elas são mais importantes que as ideias.

Por que ficamos tão confusos com isso? Porque muitas pessoas pensam que ideias são singulares, como se flutuassem no éter completamente formadas e independentemente das pessoas que lutam com elas. Mas as ideias não são singulares. São forjadas através de dezenas de milhares de decisões, muitas vezes tomadas por dezenas de pessoas. Em qualquer filme da Pixar, cada linha de diálogo, cada feixe de luz ou mancha de sombra, cada efeito sonoro está lá porque contribui para o todo maior. No final, se você acertar, as pessoas saem do cinema e dizem: "Um filme a respeito de brinquedos que falam – que ideia inteligente!" Mas um filme não é uma ideia, mas milhares delas. E por trás dessas ideias há pessoas. Isso vale para produtos em geral; por exemplo, o iPhone não é uma ideia singular – há uma profundidade espantosa no hardware e no software que lhe dão suporte. Contudo, é frequente vermos um objeto e pensarmos nele como uma ilha que existe à parte e por si só.

Repetindo, é o foco nas pessoas – seus hábitos de trabalho, talentos, valores – que é absolutamente central para qualquer empreendimento criativo. E na esteira de *Toy Story 2*, vi isso claramente como nunca. Por sua vez, essa clareza levou-me a fazer algumas mudanças. Olhando em torno, percebi que tínhamos algumas tradições que não punham as pessoas em primeiro lugar. Por exemplo, como todos os estúdios, tínhamos um departamento de desenvolvimento que era encarregado de descobrir e desenvolver ideias para transformar em filmes. Agora eu via que aquilo não fazia sentido. A função do departamento de desenvolvimento não deveria ser de desenvolver roteiros, mas sim contratar boas pessoas, descobrir de que elas necessitavam, colocá-las em projetos adequados às suas habilidades e certificar-se de que elas trabalhavam bem em conjunto. Até hoje continuamos ajustando esse modelo, mas as metas subjacentes permanecem as mesmas: encontrar, desenvolver e apoiar boas pessoas, e elas, por sua vez, irão descobrir, desenvolver e possuir boas ideias.

Em certo sentido, isso estava relacionado ao meu modo de pensar a respeito do trabalho de W. Edward Deming no Japão. Embora a Pixar não dependesse de uma linha de montagem tradicional – isto é, com esteiras conectando as estações de trabalho –, a produção de um filme tinha uma ordem, com cada equipe passando o filme, ou ideia, para a seguinte, que fazia um pouco mais. Para garantir a qualidade, acreditava eu, qualquer pessoa de qualquer equipe precisava ser capaz de identificar um problema e puxar o cordão para deter a linha. Para criar uma cultura na qual isso era possível, era preciso que mais de um cordão estivesse facilmente ao alcance. Você precisava mostrar ao seu pessoal que falava sério quando dizia que, embora a eficiência fosse *uma* meta, a qualidade era *a* meta. Cada vez mais eu via que, pondo as pessoas em primeiro lugar – não apenas *dizendo* que fazíamos, mas *provando* através de nossos atos –, estávamos protegendo aquela cultura.

No nível mais básico, *Toy Story 2* foi um alerta. Daí em diante, as necessidades de um filme nunca mais poderiam superar as necessidades de nosso pessoal. Precisávamos fazer mais para mantê-lo feliz. Tão logo entregamos o filme, tratamos de cuidar das necessidades de nossos funcionários feridos e estressados e criar estratégias para evitar que futuras pressões de prazos voltassem a prejudicá-los. Essas estratégias foram além de estações de trabalho ergonomicamente projetadas, aulas de ioga e fisioterapia. *Toy Story 2* foi um estudo de caso sobre como uma coisa normalmente considerada uma vantagem – uma força de trabalho trabalhadora e motivada fazendo um esforço conjunto para cumprir um prazo – podia se autodestruir caso não fosse controlada. Apesar de estar imensamente orgulhoso da nossa realização, jurei que nunca mais faríamos um filme daquela maneira. Era função da gerência enxergar no longo prazo para intervir e proteger nossos funcionários da sua disposição para buscar a excelência a qualquer custo. Não fazê-lo seria uma irresponsabilidade.

Isso é mais difícil do que você pode pensar. Como grupo, o pessoal da Pixar se orgulha do seu trabalho. Eles são grandes realizadores ambiciosos que querem dar seu melhor e ainda mais. Do lado da gerência, queremos que o próximo produto seja melhor que o último, embora ao mesmo tempo precisemos cumprir o orçamento e a programação. Gerentes inspiradores levam seu pessoal a se superar. É o que esperamos que eles façam. Mas, quando as poderosas forças que criam essa dinâmica positiva tornam-se negativas, são difíceis de neutralizar. Trata-se de uma linha fina. Em qualquer filme existem períodos inevitáveis de aperto e estresse extremos, alguns dos quais podem ser saudáveis caso não durem tempo demais. Mas as ambições dos gerentes e de suas equipes podem se exacerbar mutuamente e deixar de ser saudáveis. É responsabilidade do líder ver isso e orientar seus funcionários, em vez de explorá-los.

Para sobreviver no longo prazo, precisamos cuidar de nós mesmos, apoiar hábitos saudáveis e encorajar nossos funcionários a ter vidas satisfatórias fora do trabalho. Além disso, a vida doméstica de todos muda à medida que eles – e seus filhos, caso os tenham – envelhecem. Isso significa criar uma cultura na qual tirar uma licença-maternidade ou paternidade não é visto como um impedimento ao avanço na carreira. Isso pode não parecer revolucionário, mas em muitas empresas os pais sabem que as licenças têm um custo; a mensagem sem palavras que recebem é que um funcionário realmente comprometido *deseja* estar no trabalho. Isso não vale na Pixar.

Apoiar seus funcionários significa encorajá-los a alcançar um equilíbrio não dizendo simplesmente "Seja equilibrado!", mas também tornando mais fácil a consecução desse equilíbrio. (Ter na empresa uma piscina, uma quadra de vôlei e um campo de futebol diz aos seus funcionários que você valoriza os exercícios e a vida além da mesa de trabalho.) Mas liderança também significa prestar muita atenção às dinâmicas em constante mutação no local de trabalho. Por exemplo, quando nossos funcionários mais jovens – os que não têm famílias – trabalham mais horas do que aqueles que têm filhos, devemos ter o cuidado de não comparar a produção desses dois grupos sem levar em conta o contexto. Não estou me referindo somente à saúde dos nossos funcionários, mas à sua produtividade e felicidade no longo prazo. Investir nisso rende dividendos no futuro.

Conheço uma empresa de jogos em Los Angeles que tinha uma meta declarada de trocar 15% da sua força de trabalho a cada ano. O raciocínio por trás dessa política era de que a produtividade sobe quando você contrata garotos espertos e famintos recém-saídos da escola e os faz trabalhar até a morte. Demissões eram inevitáveis nessas condições, mas isso estava bem, porque as necessidades da empresa superavam as dos trabalhadores. Isso funcionava? Talvez. Até certo ponto. Mas para mim esse modo de pensar não é apenas desorientado, é imoral. Na Pixar, fiz com que todos soubessem que sempre devemos ter flexibilidade para reconhecer e apoiar a necessidade de equilíbrio de todos os nossos funcionários. Embora todos nós acreditássemos nesse princípio desde o início, *Toy Story 2* ajudou-me a ver como essas crenças podem ser deixadas de lado em face de pressões imediatas.

Comecei este capítulo falando a respeito de duas frases que, para mim, nos ajudaram e também nos iludiram nos primeiros dias da Pixar. Depois de *Toy Story*, pensávamos que "A História É Soberana" e "Confie no Processo" eram princípios centrais que nos levariam em frente e nos manteriam focados – que as frases em si tinham o poder para nos ajudar a fazer um trabalho melhor. A propósito, não é só o pessoal da Pixar que acredita nisso. Tente por você mesmo. Diga a uma pessoa do mundo da criação que "a história é soberana" e ela irá concordar vigorosamente. É claro! Só pode ser verdade. Todos sabem como é importante um enredo bem forjado e emocionante para qualquer filme.

Para nós, "A História É Soberana" nos diferenciou não apenas porque dissemos isso, mas também porque acreditávamos no conceito e agimos de acordo com ele. Porém, à medida que fui conversando com mais pessoas da indústria e aprendi mais sobre outros estúdios, constatei que todas elas repetiam alguma versão desse mantra – não importando se estavam fazendo uma verdadeira obra de arte ou um lixo completo, *todas* diziam que a história era a coisa mais importante. Aquilo era um lembrete de algo que parece óbvio, mas não é: repetir simplesmente as ideias não significa nada. É preciso agir – e pensar – de acordo com elas. Repetir como um papagaio a frase "A História É Soberana" na Pixar não ajudou nem um pouco os inexperientes diretores de *Toy Story 2*. Estou dizendo que esse princípio-guia, quando simplesmente declarado e facilmente repetido, não nos protegeu do fracasso. Na verdade, nos deu uma falsa garantia de que as coisas iriam dar certo.

Também "confiávamos no processo", mas ele também não salvou *Toy Story 2*. "Confiar no Processo" havia se transformado em "Assuma que o Processo Irá Corrigir as Coisas para Nós". Isso nos deu um consolo, que achávamos necessário. Mas também nos convenceu a baixar a guarda e, no final, nos tornou passivos. Pior ainda, nos tornou desleixados.

Quando isso ficou claro para mim, comecei a dizer às pessoas que a frase não tinha significado. Contei ao nosso pessoal que ela havia se tornado uma muleta que nos impedia de enfrentar nossos problemas de forma efetiva. Devíamos confiar em *pessoas*, eu lhes disse, e não em processos. O erro que havíamos cometido foi esquecer que "o processo" não tem programa, nem gosto. Ele não passa de uma ferramenta. Precisávamos assumir mais responsabilidade e a propriedade do nosso próprio trabalho, nossa necessidade de autodisciplina e nossas metas.

Imagine uma maleta velha e pesada, cujas alças gastas estão quase se soltando. As alças são "Confie no Processo" ou "A História É Soberana" – uma afirmação enérgica que parece simbolizar muito mais. A maleta representa tudo o que entrou na formação da frase: a experiência, a sabedoria profunda, as verdades que emergem da luta. Muitas vezes agarramos as alças e – sem perceber – saímos sem a maleta. Além disso, nem mesmo pensamos a respeito daquilo que deixamos para trás. Afinal, as alças são muito mais fáceis de carregar do que a maleta.

Uma vez consciente do problema maleta-alças, você passará a vê-lo em toda parte. As pessoas adotam palavras e histórias que em geral não passam de substitutas para ação e significado reais. As anunciantes buscam palavras que sugerem o valor de um produto e as usam em lugar do valor em si. As empresas falam constantemente a respeito do seu compromisso com excelência, sugerindo que isso significa que elas irão fazer somente produtos de primeira classe. Palavras como qualidade e excelência são tão mal empregadas que chegam à beira da falta de significado. Gerentes esquadrinham livros e revistas em busca de maior compreensão, mas acabam adotando uma nova terminologia, pensando que o uso de palavras novas irá levá-los para mais perto das suas metas. Quando alguém aparece com uma frase que "cola", ela se torna um *meme* que perdura até mesmo quando se desconecta do seu significado original.

Para assegurar a qualidade, *excelência* deve ser uma palavra *merecida*, atribuída a nós pelos outros, e não proclamada por nós a nosso próprio respeito. É responsabilidade dos bons líderes garantir que as palavras permaneçam ligadas aos significados e ideais que representam.

Devo dizer que mesmo quando critico a frase "Confie no Processo" como uma ferramenta motivacional falha, ainda assim entendo a necessidade da fé em um contexto criativo. Como muitas vezes trabalhamos para inventar algo que ainda não existe, ir para o trabalho pode ser assustador. No início da produção de um filme, reina o caos. A maior parte daquilo que os diretores e suas equipes estão fazendo não parece ter sentido e as responsabilidades, pressões e expectativas são intensas. Como então prosseguir, quando tão pouco é conhecido e quase tudo é desconhecido?

Já vi diretores e escritores atolados, sem conseguir ir em frente porque não conseguiam ver para onde ir. É nesse ponto que alguns colegas meus têm insistido que estou errado, que "Confiar no Processo" tem significado – para eles, a frase significa: "Vá em frente, mesmo quando as coisas parecem desanimadoras." Quando confiamos no processo, dizem eles, podemos relaxar, deixar rolar. Podemos aceitar que qualquer ideia pode não funcionar e mesmo assim minimizar nosso medo de fracasso, porque acreditamos que no fim chegaremos lá. Quando confiamos no processo, nos lembramos de que somos resistentes à desgraça, que já enfrentamos o desânimo antes e conseguimos sair. Quando confiamos no processo – ou melhor, quando confiamos nas pessoas que o *usam* –, somos otimistas, mas também realistas. A confiança provém de saber que estamos seguros, que nossos colegas não irão nos julgar por fracassos, mas nos encorajar a continuar forçando os limites. Mas, para mim, o segredo é não permitir que essa confiança, que nossa fé, nos leve a abdicar da responsabilidade pessoal. Quando isso acontece, caímos numa repetição estúpida, produzindo versões vazias daquilo que já foi feito antes.

Como gosta de dizer Brad Bird, que entrou na Pixar como diretor em 2000: "O processo pode fazê-lo ou desfazê-lo." Gosto do ponto de vista de Brad porque, ao mesmo tempo que dá poder ao processo, deixa claro que também temos um papel ativo nele. Katherine Sarafian, que está na Pixar desde *Toy Story*, disse que prefere *vislumbrar* o processo a *confiar* nele – observando-o para ver onde ele está tropeçando, e então cutucá-lo para garantir que está acordado. Mais uma vez o indivíduo desempenha o papel ativo, e não o processo em si. Ou, em outras palavras, cabe ao indivíduo lembrar que está certo usar as alças, desde que não se esqueça da maleta.

Na Pixar, *Toy Story 2* nos ensinou essa lição – que devemos sempre estar alertas para as mudanças das dinâmicas, porque nosso futuro depende delas. Iniciado como uma sequência para ser lançada diretamente em vídeo, o projeto mostrou não só que era importante para todos não tolerarmos filmes de segunda classe, mas também que tudo que fizéssemos associado ao nosso nome precisava ser bom. Pensar assim não era apenas uma questão moral; era um sinal a todos na Pixar que eles eram em parte proprietários do maior ativo da empresa – sua qualidade.

Nessa época, John cunhou uma nova frase: "Qualidade é o melhor plano de negócios." Ele queria dizer que a qualidade não é uma consequência de se seguir um determinado conjunto de comportamentos. Ela é um pré-requisito e uma atitude que você deve ter *antes* de decidir o que está se preparando para fazer. Todos dizem que qualidade é importante, mas devem fazer algo mais que apenas dizer. Devem vivê-la, pensá-la e respirá-la. Quando nossos funcionários afirmaram que só queriam fazer filmes da mais alta qualidade e nos esforçamos até o limite para provar nosso compromisso com esse ideal, a identidade da Pixar estava definida. Seríamos uma empresa que nunca iria se acomodar. Isso não significava que nunca iríamos cometer erros. Eles são parte da criatividade. Mas quando errávamos, nos esforçávamos para enfrentá-los sem cair na defensiva e com disposição para mudar. O esforço na produção de *Toy Story 2* virou nossas cabeças, fazendo com que conseguíssemos fazer autocrítica e mudar nosso modo de pensar a nosso próprio respeito. Quando digo que aquele foi o momento de definição para a Pixar, eu o faço no sentido mais dinâmico. Nossa necessidade de introspecção estava apenas começando.

Na próxima seção do livro, quero explorar o desenvolvimento dessa introspecção. Os capítulos giram em torno das questões que logo estaríamos enfrentando como empresa. Qual é a natureza da honestidade? Se todos concordam a respeito da sua importância, por que temos dificuldade para ser francos? Como pensamos a respeito de nossos fracassos e temores? Existe uma maneira para deixar nossos gerentes mais à vontade com resultados inesperados – as surpresas inevitáveis que surgem, por melhor que você tenha planejado? Como cuidar do impulso sentido por muitos gerentes de controlar excessivamente o processo? Com aquilo que aprendemos até aqui, podemos finalmente fazer o projeto certo? Onde ainda estamos enganados?

Essas perguntas iriam continuar nos desafiando nos anos futuros – na verdade, até hoje.

PARTE II

PROTEGENDO O NOVO

Capítulo 5

HONESTIDADE E FRANQUEZA

Pergunte a qualquer pessoa: "As pessoas devem ser honestas?", e é claro que a resposta será sim. É claro! Dizer "não" é apoiar a desonestidade, o que é como ir contra a alfabetização ou a nutrição infantil – soa como uma transgressão moral. Mas a verdade é que com frequência há boas razões para *não* se ser honesto. Quando se trata de interagir com outras pessoas no ambiente de trabalho, há vezes em que optamos por não dizer o que realmente pensamos.

Isso cria um dilema. Em um nível, a única maneira para adquirir a compreensão dos fatos, questões e nuanças para resolver problemas e colaborar de forma efetiva é comunicando-se total e abertamente, *não* ocultando nada nem desinformando. Não há dúvida de que nossa tomada de decisões será melhor se pudermos nos basear no conhecimento coletivo e nas opiniões sinceras do grupo. Mas por mais valiosa que seja a informação vinda da honestidade e por mais que proclamemos sua importância, nossos temores e instintos de autopreservação muitas vezes nos levam a ficar calados. Para resolver essa realidade, precisamos nos libertar da bagagem da *honestidade*.

Uma forma de fazer isso é substituir a palavra *honestidade* por outra de significado semelhante, mas com menos conotações morais: *sinceridade*. Sinceridade é franqueza – na realidade, não muito diferente de honestidade. Contudo, no emprego comum, a palavra comunica não só contar a verdade, mas também ausência de reserva. Todos sabem que, às vezes, ser reservado é saudável ou mesmo necessário à sobrevivência. Ninguém pensa que ser menos que sincero faz de você uma má pessoa (embora ninguém goste de ser chamado de desonesto). As pessoas têm maior facilidade para falar a respeito do seu nível de sinceridade porque não acham que serão punidas por admitir que em alguns casos mantêm a boca fechada. Isso é essencial. É impossível eliminar os obstáculos à sinceridade sem que as pessoas sintam-se livres para dizer que existem (e o uso da palavra *honestidade* só torna mais difícil falar a respeito dessas barreiras).

É claro que algumas vezes existem razões legítimas para não ser sincero. Por exemplo, os políticos podem pagar um alto preço por falar de forma excessivamente aberta a respeito de questões contenciosas. CEOs podem ser prejudicados por falar de forma aberta demais com a imprensa e com os acionistas, e certamente não querem que os concorrentes conheçam seus planos. Serei insincero no trabalho caso isso signifique não embaraçar nem ofender outra pessoa ou em determinadas situações, nas quais escolher minhas palavras com cuidado parece ser a estratégia mais inteligente. Mas isso não significa que a falta de sinceridade deve ser louvada. Uma característica marcante de uma cultura criativa sadia é o fato de as pessoas sentirem-se livres para trocar ideias, opiniões e críticas. A falta de sinceridade, se não for controlada, acabará criando ambientes disfuncionais.

Como então um gerente pode garantir que seu grupo de trabalho, seu departamento ou sua empresa adota a sinceridade? Eu busco maneiras para institucionalizar isso instalando mecanismos que dizem de forma explícita que ela é valiosa. Neste capítulo, examinaremos o funcionamento de um dos mecanismos vitais da Pixar: o Banco de Cérebros, do qual dependemos para nos levar à excelência e eliminar a mediocridade. O Banco de Cérebros, que se reúne a cada dois ou três meses para avaliar cada filme que estamos produzindo, é nosso principal sistema para conversas diretas. Sua premissa é simples: junte numa sala pessoas inteligentes e apaixonadas, encarregue-as de identificar e solucionar problemas, e as encoraje a ser sinceras umas com as outras. De certa forma, as pessoas forçadas a ser honestas sentem-se mais livres quando perguntadas a respeito da sua sinceridade; elas podem optar por ser ou não ser sinceras e, quando optam por sê-lo, isso tende a ser genuíno. O Banco de Cérebros é uma das mais importantes tradições da Pixar. Ele não é perfeito – às vezes suas interações só servem para salientar as dificuldades de se chegar à sinceridade –, mas quando acertamos os resultados são fenomenais. O Banco dá o tom para tudo que fazemos.

De certa forma, ele não difere de qualquer outro grupo de pessoas criativas – dentro você sente humildade e ego, abertura e generosidade. O Banco varia em tamanho e finalidade, dependendo daquilo que foi convocado a examinar. Mas seu elemento mais essencial sempre é a sinceridade. Não se trata de uma miragem – sem o ingrediente crítico que é a sinceridade, não pode haver confiança. E sem confiança, a colaboração criativa é impossível.

Ao longo dos anos, à medida que o Banco de Cérebros evoluiu, sua dinâmica também o fez e isso tem exigido uma atenção contínua de nossa parte. Embora participe de quase todas as reuniões do grupo e goste de discutir as narrativas, vejo como meu papel principal (e também de Jim Morris, gerente-geral da Pixar) o de garantir que a base sobre a qual se baseiam as reuniões seja protegida e sustentada. Essa parte do nosso trabalho nunca é feita, porque você não pode eliminar de uma vez por todas os bloqueios à sinceridade. O temor de dizer algo estúpido e ficar mal, de ofender alguém ou ser intimidado, de retaliar ou sofrer retaliação, tem uma forma de se reafirmar, mesmo quando você pensa que ele foi vencido.

Há alguma disputa a respeito de quando exatamente nasceu o Banco de Cérebros. Isso ocorre porque ele se desenvolveu de forma orgânica, a partir do raro relacionamento de trabalho entre os cinco homens que lideraram e editaram a produção de *Toy Story* – John Lasseter, Andrew Stanton, Pete Docter, Lee Unkrich e Joe Ranft. Desde os primeiros dias da Pixar, esse quinteto nos deu um sólido exemplo de como deve ser um grupo de trabalho altamente funcional. Eles eram divertidos, focados, inteligentes e implacavelmente sinceros uns com os outros. Mais importante, nunca se permitiram ser frustrados por questões estruturais ou pessoais que pudessem impossibilitar a comunicação dentro do grupo. Somente quando nos unimos para consertar *Toy Story 2*, para resolver uma crise, foi que o "Banco de Cérebros" entrou para o vocabulário da Pixar como termo oficial.

Ao longo daqueles nove meses de 1999, quando estávamos lutando para consertar aquele filme quebrado, o Banco de Cérebros iria evoluir para uma entidade enormemente benéfica e eficiente. Mesmo nas primeiras reuniões, fiquei impressionado pelo caráter construtivo do seu feedback. Cada um dos participantes se concentrava no filme em questão, e não numa agenda pessoal oculta. Eles discutiam – algumas vezes de forma acalorada –, mas sempre a respeito do projeto. Não eram motivados por coisas, como receber o crédito por uma ideia, agradar aos supervisores, vencer uma argumentação só para dizer que o fez – que com tanta frequência espreitam sob a superfície das interações ligadas ao trabalho. Os membros se viam como pares. A paixão expressa numa reunião do Banco de Cérebros nunca foi levada para o nível pessoal, porque todos sabiam que ela era dirigida para a solução de problemas. E em grande parte, devido a essa confiança e esse respeito mútuo, seus poderes para resolver problemas eram imensos.

Depois do lançamento de *Toy Story 2*, nossa produção cresceu rapidamente. De repente, tínhamos vários projetos em andamento ao mesmo tempo, o que significava que não podíamos ter as mesmas cinco pessoas trabalhando com exclusividade em todos os filmes. Não éramos mais uma pequena empresa. Pete estava fora, trabalhando em *Monstros S.A.*, Andrew tinha começado *Procurando Nemo* e Brad Bird havia se juntado a nós para trabalhar em *Os Incríveis*. Assim, o Banco de Cérebros precisou evoluir de um grupo unido e bem definido, que trabalhava junto em um filme até que ele estivesse pronto, para um grupo maior e mais fluido que se reunia, quando necessário, para resolver problemas de todos os nossos filmes. Embora ainda o chamássemos de Banco de Cérebros, não havia uma lista rigorosa de membros. Ao longo dos anos, suas fileiras haviam crescido e incluíam uma variedade de pessoas – diretores, escritores e chefes de histórias – cujo único requisito era um jeito para contar histórias. (Entre essas talentosas adições, estavam: Mary Coleman, chefe do departamento de histórias da Pixar; os executivos de desenvolvimento Kiel Murray e Karen Paik; e os autores Michael Arndt, Meg LaFauve e Victoria Strouse.) A única coisa que não mudou foi a demanda por sinceridade – a qual, apesar do seu valor parecer óbvio, é mais difícil de conseguir do que se pode pensar.

Imaginemos que você acabou de entrar numa reunião do Banco de Cérebros pela primeira vez e sentou-se numa sala cheia de pessoas inteligentes e experimentadas para discutir um filme que acabou de ser exibido. Há muitas boas razões para ter cuidado a respeito do que você vai dizer, certo? Você quer ser educado, quer respeitar os outros e não quer se embaraçar ou dar a entender que tem todas as respostas. Antes de falar, por mais seguro que esteja, você irá se perguntar: Essa ideia é boa ou estúpida? Quantas vezes irão permitir que eu diga algo estúpido antes de os outros começarem a duvidar de mim? Posso dizer ao diretor que seu protagonista é desagradável, improvável, ou que seu segundo ato é incompreensível? Não é que você queira ser desonesto ou se omitir perante os outros. Nesse ponto, você nem está pensando a respeito de sinceridade, mas sim de não parecer idiota.

Para complicar, há o fato de que você não é o único que está lutando com essas mesmas dúvidas. Todos estão; o condicionamento social desencoraja contar a verdade àqueles que são vistos como ocupando posições mais elevadas. E há a natureza humana. Quanto mais pessoas houver na sala, maior a pressão por um bom desempenho. Pessoas fortes e confiantes podem intimidar os colegas, sinalizando de forma subconsciente que elas não estão interessadas em feedback negativo ou críticas que questionem seu modo de pensar. Quando as apostas são altas e existe na sala a sensação de que os presentes não compreendem o projeto de um diretor, este pode achar que tudo o que fez com tanto esforço está sob ataque. Seu cérebro se acelera, lendo todos os subtextos e combatendo as ameaças que, para ele, põem em risco aquilo que construiu. Quando tanta coisa está em jogo, as barreiras a um debate realmente sincero são enormes.

Contudo, a sinceridade não poderia ser mais crucial para nosso processo criativo. Por quê? Porque no início *todos* os nossos filmes são uma droga. Sei que essa é uma avaliação dura, mas faço questão de repeti-la com frequência e escolho essas palavras porque dizer isso de forma mais branda não consegue explicar o quanto as primeiras versões de nossos filmes são ruins. Quando digo isso, não estou tentando ser modesto ou reticente. Os filmes da Pixar inicialmente não são bons e nosso trabalho é fazer com que sejam – que passem, como eu digo, "de lixo para não lixo". Essa ideia – de que todos os filmes que hoje consideramos brilhantes foram terríveis uma vez – é difícil de entender para muitas pessoas. Mas pense como seria fácil para um filme a respeito de brinquedos falantes parecer pouco original, fraco ou excessivamente promocional. Pense a respeito de como um filme a respeito de ratos preparando comida poderia ser incômodo ou o quanto seria arriscado começar WALL-E com 39 minutos sem diálogos. Nós ousamos tentar essas histórias, mas não acertamos no primeiro passo. E é assim que deve ser. A criatividade tem de começar em alguma parte, e acreditamos muito no poder de um feedback saudável e sincero e no processo iterativo – refazer, refazer e refazer de novo, até que uma história com falhas ache seu caminho ou um personagem vazio encontre sua alma.

Como vimos, em primeiro lugar fazemos storyboards ou os roteiros, e depois os editamos com vozes e músicas temporárias para fazer um rascunho do filme, conhecido como carretel. A seguir, o Banco de Cérebros assiste a essa versão do filme e discute o que não está parecendo verdadeiro, o que poderia ser melhor, o que não está funcionando. É interessante notar que eles não *prescrevem* como corrigir os problemas que identificam. Testam pontos fracos e fazem sugestões, mas cabe ao diretor achar um caminho para avançar. Uma nova versão do filme é gerada a cada três ou seis meses, e o processo se repete. (São necessários cerca de 12 mil desenhos de storyboard para se fazer um carretel de noventa minutos e, devido à natureza iterativa do processo que estou descrevendo, as equipes normalmente criam dez vezes esse número até terminar seu trabalho.) Em geral, o filme melhora de forma regular com cada iteração, embora algumas vezes um diretor fique atolado, incapaz de usar o feedback que recebeu. Felizmente, sempre se pode realizar outra reunião do Banco de Cérebros.

Para compreender o que faz o Banco de Cérebros e por que ele é tão vital para a Pixar, você precisa começar com uma verdade básica: as pessoas que assumem projetos criativos complicados ficam perdidas em algum ponto do processo. É a natureza das coisas – para criar, é preciso internalizar e quase *tornar-se* o projeto por algum tempo, e essa quase fusão com ele é parte essencial da sua emergência. Mas isso também é confuso. Onde no passado o escritor/diretor de um filme tinha perspectiva, ele a perde. Onde ele antes podia ver uma floresta, agora há somente árvores. Os detalhes convergem para obscurecer o todo e isso torna difícil seguir em frente em qualquer direção. A experiência pode ser devastadora.

Todos os diretores, por mais talentosos, organizados ou de visão clara que sejam, perdem-se em alguma parte do caminho. Isso cria um problema para aqueles que desejam dar um feedback útil. Como fazer com que um diretor resolva um problema que ele não consegue ver? É claro que a resposta depende da situação. O diretor pode estar certo a respeito do impacto em potencial da sua ideia central, mas talvez não a tenha formulado bem o suficiente para que o Banco de Cérebros entenda. Talvez ele não se dê conta de que uma parte daquilo que ele *pensa* que está visível na tela na verdade só está visível na sua cabeça. Ou talvez as ideias apresentadas nos rolos não funcionem e a única solução é jogar alguma coisa fora ou recomeçar. O processo de retorno à clareza sempre requer paciência e sinceridade.

Em Hollywood, os executivos dos estúdios normalmente comunicam suas críticas da fase inicial de um filme dando extensas "anotações" ao diretor. O filme é projetado e as sugestões, digitadas e entregues alguns dias depois. O problema é que os diretores não querem as anotações, porque elas em geral provêm de pessoas que não fazem filmes e são consideradas ignorantes e intrometidas. Existe portanto uma tensão embutida entre os diretores e os estúdios que os empregam; em português claro, os estúdios estão pagando as contas e querem que os filmes sejam sucessos comerciais, ao passo que os diretores querem preservar sua visão artística. Devo acrescentar que algumas anotações feitas por executivos dos estúdios são muito astutas – muitas vezes pessoas de fora da produção podem ver com mais clareza. Mas quando se adiciona ressentimentos a respeito das contribuições de pessoas "não criativas" às dificuldades já enfrentadas pelos diretores – presidir um projeto que, como dissemos, fica ruim por meses antes de ficar bom – essa tensão torna difícil superar a divisão entre arte e comércio.

Essa é a razão pela qual não fazemos anotações na Pixar. Desenvolvemos nosso próprio modelo, baseado em nossa determinação de ser um estúdio liderado por realizadores de filmes. Isso não significa que não existe hierarquia, mas que tentamos criar um ambiente em que as pessoas querem ouvir as anotações umas das outras, mesmo que sejam contestadoras e todos tenham interesses investidos no sucesso dos outros. Damos aos nossos criadores de filmes liberdade e também responsabilidade. Por exemplo, acreditamos que as histórias mais promissoras não são entregues aos criadores, mas surgem de dentro deles. Com poucas exceções, nossos diretores fazem filmes que conceberam e estão ansiosos por fazer. Então, como sabemos que essa paixão em algum ponto irá cegá-los para os inevitáveis problemas dos seus filmes, nós lhes oferecemos os conselhos do Banco de Cérebros.

Você pode estar perguntando: *Em que o Banco de Cérebros difere de qualquer outro mecanismo de feedback?*

Em minha opinião, há duas diferenças vitais. A primeira é que o Banco de Cérebros é composto por pessoas com uma profunda compreensão da narração de histórias e, normalmente, pessoas que passaram elas mesmas pelo processo. Embora os diretores recebam bem críticas de muitas fontes (na verdade, quando nossos filmes são projetados na empresa, *todos* os funcionários da Pixar são solicitados a enviar comentários), eles prezam em especial o feedback de colegas diretores e de contadores de histórias.

A segunda diferença é que o Banco de Cérebros não tem autoridade. Isso é crucial: o diretor não precisa seguir nenhuma das sugestões feitas. Depois de uma reunião do Banco de Cérebros, cabe a ele decidir o que fazer com o feedback. As reuniões não são assuntos de cima para baixo, de faça isso ou aquilo. Ao tirar do Banco de Cérebros o poder de obrigar soluções, afetamos as dinâmicas do grupo de maneiras para mim essenciais.

Embora problemas em um filme sejam relativamente fáceis de identificar, suas fontes costumam ser extremamente difíceis de avaliar. Uma mudança difícil de compreender na trama ou uma mudança pouco plausível no caráter do personagem principal pode ser causada por questões subjacentes sutis em outra parte da história. Pense em um paciente reclamando de dor no joelho causada pelo arco do pé. Se operar o joelho, você não só não irá aliviar a dor, mas poderá aumentá-la. Para aliviar a dor, é preciso identificar e tratar a origem do problema. Assim, as observações do Banco de Cérebros pretendem trazer à superfície as verdadeiras causas dos problemas – e não exigir um remédio específico.

Além disso, não *queremos* que o Banco de Cérebros resolva um problema de um diretor porque acreditamos que provavelmente nossa solução não será tão boa quanto aquela à qual o diretor e sua equipe de criação irão descobrir. Acreditamos que as ideias – e os filmes – só se tornam ótimas quando são questionadas e testadas. Nos meios acadêmicos, a revisão pelos pares é o processo pelo qual os professores são avaliados por outros da mesma área. Gosto de pensar no Banco de Cérebros como a versão da Pixar da revisão pelos pares, um fórum que garante a elevação da qualidade – não sendo prescritivo, mas oferecendo sinceridade e uma análise profunda.

Isso não significa que às vezes as coisas fiquem difíceis. Naturalmente, cada diretor preferiria que lhe dissessem que seu filme é uma obra-prima. Mas devido à maneira pela qual o Banco de Cérebros é estruturado, a dor de ouvir que há falhas evidentes ou que são necessárias revisões é minimizada. Raramente um diretor cai na defensiva, porque ninguém impõe sua autoridade nem lhe diz o que fazer. É o filme – e não seu criador – que está sob o microscópio. Esse princípio engana a maioria das pessoas, mas é crítico: você não é sua ideia e, caso se identifique demais com suas ideias, irá se ofender quando elas forem questionadas. Para montar um sistema de feedback saudável, você precisa remover da equação a dinâmica de poder – em outras palavras, deve ser capaz de focalizar o problema, e não a pessoa.

Aqui está como isso funciona: em determinada manhã, o Banco de Cérebros se reúne para uma projeção do filme em andamento. Depois da projeção, vamos todos para a sala de reuniões, comemos alguma coisa, reunimos nossas ideias e começamos a conversar. O diretor e o produtor do filme fazem um resumo de onde pensam que estão. "Terminamos o primeiro ato, mas sabemos que o segundo ainda está em gestação", dizem eles. Ou: "O final ainda não está como queremos." O feedback começa normalmente com John. Embora todos sejam iguais numa reunião do Banco de Cérebros, John dá o tom, destacando as sequências de que mais gostou, identificando temas e ideias que para ele precisam ser melhorados. Isso basta para começar o bate-bola. Todos fazem observações a respeito dos pontos fortes e fracos do filme.

Antes de chegar às forças que dão forma à discussão, vamos tirar um momento para olhar as coisas do ponto de vista dos criadores dos filmes. Eles consideram essas sessões essenciais. Michael Arndt, que escreveu *Toy Story 3*, diz que pensa que, para fazer um grande filme, seus criadores precisam, em certo ponto, deixar de criar a história para si mesmos e criá-la para os outros. Para ele, o Banco de Cérebros provê o eixo para a mudança, que é necessariamente dolorosa. "Parte do sofrimento envolve abrir mão do controle", diz ele. "Eu posso pensar que a piada é a melhor do mundo, mas se ninguém rir na sala, preciso tirá-la. É duro eles verem algo que não vejo."

Rich Moore, cujo primeiro filme animado para a Disney foi *Detona Ralph*, compara o Banco de Cérebros a um grupo de pessoas, com cada uma trabalhando em sua própria charada. (Desde que John e eu assumimos na Disney Animation, aquele estúdio também adotou essa tradição de sinceridade.) De certa forma, talvez porque tem menos capital investido na produção, um diretor que está lutando com seus dilemas pode ver a luta de outro diretor com mais clareza do que sua própria luta. "É como se eu deixasse de lado minhas palavras cruzadas e o ajudasse com seu problema", disse ele.

Bob Peterson, o membro do Banco de Cérebros que ajudou a escrever 11 filmes da Pixar Films, usa outra analogia para descrever o Banco. Ele o chama de "o grande olho de Sauron" – uma referência ao personagem sem pálpebras que tudo vê da trilogia *O Senhor dos Anéis* –, porque quando ele focaliza você não há como evitar seu olhar.

Mas o Banco é benevolente. Ele quer ajudar e não tem nenhuma agenda egoísta.

Andrew Stanton, que participou de quase todas as reuniões do Banco de Cérebros que realizamos, gosta de dizer que, se a Pixar fosse um hospital e os filmes, os pacientes, o Banco seria composto por médicos de confiança. Nessa analogia, é importante lembrar que o diretor e o produtor do filme também são médicos. É como se eles tivessem reunido um painel de consultores especializados para ajudar a encontrar um diagnóstico preciso para um caso extremamente complicado. Mas em última análise são os criadores de filmes, e ninguém mais, que irão tomar as decisões finais a respeito do melhor tratamento.

Jonas Rivera, que começou como assistente em *Toy Story* e já produziu dois filmes para nós, alterou ligeiramente a analogia do hospital de Andrew acrescentando o seguinte: Se os filmes são pacientes, então estão no útero quando são avaliados pela primeira vez pelo Banco de Cérebros. "As reuniões do Banco", diz ele, "são o local de nascimento dos filmes."

Para se ter uma ideia melhor de como a sinceridade é usada na Pixar, quero levá-lo a uma reunião do Banco de Cérebros. Este em particular foi subsequente a uma projeção inicial de um filme de Peter Docter, na ocasião conhecido como *The Untitled Pixar Movie That Takes You Inside the Mind* [*O filme sem título da Pixar que leva você para dentro da mente*]. A ideia para o filme havia saído diretamente da cabeça de Peter e ele era previsivelmente ambicioso e complexo. Peter e sua equipe já haviam gastado vários meses debatendo a mente para dentro da qual os espectadores seriam levados e o que eles iriam encontrar quando lá chegassem. Como costuma acontecer com as reuniões do Banco, aquela estava lotada, com cerca de vinte pessoas à mesa e outras 15 em cadeiras encostadas nas paredes. Todas pegaram bandejas de comida no caminho e, depois de uma conversa inicial, passaram a tratar de negócios.

Mais cedo, antes da projeção, Pete havia descrito o que eles tinham feito até aquele ponto em termos do conceito geral do filme e de pontos específicos da história que ele esperava que fossem fazer a conexão com o público. "O que há dentro da mente?", perguntou ele aos colegas. "Suas emoções – e realmente nos esforçamos para fazer com que esses personagens se parecessem com emoções. Temos nossa personagem principal, uma emoção chamada Alegria, que é efervescente. Ela literalmente brilha quando está excitada. E temos o Medo. Ele se considera confiante e delicado, mas tem os nervos algo à flor da pele e tende a perder o controle. Os outros personagens são Raiva, Tristeza – sua forma se inspirou em gotas de lágrimas – e Nojo, que basicamente torce o nariz para tudo. E todos eles trabalham no lugar que chamamos Sede Central [em inglês, *Head Quarters*]."

Aquilo provocou risadas – como muitas cenas da prévia de dez minutos do filme exibida a seguir; todos concordaram que o produto tinha o mesmo potencial de *Up – Altas aventuras*, o filme anterior de Pete, para estar entre os nossos filmes mais originais e de maior sucesso. Como já disse, Pete é ótimo em trazer para a vida momentos sutis, ao mesmo tempo engraçados e emocionalmente autênticos, e essa ideia de mostrar as diversas emoções da pessoa era inspirada e tinha possibilidades. Mas, à medida que o debate evoluía, parecia haver um consenso a respeito de uma das principais cenas do filme – uma discussão entre dois personagens a respeito de por que determinadas memórias desaparecem, ao passo que outras brilham para sempre – era pequena demais para conectar o público com as ideias profundas que o filme estava tentando abordar.

Pete é muito alto, mais de um metro e noventa – mas, apesar disso, projeta uma grande delicadeza. Isso estava em evidência na sala de reuniões naquele instante, enquanto ele nos ouvia analisar o que estava faltando naquela cena vital. Seu rosto estava aberto, sem sofrimento. Ele havia passado por aquilo muitas vezes e acreditava que receberia forças para ajudá-lo a chegar aonde queria.

Em seu lugar à mesa, Brad Bird estava inquieto. Ele havia entrado para a Pixar em 2000, depois de ter escrito e dirigido *O gigante de ferro* na Warner Bros., e seu primeiro filme para nós era *Os Incríveis*, lançado em 2004. Brad é um rebelde inato que luta contra a conformidade criativa em qualquer circunstância. O cheiro da vitória artística é seu vício e, com suas rápidas explosões de energia, ele transforma quase tudo numa batalha para vencer pela causa da criatividade (mesmo se não houver ninguém para combater). Portanto, não foi surpresa o fato de ele estar entre os primeiros a articular suas preocupações a respeito do núcleo da história parecer pequeno demais. "Entendo que você quer manter isso simples e confiável", disse ele a Pete, "mas acho que precisamos de algo em que seu público possa *investir* um pouco mais."

Andrew Stanton falou a seguir. Ele gosta de dizer que as pessoas precisam estar erradas o mais rápido possível. Numa batalha, se você tiver diante de si duas colinas e não souber qual atacar, diz ele, o curso de ação correto é decidir depressa. Caso você descubra que atacou a colina errada, dê a volta e ataque a outra. Nesse cenário, o único curso de ação aceitável é correr *entre* as colinas. Naquele momento, ele parecia estar sugerindo que Pete e sua equipe tinham atacado a colina errada. "Acho que você precisa dedicar mais tempo ao estabelecimento das regras do mundo que imaginou", disse ele.

Cada filme da Pixar tem suas próprias regras, que os espectadores devem aceitar, entender e gostar de entender. Por exemplo, as vozes dos brinquedos na série *Toy Story* nunca são audíveis para os seres humanos. Em *Ratatouille*, os ratos andam sobre quatro patas, com exceção de Remy, nosso astro, cuja postura ereta o diferencia. No filme de Pete, uma das regras – pelo menos até aquele ponto – era que as memórias (mostradas como globos brilhantes de vidro) eram armazenadas no cérebro, deslocando-se através de um labirinto de calhas até uma espécie de arquivo. Quando são recuperadas ou lembradas, elas voltam através de outras calhas, como bolas de boliche sendo devolvidas aos seus lugares para os jogadores.

Aquela ideia era elegante e eficaz, mas Andrew sugeriu que outra regra precisava ser fixada e esclarecida: como as memórias e emoções mudam com o tempo, à medida que o cérebro envelhece. Aquele era o momento no filme, disse Andrew, para estabelecer alguns temas vitais. Ouvindo aquilo, lembrei-me de como, em *Toy Story 2*, a adição de Wheezy ajudou imediatamente a estabelecer a ideia de que brinquedos danificados podiam ser descartados e abandonados sem amor na prateleira. Andrew achava que havia ali uma oportunidade igualmente importante que estava sendo perdida – e com isso impedindo que o filme funcionasse – e disse com todas as letras: "Pete, este filme trata da inevitabilidade da mudança e do crescimento."

Aquilo fez Brad explodir. "Muitas pessoas nesta sala *não* cresceram – e digo isso no melhor sentido", disse ele. "A questão é como tornar-se maduro, como assumir responsabilidades e tornar-se confiável preservando, ao mesmo tempo, sua curiosidade infantil. Pessoas vêm a mim muitas vezes, como estou certo de que procuram outras pessoas nesta sala, e dizem: 'Puxa, eu gostaria de ser criativo como você. Seria bom ser capaz de desenhar.' Mas eu acredito que *todos* começam com capacidade para desenhar. Para as crianças, isso é instintivo. Mas muitas delas desaprendem, por causa do que outras pessoas lhes dizem. Sim, as crianças precisam crescer, mas talvez haja uma forma de sugerir que elas estarão melhor caso guardem algumas das suas ideias infantis."

"Pete, o que eu quero é aplaudi-lo. Esta é uma *grande* ideia para um filme", prosseguiu Brad, com a voz cheia de afeição. "Eu já disse sobre outros filmes que você está tentando dar um salto-mortal triplo de costas no meio de uma tempestade e está louco consigo mesmo por ter problemas na aterrissagem. Cara, espantoso é o fato de você estar *vivo*. Neste filme você está fazendo a mesma coisa – algo que mais ninguém na indústria de filmes está fazendo com um orçamento razoável. Assim, peço aplausos." Brad fez uma pausa enquanto todos o aplaudiam. Então ele riu para Pete, que riu de volta. "E você está entrando em um mundo de dor", terminou Brad.

Um corolário importante à afirmação de que o Banco de Cérebros deve ser sincero é que os criadores de filmes devem estar preparados para ouvir a verdade; a sinceridade só terá valor se a pessoa que a receber estiver aberta a ela e disposta, se necessário, a abrir mão de coisas que não funcionam. Jonas Rivera, produtor do filme de Pete, procura tornar mais fácil aquele processo doloroso fazendo aquilo que chama Banco para o diretor que estiver assistindo reduzindo as muitas observações a um prato digerível. Uma vez terminada a sessão do Banco de Cérebros, foi exatamente isso que ele fez para Pete, indicando as áreas que pareciam mais problemáticas, lembrando-o das cenas que tiveram maior repercussão. "Então, onde foi que erramos?", perguntou Jonas. "O que deveremos repetir? E do que você gostou? Aquilo de que você gostou a respeito do filme agora está diferente de quando começamos?"

"Gosto da abertura do filme", respondeu Pete.

Jonas ergueu a mão cumprimentando. "OK, esse é o filme", disse ele. "Como a história irá se encaixar nisso."

"Concordo", disse Pete.

E eles foram em frente.

Conversa franca, debates animados, risos e amor. Se eu pudesse resumir uma reunião do Banco de Cérebros aos seus ingredientes mais essenciais, essas quatro coisas certamente estariam entre eles. Mas os recém-chegados com frequência percebem primeiro outra coisa: o volume. Rotineiramente, os membros do Banco de Cérebros ficam tão excitados que falam uns por cima dos outros e as vozes tendem a se elevar. Admito que há vezes em que as pessoas de fora pensam estar testemunhando uma discussão acalorada, ou mesmo algum tipo de intervenção. Não é verdade, embora eu entenda sua confusão, que provém da incapacidade (depois de uma breve visita) de compreender o objetivo do Banco de Cérebros. Um debate animado numa reunião do Banco não serve para uma pessoa predominar sobre as outras. Ele serve somente para descobrir a verdade.

Essa é uma parte da razão pela qual Steve Jobs não participava das reuniões do Banco de Cérebros – uma proibição consensual, baseada na minha crença de que sua presença iria tornar mais difícil a sinceridade. Havíamos chegado a esse acordo em 1993, num dia em que eu estava visitando a Microsoft e Steve ligou para mim, preocupado com a possibilidade de eu estar sendo sondado para um emprego lá. Eu não tinha nenhuma intenção de trabalhar na Microsoft e não era por essa razão que estava na empresa, mas sabia que ele estava nervoso e aproveitei a oportunidade para tirar alguma vantagem. "Esse grupo trabalha bem em conjunto", eu disse a respeito do Banco de Cérebros. "Mas se você participar das reuniões, tudo irá mudar." Ele concordou e, acreditando que John e seu pessoal soubessem mais que ele a respeito de narrativas, deixou a tarefa para eles. Na Apple, ele tinha a reputação de se envolver profundamente com os menores detalhes de todos os produtos, mas na Pixar não acreditou que seus instintos fossem melhores que os das pessoas de lá e assim manteve-se fora. Isso mostra a importância da sinceridade na Pixar. Ela supera a hierarquia.

As reuniões do Banco exigem que sejam feitas observações sinceras, mas fazem muito mais que isso. As sessões criativas mais produtivas permitem a exploração de inúmeras linhas de pensamento. Tome, por exemplo, o filme WALL-E, conhecido inicialmente como *Trash Planet*. Por muito tempo, aquele filme terminava com nosso robô compactador salvando EVE, sua amada androide, da destruição num depósito de lixo. Mas havia alguma coisa a respeito daquele final que incomodava, que nunca parecia bem. Tivemos inúmeras discussões a esse respeito, mas Andrew Stanton, o diretor, estava tendo dificuldades para mexer no que estava errado e mais ainda para achar uma solução. O que causava estranheza era que o enredo romântico *parecia* correto. É claro que WALL-E salvaria EVE – ele havia se apaixonado por ela à primeira vista. Em certo sentido, aquela era precisamente a falha. E foi Brad Bird que disse a Andrew, numa reunião do Banco: "Você negou ao seu público o momento pelo qual ele estava esperando", disse ele, "o momento em que EVE joga fora toda a sua programação e vai salvar WALL-E. Dê isso a eles. O público quer." Tão logo Brad disse aquilo, foi como uma palavra mágica: *Bingo!* Depois da reunião, Andrew escreveu um final inteiramente diferente, no qual EVE salva WALL-E e, na projeção seguinte, todos choraram de emoção.

Michael Arndt lembra que foi Andrew que, numa reunião do Banco, fez uma observação sobre *Toy Story 3* que alterou profundamente o final do segundo ato daquele filme. Naquele ponto do filme, Lotso – o ursinho cor-de-rosa malvado que liderava os brinquedos da creche – é derrubado depois de um motim dos seus liderados. Mas o problema era que o motim carecia de credibilidade, porque o ímpeto por trás dele não parecia verdadeiro. "Naquele rascunho", disse Michael, "eu tinha Woody fazendo um grande e heroico discurso a respeito de como Lotso era mau caráter e aquilo mudou a cabeça de todos a respeito do ursinho." Mas no Banco de Cérebros, Andrew disse: "Não, não gostei. Esses brinquedos não são estúpidos. Eles *sabem* que Lotso não é um bom sujeito. Eles só se alinharam com ele porque ele é o mais forte." Aquilo provocou uma discussão acalorada na sala, até que finalmente Michael fez uma analogia: se você pensar em Lotso como sendo Stalin e nos outros brinquedos como seus súditos acuados, então Big Baby – a boneca careca que atua como agente de

Lotso – era o exército de Stalin. Naquele ponto, começou finalmente a surgir uma solução. "Se você eliminar o exército, pode se livrar de Stalin", disse Michael. "Assim, a pergunta era: o que Woody pode fazer para que a simpatia de Big Baby se volte contra Lotso? Aquele era o problema que eu enfrentava."

A solução – e revelação de uma injustiça anteriormente desconhecida: a duplicidade de Lotso havia levado Big Baby a ser abandonada por sua antiga dona, uma garota – foi toda de Michael, mas ele nunca a teria encontrado se não fosse pelo Banco de Cérebros.

É natural que as pessoas temam que um ambiente tão crítico seja ameaçador e desagradável, como uma ida ao dentista. O segredo é olhar para os pontos de vista que estão sendo oferecidos como aditivos, e não competitivos. Uma abordagem competitiva mede as ideias dos outros em relação às suas, transformando a conversa num debate para ser vencido ou perdido. Por outro lado, uma abordagem aditiva começa com a compreensão de que cada participante contribui com algo (mesmo que seja só uma ideia que alimente a discussão – e acabe não funcionando). O Banco de Cérebros é valioso porque amplia sua perspectiva, permitindo que você veja – ao menos brevemente – através dos olhos dos outros.

Brad Bird tem um ótimo exemplo exatamente disso – um caso em que o Banco ajudou-o a corrigir algo que ele não havia considerado um problema. Foi durante a produção de *Os Incríveis*, quando as pessoas levantaram preocupações a respeito de uma cena em que Helen e Bob Pera (também conhecidos como Mulher-Elástica e Sr. Incrível) estão tendo uma discussão. Muitas pessoas no Banco de Cérebros acharam que a cena, na qual Bob é apanhado chegando tarde da noite à sua casa, estava toda errada. Brad gosta desse exemplo porque o Banco ajudou-o a achar uma solução, embora ele não soubesse que tinha um problema! A solução sugerida na reunião não era a certa – contudo, Brad diz que ela foi de grande ajuda.

"Algumas vezes o Banco de Cérebros sabe que algo está errado, mas identifica o sintoma errado", disse-me Brad. "Eu sabia qual era o tom do filme – eu o havia criado e todos concordaram. Mas aquela era uma das primeiras cenas que o Banco estava vendo ilustrada, com vozes. E eu acho que eles estavam pensando consigo mesmos, estamos fazendo um filme de Ingmar Bergman? Bob estava gritando com Helen e o comentário que recebi foi: 'Meu Deus, parece que ele a está molestando. Eu realmente não gosto disso. Você precisa reescrever a cena.' Mas, quando fui reescrevê-la, pensei: 'Não, isto é o que ele diria. E é *assim* que ela responderia.' Não quero mudar coisa alguma – mas não posso dizer isso, porque alguma coisa não está funcionando. E então entendi o problema: fisicamente, Bob é enorme e Helen é baixinha. Apesar de ela ser sua igual, o que você vê na tela é aquele grandalhão ameaçador gritando e acha que ele está abusando dela. Quando descobri aquilo, tudo o que fiz foi esticar Helen quando ela se defendia. Não mexi no diálogo; apenas mudei os desenhos para tornar maior o corpo dela, como se Helen estivesse dizendo: 'Sou páreo para você.' E quando exibi a cena revisada, o pessoal do Banco disse: 'Assim está *muito* melhor. O que você mudou?' Eu respondi: 'Não mudei uma vírgula.' Esse foi um exemplo de o grupo saber que algo estava errado, mas não ter a solução. Eu tive que ir mais fundo e perguntar: 'Se o diálogo não está errado, o que está?' E então eu vi: Oh, *isso* está errado."

Nos primeiros dias da Pixar, John, Andrew, Pete, Lee e Joe fizeram uma promessa mútua: não importava o que acontecesse, eles sempre diriam a verdade uns aos outros. Eles fizeram isso porque reconheceram a importância de um feedback sincero e como, sem ele, nossos filmes iriam sofrer. Até hoje o termo que usamos para descrever essa espécie de crítica construtiva é "boas observações".

Uma boa observação diz o que está errado, o que está faltando, o que não está claro e o que não faz sentido. Uma boa observação é feita em momento oportuno, e não tarde demais para corrigir o problema. Uma boa observação não faz exigências; ela nem precisa incluir uma proposta de correção, mas, caso o faça, a correção é oferecida somente para ilustrar uma solução em potencial, não para prescrever a resposta. Mas, acima de tudo, uma boa observação é específica. "Estou morrendo de tédio" não é uma boa observação.

Como diz Andrew Stanton, "existe uma diferença entre crítica e crítica construtiva. Com esta última, você está construindo ao mesmo tempo que critica. Você está construindo ao mesmo tempo que desconstrói, fazendo com que novas peças trabalhem com o material que acabou de desfazer. Essa é uma forma de arte. Sempre acho que qualquer observação que você faz deve inspirar quem a recebe, como em 'Como faço para que aquele garoto queira refazer sua lição de casa?'. Assim, você precisa agir como um professor. Às vezes você fala a respeito de problemas de 15 maneiras diferentes, até encontrar aquela frase que faz as pessoas arregalarem os olhos, como se estivessem pensando 'Oh, eu quero fazer isso'. Em vez de dizer 'O texto desta cena não é bom o suficiente', você diz 'Vocês não querem que as pessoas saiam do cinema citando essas palavras?'. Trata-se de um desafio. 'Não é isto que vocês querem? Eu também quero!'"

Contar a verdade é difícil, mas dentro de uma empresa de criação é a única maneira de assegurar a excelência. É tarefa do gerente observar as dinâmicas na sala, embora em alguns casos um diretor chegue depois de uma reunião para dizer que algumas pessoas não estavam falando a verdade. Nesse caso, a solução costuma ser reunir um grupo menor – uma espécie de mini-Banco de Cérebros – para encorajar uma comunicação mais direta, limitando o número de participantes. Em outros casos, há problemas que requerem uma atenção especial, em que as pessoas estão se esquivando sem saber. Na minha experiência, em geral as pessoas não pretendem ser evasivas e um pequeno incentivo basta para recolocá-las no caminho certo.

A franqueza não é cruel. Ela não destrói. Ao contrário, qualquer sistema de feedback bem-sucedido é baseado em empatia, na ideia de que estamos todos juntos nisto, que compreendemos sua dor porque já a sentimos. A necessidade de afagar o ego de alguém, para obter o crédito que acreditamos merecer – nós nos esforçamos para verificar aqueles impulsos na porta. O Banco de Cérebros é alimentado pela ideia de que toda observação que fazemos está a serviço de uma meta comum: prestar ajuda e apoio mútuos quando tentamos fazer filmes melhores.

Seria um erro pensar que meramente reunindo a cada dois meses um grupo de pessoas numa sala para uma discussão franca iria curar automaticamente os males da sua empresa. Em primeiro lugar, é preciso algum tempo até que um grupo desenvolva o nível de confiança necessário para o uso da franqueza, para que as pessoas expressem reservas e críticas sem medo de represálias, e aprendam a linguagem de boas observações. Em segundo lugar, nem mesmo o Banco de Cérebros mais experiente pode ajudar as pessoas que não compreendam suas filosofias, que se recusam a ouvir críticas sem cair na defensiva, ou que não possuem talento para digerir um feedback e recomeçar. Em terceiro lugar, como veremos em outros capítulos, o Banco de Cérebros evolui com o passar do tempo. Criar um Banco de Cérebros não é algo que você faz uma vez e tira da sua lista de coisas a fazer. Mesmo quando ele é composto por pessoas talentosas e generosas, muitas coisas podem dar errado. As dinâmicas mudam – entre pessoas, entre departamentos – e a única maneira de garantir que seu Banco de Cérebros está executando sua tarefa é observá-lo e protegê-lo continuamente, fazendo adaptações quando necessário.

Quero salientar que não é preciso trabalhar na Pixar para criar um Banco de Cérebros. Toda pessoa criativa, de qualquer área, pode reunir à sua volta pessoas que demonstrem a mistura certa de inteligência, critério e honra. "Você pode e deve criar seu próprio grupo de soluções", diz Andrew Stanton, acrescentando que em cada um dos seus filmes ele fez questão de fazer isso em escala menor, separadamente do Banco de Cérebros oficial. "Aqui estão as qualificações necessárias: as pessoas que você escolher devem (a) fazê-lo pensar melhor e (b) apresentar muitas soluções em pouco tempo. Não importa quem elas sejam, o faxineiro ou o estagiário de um subordinado em quem você mais confia. Se elas puderem ajudá-lo, deverão participar."

Acredite, você deve querer estar numa empresa em que haja mais franqueza nos corredores do que nas salas onde ideias ou assuntos fundamentais estão sendo expostos. A melhor vacina contra este destino é procurar pessoas dispostas a serem francas com você e, quando encontrá-las, trate de mantê-las por perto.

Capítulo 6

MEDO E FRACASSO

A produção de *Toy Story 3* poderia ser uma aula magistral de como se fazer um filme. Em 2007, no início do processo, a equipe que havia feito o *Toy Story* original reuniu-se por quatro dias fora da empresa em um local que costuma funcionar como centro extraoficial de retiros. O lugar, de nome Poet's Loft, é todo feito de sequoia e vidro – com vista para Tomales Bay, um local perfeito para pensar. Naquele dia, a meta da equipe era delinear um filme que eles pudessem se imaginar pagando para ver.

Sentados em poltronas com um quadro-branco no centro da sala, os participantes começaram fazendo algumas perguntas básicas: Por que fazer um terceiro filme? O que ainda havia para dizer? Sobre o que ainda temos curiosidade? Os membros da equipe de *Toy Story* se conheciam e confiavam uns nos outros – ao longo dos anos, eles haviam cometido juntos erros estúpidos e resolvido problemas aparentemente insuperáveis. O segredo estava em focalizar menos a meta final e mais naquilo que ainda os intrigava a respeito dos personagens que àquela altura, eram conhecidos de todos. Muitas vezes alguém se levantava e verificava o que eles tinham até aquele momento, tentando resumir uma história em três partes, como se ela fosse a sinopse na última capa de um DVD. Era feito o feedback e eles voltavam – literalmente – ao quadro-branco.

Então alguém disse uma coisa que colocou tudo em foco: *Falamos tanto ao longo dos anos, de tantas maneiras diferentes, a respeito de Andy crescer e largar os brinquedos. Que tal se passássemos diretamente a essa ideia? Como se sentiriam os brinquedos se Andy fosse para a faculdade?* Embora ninguém soubesse exatamente como responder a essa pergunta, todos os presentes sabiam que havíamos chegado à ideia – a linha de tensão – que iria animar *Toy Story 3*.

Daquele momento em diante, o filme pareceu entrar no lugar. Andrew Stanton redigiu um tratamento, Michael Arndt, um script, Lee Ulkrich e Darla Anderson, respectivamente diretor e produtora, cuidaram da produção e chegamos aos nossos prazos. Até mesmo o Banco de Cérebros achou relativamente poucos assuntos para discutir. Não quero exagerar – o projeto tinha seus problemas –, mas desde nossa fundação vínhamos nos esforçando para ter uma produção fácil como aquela. Em certo ponto, Steve Jobs ligou para verificar nosso progresso.

"Está realmente estranho", eu lhe disse. "Não tivemos um só problema grande sobre esse filme."

Muitas pessoas teriam ficado felizes com aquela notícia, mas não Steve. "Tome cuidado", disse ele. "Esse é um lugar perigoso."

"Eu não ficaria muito alarmado", respondi. "Em 11 filmes, esta é a primeira vez sem um grande problema. Além disso, temos alguns outros problemas a caminho."

Eu não estava sendo irrefletido. Nos dois anos seguintes, iríamos enfrentar uma série de problemas onerosos. Dois deles – *Carros 2* e *Universidade Monstros* – foram resolvidos com a substituição dos diretores originais. O outro, um filme que passamos três anos desenvolvendo, acabou tão confuso que decidimos cancelá-lo.

Falarei mais a respeito de nossos erros, mas estou grato ao dizer que, pelo fato de tê-los detectado antes de os filmes estarem terminados e lançados ao público, conseguimos tratá-los como experiências de aprendizado. Sim, eles nos custam dinheiro, mas os prejuízos não foram grandes como poderiam ter sido caso não tivéssemos intervindo. E foram dolorosos, mas emergimos melhores e mais fortes por sua causa. Cheguei a pensar em nosso fracasso como sendo uma parte necessária de se atuar no nosso negócio, como investimentos em P&D, e recomendei que todos na Pixar pensassem neles da mesma forma.

Para a maioria das pessoas, o fracasso vem com bagagem – e muita – que, para mim, está ligada diretamente aos nossos tempos de escola. Desde cedo a mensagem é enfiada em nossas cabeças. Fracassar é ruim, fracassar significa que você não estudou ou não se preparou, que você se descuidou, ou – pior ainda – não é suficientemente inteligente. Assim, o fracasso é motivo de vergonha. Essa percepção sobrevive na vida adulta, mesmo nas pessoas que aprenderam a repetir de cor os argumentos corriqueiros a respeito do lado bom do fracasso. Quantos artigos você leu somente sobre esse tópico? Contudo, apesar de externamente concordarem, muitos dos leitores desses artigos ainda mantêm a mesma reação emocional que tinham quando crianças. Não há o que possam fazer: a antiga experiência de vergonha está demasiado arraigada para ser apagada. Em meu trabalho, vejo sempre pessoas resistirem ao fracasso, rejeitá-lo e tentar evitá-lo, porque, a despeito do que dizemos, erros são embaraçosos. Há uma reação visceral ao fracasso: ele dói.

Precisamos pensar no fracasso de uma forma diferente. Não sou o primeiro a dizer que ele, quando abordado da maneira certa, pode ser uma oportunidade de crescimento. Mas a maneira pela qual a maioria das pessoas interpreta essa afirmação é que erros são um mal necessário. Isso não é verdade. Erros não são ruins. Eles são uma consequência inevitável de se fazer algo de novo (e assim devem ser considerados valiosos; sem eles, não haveria originalidade). Contudo, mesmo quando digo que a aceitação do fracasso é parte importante do aprendizado, também estou reconhecendo que isso não basta, porque o fracasso é doloroso e nossos sentimentos a respeito da dor tendem a impedir a compreensão do seu valor. Para separar as partes boa e má do fracasso, é preciso reconhecer a realidade da dor e os benefícios do crescimento resultante.

Em sua maioria, as pessoas não querem falhar. Mas Andrew Stanton não é a maioria. Como já mencionei, ele é conhecido na Pixar por repetir as frases "falhe cedo e falhe rápido" e "erre o mais rápido que você puder". Ele acha que fracassar é como aprender a andar de bicicleta; não é concebível fazê-lo sem cometer erros – sem cair algumas vezes. "Consiga a bicicleta mais baixa que puder, vista cotoveleiras e joelheiras para não ter medo de cair e vá em frente", diz ele. Se você aplicar esse modo de pensar a tudo de novo que tentar, poderá começar a subverter a conotação negativa associada ao cometimento de erros. Diz Andrew: "Você não diz a uma pessoa que está aprendendo a tocar violão que ela pense bem a respeito de onde irá pôr os dedos antes de dedilhar, porque ela irá tocar aquele acorde somente uma vez. E, se ela errar, os outros irão prosseguir. Não é assim que se aprende, certo?"

Isso não quer dizer que Andrew gosta quando coloca seu trabalho para ser julgado por outras pessoas, e esse é considerado deficiente. Mas ele lida com a possibilidade de fracasso buscando mecanismos que transformem a dor em progresso. Errar o mais rápido possível é buscar um aprendizado rápido e agressivo. Andrew faz isso sem hesitação.

Mesmo que as pessoas em nossos escritórios tenham ouvido Andrew dizer isso repetidamente, muitas delas não entendem. Elas pensam que significa aceitar o fracasso com dignidade e seguir em frente. Uma interpretação melhor e mais sutil é que o fracasso é uma manifestação de aprendizado e exploração. Se você não experimenta o fracasso, então está cometendo um erro muito maior: está sendo guiado pelo desejo de evitá-lo. E, em especial para os líderes, essa estratégia – deixar de pensar no assunto – leva-o ao fracasso. Como diz Andrew: "Empurrar as coisas com a barriga faz com que a equipe que você lidera pense: 'Oh, estou num barco que ruma para terra firme', em oposição a um líder que diz: 'Ainda não tenho certeza. Vou verificar mais um pouco no mapa; por enquanto, parem de remar, até eu descobrir para onde estamos indo.' E então passam-se semanas, o moral cai e o fracasso passa a ser certo. As pessoas começam a tratar o capitão com dúvida e apreensão. Mesmo que as dúvidas não sejam plenamente justificadas, você passou a ser tratado assim devido à sua incapacidade para se mover."

Rejeitar o fracasso e evitar os erros parecem metas nobres, mas são basicamente incorretas. Tome algo como os prêmios Golden Fleece, estabelecidos em 1975 para chamar atenção para projetos financiados pelo governo que eram evidentes desperdícios de dinheiro. (Entre os ganhadores estavam coisas como um estudo de 84 mil dólares sobre o amor, encomendado pela National Science Commission, e um estudo do Departamento de Defesa que analisou se os militares deveriam usar guarda-chuvas.) Embora esses estudos possam ter parecido boas ideias na ocasião, tiveram um efeito congelante sobre pesquisas. Ninguém queria "ganhar" um prêmio Golden Fleece porque, com o pretexto de evitar gastos, seus organizadores haviam, sem querer, tornado a cometer erros perigosos e embaraçosos.

Na verdade, se você financia milhares de projetos de pesquisa todos os anos, alguns deles terão impactos óbvios, mensuráveis e positivos e outros não darão em nada. Não somos muito bons em prever o futuro – esse é um fato –, contudo, os prêmios Golden Fleece indicavam tacitamente que os pesquisadores deveriam saber, *antes* da pesquisa, se os seus resultados teriam algum valor. O fracasso estava sendo usado como arma, em vez de como agente de aprendizado. E isso teve consequências: o fato de um fracasso poder lhe causar uma punição pública distorceu os critérios de escolha de projetos. Com isso, a política do fracasso prejudicou nosso progresso.

Existe uma maneira rápida para determinar se sua empresa adotou a definição negativa de fracasso. Pergunte a si mesmo o que acontece quando é descoberto um erro. As pessoas se fecham em si mesmas, em vez de se reunirem para descobrir as causas dos problemas que poderiam ser evitados? Está sendo feita esta pergunta: de quem foi a culpa? Nesse caso, sua cultura condena o fracasso. Este já é suficientemente difícil e não precisa ser aumentado com a busca por um bode expiatório.

Numa cultura avessa ao fracasso e baseada no medo, as pessoas, conscientemente ou não, irão evitar riscos. Em vez disso, buscarão repetir alguma coisa segura que foi boa o suficiente no passado. Seu trabalho será derivado e não inovador. Mas, se você puder promover uma compreensão positiva do fracasso, irá ocorrer o oposto.

Como então transformar o fracasso em algo que as pessoas possam enfrentar sem medo?

Parte da resposta é simples: se, como líderes, podemos falar a respeito de nossos erros e da nossa parte nós mesmos, então podemos torná-los mais seguros para os outros. Você não foge deles nem finge que não existem. É por isso que faço questão de ser aberto a respeito de nossos erros na Pixar, porque acredito que eles nos ensinam algo importante. Ser aberto a respeito de problemas é o primeiro passo no sentido de aprender com eles. Minha meta não é eliminar completamente o medo, porque ele é inevitável em situações em que muito está em jogo. O que quero fazer é afrouxar o aperto. Apesar de não querermos erros demais, devemos pensar no custo do fracasso como um investimento no futuro.

Se você criar uma cultura sem medo (ou tão sem medo quanto permite a natureza humana), as pessoas irão hesitar muito menos em explorar novas áreas, identificando caminhos não mapeados e seguindo por eles. Elas também começarão a ver o lado positivo da determinação: o tempo que não irão perder rangendo os dentes a respeito de estarem ou não no caminho certo será útil quando elas chegarem a um beco sem saída e precisarem recomeçar.

Não basta escolher um caminho – é preciso segui-lo. Fazendo isso, você verá coisas que não veria quando começou; você poderá não gostar do que vê, mas pelo menos terá "explorado a vizinhança". Aqui o ponto-chave é que, mesmo que decida que está no lugar errado, ainda há tempo para dirigir-se ao lugar *certo*. E tudo aquilo que você pensou para chegar àquele lugar não foi perdido. Mesmo que a maior parte do que viu não atenda às suas necessidades, você inevitavelmente irá separar ideias que virão a ser úteis. Analogamente, se houver partes da vizinhança de que gostar, mas não parecerem úteis no momento, mais tarde você irá se lembrar delas e possivelmente usá-las.

Quero explicar o que significa explorar a vizinhança. Anos antes de se transformar no conto engraçado da improvável amizade de um feroz hipopótamo com uma garotinha que ele deveria assustar (Boo), *Monstros S.A.* já era uma história diferente. Imaginada inicialmente por Pete Docter, ela girava em torno de um homem de 30 anos que estava lidando com um grupo de personagens assustadores que só ele conseguia ver. Na descrição de Pete, o homem "é um contador ou algo parecido que detesta seu trabalho e um dia sua mãe lhe dá um livro com alguns desenhos que ele fez quando era criança. Ele não liga para o livro e deixa-o na estante, e naquela noite surgem os monstros. Ele pensa que está ficando louco. Eles o seguem até o trabalho e seus compromissos; acontece que os monstros são todos os temores com os quais ele nunca havia lidado quando criança. Ele acaba fazendo amizade com eles e, à medida que os conquista, começam a desaparecer".

Quem viu o filme sabe que o produto final não tem nenhuma semelhança com essa descrição. Mas o que ninguém sabe é quantas voltas erradas essa história deu, ao longo de vários anos, antes de encontrar seu verdadeiro rumo. O tempo todo, a pressão sobre Pete era enorme – *Monstros S.A.* foi o primeiro filme da Pixar não dirigido por John Lasseter; assim, de muitas maneiras, Pete e sua equipe estavam sob o microscópio. Cada tentativa malsucedida de corrigir a história só aumentava a pressão.

Felizmente, Pete tinha um conceito básico que manteve o tempo todo: "Monstros são reais e ganham a vida assustando crianças." Mas qual era a manifestação mais forte daquela ideia? Ele não podia saber até tentar algumas opções. No início, o protagonista humano era uma garota de 6 anos chamada Mary. Depois ela foi trocada por um garoto, mas acabou voltando. Então ela tinha 7 anos, chamava-se Boo e era mandona – até mesmo dominadora. Finalmente, Boo foi transformada numa destemida criança de pouco mais de 1 ano. A ideia do personagem de Sulley – Mike, redondo e com um só olho, dublado por Billy Cristal – só foi adicionada mais de um ano depois do primeiro tratamento. O processo de determinação das regras do mundo incrivelmente complexo criado por Pete também levou-o a inúmeros becos sem saída – até que eles convergiram para um caminho que levou a história até onde ela deveria ir.

"O processo de desenvolvimento de uma história é de descoberta", diz Pete. "Porém, sempre existe um princípio orientador que conduz você pelas várias estradas. Em *Monstros S.A.*, todos os nossos diferentes enredos tinham um sentimento comum, a despedida agridoce que você sente quando um problema – no caso, a luta de Sulley para levar Boo de volta ao seu próprio mundo – é resolvido. Você sofre enquanto tenta resolvê-lo, mas no final já desenvolveu uma espécie de apego por ele e sente sua falta quando ele se vai. Eu sabia que queria expressar isso e consegui fazê-lo no filme."

Embora o processo fosse difícil e demorado, Pete e sua equipe nunca acreditaram que uma abordagem falha significasse que eles tinham fracassado. Em vez disso, eles viam que cada ideia os levava para um pouco mais perto da descoberta da opção melhor. E isso lhes permitiu vir ao trabalho todos os dias empenhados e entusiasmados, mesmo em meio à confusão.

Isto é vital: quando a experimentação é vista como necessária e produtiva, não como uma frustrante perda de tempo, as pessoas gostam do seu trabalho – mesmo que ele as esteja confundindo.

O princípio que estou descrevendo de tentativa e erro há muito tem seu valor reconhecido pela ciência. Quando os cientistas têm uma pergunta, constroem hipóteses, testam-nas, analisam-nas e traçam conclusões – e então fazem tudo de novo. O raciocínio por trás disso é simples: experimentos são missões para descobrir fatos que, com o tempo, colocam os cientistas no caminho de uma compreensão maior. Isso significa que qualquer resultado é bom, porque produz novas informações. Caso seu experimento tenha mostrado que sua teoria inicial estava errada, quanto mais cedo você souber, melhor. Armado com novos fatos, você poderá reformular qualquer pergunta que estiver fazendo.

Em geral, isso é mais fácil de aceitar no laboratório do que numa empresa. Criar arte ou desenvolver novos produtos em um contexto com fins lucrativos é complicado e dispendioso. Em nosso caso, quando tentamos contar a história convincente, como avaliamos nossas tentativas e chegamos a conclusões? Como determinar o que funciona melhor? E como tiramos da cabeça a necessidade de sucesso por tempo suficiente para identificar uma história realmente emocional para justificar um filme?

Existe uma alternativa à abordagem de errar o mais rápido possível. É a noção de que, se você ponderar tudo com cuidado, se for meticuloso e planejar bem, considerando todos os resultados possíveis, terá maior probabilidade de criar um produto duradouro. Mas devo avisá-lo de que, se tentar planejar todos os seus movimentos antes de fazê-los – se acreditar em um planejamento lento e deliberativo, esperando que isso irá impedir seu fracasso posterior –, você estará iludindo a si mesmo. Por um lado, é mais fácil planejar o trabalho derivativo – coisas que copiam ou repetem algo já existente. Assim, se sua principal meta for ter um plano totalmente elaborado, você estará somente elevando suas chances de não ser original. Além disso, você não pode planejar como escapar aos problemas. Embora planejar seja muito importante – e fazemos muito isso –, não se pode controlar tudo em um ambiente criativo. De forma geral, descobri que as pessoas que dedicam energia a pensar numa abordagem e insistir que é cedo demais para agir erram tanto quanto aquelas que mergulham e trabalham rapidamente. Quem planeja demais apenas leva mais tempo para errar (e, quando as coisas vão mal, é mais afetado pelo sentimento de fracasso). Existe um corolário para isso: quanto mais tempo você passa mapeando uma abordagem, maior sua probabilidade de ficar preso a ela. A ideia que não funciona torna-se gasta em seu cérebro, como uma folha na lama. Pode ser difícil livrar-se dela e tomar outra direção, coisa que, na maior parte dos casos, é exatamente o que você deve fazer.

É claro que existem áreas nas quais é essencial um índice zero de fracasso. A aviação comercial tem um histórico fenomenal de segurança porque é dedicada muita atenção em todos os níveis para eliminar erros, da fabricação dos motores até a montagem e manutenção das aeronaves até a observação das verificações de segurança e as regras que regem o espaço aéreo. Da mesma forma, os hospitais contam com elaboradas salvaguardas para garantir a operação do paciente certo, no lado certo do corpo, no órgão certo e assim por diante. Bancos têm protocolos para evitar erros, as empresas manufatureiras têm metas para eliminar erros na linha de produção e muitas indústrias fixam metas de risco zero de lesões no trabalho.

Mas o simples fato de ser "livre de falhas" ser crucial em algumas indústrias não significa que isso deve ser uma meta para todas elas. No caso de empreendimentos criativos, o conceito de zero falhas é pior que inútil. Ele é contraproducente.

É verdade que o fracasso pode ser dispendioso. Fazer um mau produto ou sofrer um grande revés público prejudica a reputação da sua empresa e, muitas vezes, o moral dos seus funcionários. Portanto, tentamos tornar o fracasso menos oneroso, reduzindo parte do seu custo. Por exemplo, montamos um sistema pelo qual os diretores podem passar anos na fase de desenvolvimento de um filme, na qual os custos de repetição e exploração são relativamente baixos. (Nessa fase, pagamos os salários dos diretores e artistas, mas nada gastamos em produção, na qual os custos explodem.)

Uma coisa é falar a respeito do valor das pessoas enfrentando alguns pequenos fracassos enquanto acham seu caminho até a compreensão, mas e quanto a um grande e catastrófico fracasso? E um projeto em que você investiu milhões de dólares, assumiu um compromisso público e teve que abandonar? Isso aconteceu com um filme que estávamos desenvolvendo há alguns anos, baseado numa ótima ideia que surgiu na mente de um de nossos colegas mais criativos (mas que nunca havia dirigido um filme antes). Ele queria contar a história do que acontece quando o último casal restante de lagartixas do planeta é forçado pela ciência a salvar sua espécie – só que elas não se suportam. Quando ele deu a ideia, ficamos estarrecidos. A história era, como *Ratatouille*, um conceito algo desafiador, mas se conduzida com acerto podíamos ver que seria um filme fenomenal.

Significativamente, a ideia também veio numa ocasião em que Jim Morris e eu estávamos conversando muito a respeito de se o sucesso da Pixar estava nos deixando complacentes. Entre as perguntas que tínhamos feito a nós mesmos, estavam: será que teríamos criado, em nome do controle e da eficiência da produção, hábitos e regras desnecessários? Corríamos o risco de nos tornarmos letárgicos e inflexíveis? Os orçamentos dos nossos filmes estavam se tornando mais altos sem motivo? Estávamos em busca de uma oportunidade para mudar tudo, para criar nossa pequena nova empresa dentro da Pixar, mas separada dela, para tirar proveito da energia que permeava o lugar quando éramos jovens e lutávamos para crescer. Aquele projeto parecia se encaixar no orçamento. Quando nós o colocamos em produção, decidimos tratá-lo como um experimento: e se trouxéssemos novas pessoas de fora, com novas ideias, permitíssemos que elas repensassem todo o processo de produção (e lhes déssemos funcionários experimentados para ajudar na execução) e os colocássemos a dois quarteirões do nosso escritório para minimizar o contato com elementos que pudessem encorajá-las a adotar o *status quo*? Além de produzir um filme memorável, queríamos questionar e melhorar nossos processos. Chamamos o experimento de Projeto Incubadora.

Na Pixar, alguns expressaram dúvidas a respeito daquela abordagem, mas o espírito por trás dela – o desejo de não dormir sobre os louros – teve apelo para todos. Andrew Stanton disse-me depois que desde o início preocupou-se a respeito de como a equipe do projeto estava isolada, mesmo que fosse intencionalmente. Ele sentia que estávamos tão entusiasmados com a possibilidade de reinventar a roda que estávamos subestimando o impacto de realizar tantas mudanças ao mesmo tempo. Era como se tivéssemos escolhido quatro músicos talentosos, deixando-os sem comunicação alguma e esperássemos que descobrissem como ser os Beatles.

Mas na ocasião não víamos isso com clareza. A ideia para o filme era forte, o que foi confirmado quando nós o revelamos para a mídia numa apresentação sobre os próximos filmes da Pixar e da Disney. Como o website *Ain't It Cool News* mostrou com entusiasmo, o personagem principal, que vivia em cativeiro desde que era uma larva, ficava numa gaiola em um laboratório, de onde podia ver um fluxograma na parede que mostrava os rituais de acasalamento da sua espécie. Como estava solitário, ele praticava as etapas todos os dias, preparando-se para quando os cientistas capturassem uma namorada. Infelizmente, ele não conseguia ler o nono e último ritual, porque este estava obstruído pela máquina de café. Nisso estava o mistério.

A apresentação foi um sucesso. Era a clássica Pixar, comentavam as pessoas com entusiasmo – singular, astuta e ao mesmo tempo produzindo ideias cheias de significado. Mas sem que soubéssemos, dentro da produção a história estava parada. Havia um início de enredo – nosso herói tem seu desejo atendido quando os cientistas capturam uma companheira na natureza e trazem-na para o laboratório –, mas, quando o infeliz casal volta ao mundo natural, o filme começou a cair aos pedaços. Ele estava encalhado e, mesmo depois de muito feedback, não estava melhorando.

Esse fato nos escapou inicialmente, devido à separação interna na empresa. Quando procuramos avaliar como estavam indo as coisas, os primeiros relatórios pareciam bons. O diretor tinha uma visão forte e sua equipe estava entusiasmada e trabalhando duro, mas ela não sabia o que ignorava: que os dois primeiros anos de desenvolvimento de um filme deveriam constituir uma época de solidificação da história através de testes continuados – como quando se tempera aço. E isso exigia a tomada de decisões, e não apenas discussões abstratas. Embora todos os que trabalhavam no projeto tivessem as melhores intenções, ele estava atolado em suposições e possibilidades. Em outras palavras, todos estavam remando, mas o barco não avançava.

Quando finalmente descobrimos isso – depois que alguns funcionários experientes da Pixar, que foram enviados para ajudar, voltaram e relataram o que haviam visto – era tarde demais. A Pixar investe numa visão singular e havíamos feito isso naquele projeto. Nem pensamos em substituir o diretor – a história era sua e, sem ele como propulsão, não sabíamos como levá-lo a cabo. Assim, em maio de 2010, com corações pesados, encerramos o projeto.

Algumas pessoas irão ler isto e concluir que colocar o filme em produção foi um erro. Um diretor interessado, um roteiro inacabado – é fácil olhar para trás, depois do encerramento, e dizer que aqueles fatores por si sós deveriam ter nos dissuadido desde o início. Mas eu discordo. Embora o projeto tenha nos custado tempo e dinheiro, para mim ele valeu o investimento. Aprendemos melhor como equilibrar novas e velhas ideias, e que havíamos cometido um erro em não obter uma aceitação explícita de todos os líderes da Pixar a respeito daquilo que estávamos tentando fazer. São lições que nos seriam úteis mais tarde, quando adotamos um novo software e mudamos alguns processos técnicos. Embora a experimentação cause temor a muitos, eu diria que deveríamos temer muito mais a abordagem oposta. A aversão excessiva a riscos faz com que muitas empresas parem de inovar e rejeitem novas ideias, que é o primeiro passo para a irrelevância. É provável que mais empresas tenham fracassado por essa razão do que porque ousaram forçar os limites e assumir riscos – e, sim, fracassar.

Para ser uma empresa realmente criativa, é preciso iniciar coisas que poderão fracassar.

Apesar de toda essa conversa a respeito de aceitar fracassos, se um filme – ou qualquer empreendimento criativo – não estiver progredindo a uma taxa razoável, existe um problema. Caso um diretor crie uma série de soluções que não torne um filme melhor, pode-se chegar à conclusão de que ele não é a pessoa certa para o trabalho. E às vezes essa é exatamente a conclusão correta.

Mas onde traçar essa linha? Quantos erros representam erros demais? Quando o fracasso deixa de ser uma parada no caminho que leva à excelência e passa a ser uma bandeira vermelha sinalizando que mudanças são necessárias? Depositamos muita fé em nossas reuniões do Banco de Cérebros para garantir que nossos diretores recebam todo o feedback e apoio de que necessitam, mas há problemas que o processo não pode corrigir. O que fazer quando a sinceridade não basta?

Essas eram as perguntas que enfrentávamos sobre nossos vários fracassos.

Somos um estúdio voltado para a produção de filmes, o que significa que nossa meta é deixar que pessoas criativas guiem nossos projetos. Mas quando um filme fica empacado e torna-se claro que não só ele está com problemas, mas seus diretores não sabem como consertá-lo, precisamos substituí-los ou encerrar o projeto. Você pode perguntar: *Se é verdade que todos os filmes começam ruins e se o modo de agir da Pixar é dar aos criadores de filmes – não ao Banco de Cérebros – a autoridade suprema para corrigir o que está errado, então como vocês sabem quando intervir?*

O critério que usamos é de intervir se um diretor perde a confiança da sua equipe. Cerca de trezentas pessoas trabalham em cada filme da Pixar e elas estão acostumadas com os infindáveis ajustes e mudanças feitos enquanto a história ainda não está consolidada. Em geral, as equipes de filmes são compreensivas. Reconhecem que sempre há problemas; assim, apesar de poderem ser críticas, elas *não se apressam* para fazer julgamentos. Seu primeiro impulso é trabalhar mais. Quando um diretor ergue-se numa reunião e diz: "Entendo que esta cena não está funcionando, só ainda não sei como corrigi-la, mas estou estudando o assunto. Vão em frente!", a equipe irá segui-lo até o fim do mundo. Mas quando um problema está evidente e todos parecem estar olhando para o outro lado, ou quando as pessoas estão paradas esperando que lhes digam o que fazer, a equipe fica impaciente. Não é que não gostem do diretor – normalmente eles gostam. É que perdem a confiança na capacidade dele para resolver o problema do filme. Para mim, isso explica em grande parte por que a equipe é o barômetro mais confiável. Se ela está confusa, então seu líder também está.

Quando isso acontece, precisamos agir. Para saber quando, ficamos atentos a sinais de que um filme está com problemas. Aqui está um: numa reunião do Banco de Cérebros são feitas observações e, três meses depois, o filme volta essencialmente sem mudanças. Isso não é bom. Você poderá dizer: "Espere um minuto – achei que você tinha dito que os diretores não precisam obedecer às observações!" Não precisam, mas devem achar maneiras para resolver problemas levantados pelo grupo, porque o Banco de Cérebros representa o público; quando seus membros estão confusos ou insatisfeitos, há uma boa chance de o público de cinema também estar. A implicação de se ser liderado pelo diretor é que este deve liderar.

Mas qualquer fracasso numa empresa criativa é o fracasso de muitas pessoas, não de uma. Se você é líder de uma empresa que errou, qualquer deslize ocorrido também é seu. Além disso, se não usar o que deu errado para educar a si mesmo e aos colegas, você terá perdido uma oportunidade. Em qualquer fracasso, há duas partes: o evento em si, com todo o desapontamento, confusão e vergonha a ele associados, e há sua reação a ele. É essa segunda parte que controlamos. Devemos nos tornar introspectivos ou enterrar nossas cabeças na areia? Tornamos seguro, para as outras pessoas, reconhecer os problemas e aprender com eles, ou coibimos qualquer discussão buscando alguém para culpar? Devemos lembrar que o fracasso nos dá oportunidades para crescer, as quais não podem ser ignoradas.

Isso levanta uma pergunta: quando ocorre um fracasso, como tirar dele o máximo proveito? No caso dos nossos fracassos, olhávamos para dentro. Tínhamos escolhido pessoas talentosas e criativas para dirigir os projetos; assim, era claro que estávamos fazendo algo que tornava difícil o seu sucesso. Alguns se preocupavam com a possibilidade de os fracassos serem uma indicação de que estávamos perdendo nossa sensibilidade, mas eu discordava. Nunca dissemos que aquilo ia ser fácil – apenas insistimos que nossos filmes fossem muito bons. Caso não tivéssemos interferido e tomado providências, disse eu, então estaríamos abandonando nossos valores. Porém, depois de várias falhas, era importante que tivéssemos um momento para reavaliar e tentar absorver as lições que elas tinham para nos ensinar.

Assim, em março de 2011, Jim Morris, gerente-geral da Pixar, organizou um encontro com os produtores e diretores do estúdio – cerca de vinte pessoas. Na agenda havia uma pergunta: por que tínhamos tido tantos fracassos seguidos? Não estávamos em busca de bodes expiatórios. Queríamos mobilizar a liderança criativa da empresa para descobrir os problemas subjacentes que estavam nos desencaminhando.

Jim iniciou o encontro agradecendo a todos pela presença e nos lembrando de por que estávamos lá. Nada é mais crítico para o sucesso continuado de um estúdio, disse ele, do que a capacidade para desenvolver novos projetos e diretores; contudo, estávamos claramente fazendo alguma coisa errada. Havíamos tentado aumentar o número de filmes lançados, mas estávamos diante de um obstáculo. Nos dois dias seguintes, disse ele, nossa meta seria descobrir o que estava faltando e mapear maneiras de cobrir a falta e colocá-las em prática.

Logo tornou-se evidente que ninguém na sala estava fugindo da sua participação naqueles fracassos. Também não atribuíram a culpa dos problemas existentes a outras pessoas, nem pediram que alguém os resolvesse. A linguagem usada para falar sobre os problemas mostrava que todos os consideravam seus. "Existe uma forma, além das observações do Banco de Cérebros, pela qual poderíamos ensinar melhor aos nossos diretores a importância de um arco emocional?", perguntou um participante. "Sinto que devo dividir formalmente minha experiência com outras pessoas", disse outro. Eu não poderia estar mais orgulhoso. Era óbvio que eles sentiam que o problema e a responsabilidade pela sua solução lhes pertenciam. Apesar de termos problemas sérios, nossa cultura – a disposição para arregaçar as pernas da calça e entrar na lama pelo bem da empresa – parecia mais viva do que nunca.

Como equipe, analisamos nossas hipóteses, por que havíamos feito escolhas tão falhas. Havia qualidades essenciais que deveríamos buscar em nossos candidatos a diretores que negligenciáramos no passado? Mais importante, como havíamos deixado de preparar de forma adequada os diretores para a assustadora tarefa que enfrentavam? Quantas vezes havíamos dito: "Não vamos deixá-lo(a) falhar", e deixamos? Discutimos como tínhamos sido iludidos pelo fato de os diretores dos nossos primeiros filmes – John, Andrew e Pete – terem descoberto como dirigir sem treinamento formal, uma coisa que agora sabíamos ser muito mais rara do que acreditávamos antes. Conversamos a respeito do fato de Andrew, Pete e Lee terem trabalhado anos lado a lado com John, absorvendo suas lições – por exemplo, a necessidade de determinação – e sua forma colaborativa de provocar ideias. Andrew e Pete, os primeiros diretores da Pixar a seguir os passos de John, tinham sido desafiados pelo processo, mas no fim tiveram um sucesso espetacular. Assumimos que os outros iriam fazer o mesmo. Mas tivemos de enfrentar o fato de que, à medida que crescíamos, nossos diretores mais novos não tiveram o benefício daquela experiência.

Então nos voltamos para o futuro. Identificamos indivíduos que, em nossa opinião, tinham potencial para se tornarem diretores, relacionando suas forças e fraquezas e sendo específicos a respeito do que faríamos para ensinar a eles e lhes dar experiência e apoio. Na esteira de nossos fracassos, ainda não queríamos fazer somente escolhas "seguras"; entendíamos que assumir riscos criativos e de liderança era essencial para quem somos e que, em alguns casos, isso significa passar as chaves para alguém que pode não se encaixar na concepção tradicional de um diretor de filmes. Contudo, quando fizemos essas escolhas não convencionais, todos foram unânimes em dizer que precisávamos delinear passos melhores e mais explícitos para treinar e preparar as pessoas que, para nós, tinham as qualidades necessárias para fazer filmes. Em vez de esperar que nossos candidatos a diretores absorvam nossa visão comum através de osmose, resolvemos criar um programa formal de treinamento que daria aos outros, em certo sentido, aquilo que Pete, Andrew e Lee haviam experimentado trabalhando perto de John nos primeiros tempos. Cada diretor estabelecido se reuniria semanalmente com seus *protégés* – dando-lhes conselhos práticos e também motivacionais à medida que desenvolvessem ideias que poderiam se transformar em filmes.

Mais tarde, quando eu estava refletindo sobre a reunião com Andrew, concluí que ele salientou um ponto que considero profundo. Disse que pensa que ele e os outros diretores comprovados têm a responsabilidade de ensinar – que essa deve ser a parte central de suas funções, mesmo que continuem a fazer seus filmes. "O Santo Graal é encontrar uma forma de ensinar aos outros como fazer o melhor filme possível com quem eles tiverem em suas equipes, porque é lógico que um dia não estaremos mais aqui", disse ele. "Walt Disney não fez isso. E sem ele a Disney Animation mal conseguiu sobreviver. Essa é a verdadeira meta: será que podemos ensinar de maneira que nossos diretores pensem de forma inteligente quando não estivermos mais aqui?"

Quem seria melhor para ensinar, a não ser o mais capaz entre nós? E não estou falando apenas a respeito de seminários ou ambientes formais. Nossos atos e comportamentos, para melhor ou para pior, ensinam quem nos admira a governar suas próprias vidas. E somos ponderados a respeito de como as pessoas aprendem e crescem? Como líderes, devemos pensar em nós como professores e tentar criar empresas nas quais o ensino é visto como uma forma valiosa de contribuir para o sucesso do todo. Será que pensamos na maior parte das atividades como oportunidades de ensino e de experiências como formas de aprendizado? Uma das nossas responsabilidades mais importantes de liderança é criar uma cultura que recompense aqueles que elevam não só os preços de nossas ações, mas também nossas aspirações.

Discutir o fracasso e todos os seus efeitos em cascata não é um exercício meramente acadêmico. Nós o fazemos porque buscando uma melhor compreensão removemos barreiras ao pleno empenho criativo. Uma das maiores barreiras é o medo e, embora o fracasso venha com o território, o medo não deveria fazê-lo. Então, a meta é dissociar medo e fracasso – criar um ambiente em que cometer erros não provoca terror no coração dos seus funcionários.

Como fazer isso? Por necessidade, a mensagem que as empresas enviam aos seus gerentes é conflitante: desenvolva seus funcionários, ajude-os a crescer e se transformarem em fortes contribuintes e membros da equipe e, a propósito, certifique-se de que tudo corra bem porque os recursos são insuficientes e o sucesso da empresa depende de o nosso grupo fazer seu trabalho dentro do prazo e do orçamento. É fácil criticar a microgestão de muitos gerentes, mas devemos reconhecer as dificuldades do cargo em que os colocamos. Se têm de escolher entre cumprir um prazo e a ordem pouco definida de "acalentar" seus funcionários, todas as vezes eles irão optar pelo cumprimento do prazo. Dizemos a nós mesmos que iremos dedicar mais tempo ao nosso pessoal se tivermos maior folga na programação ou no orçamento, mas de alguma forma as exigências do trabalho sempre comem a folga, resultando em maior pressão e numa margem ainda menor para erros. Dadas essas realidades, os gerentes normalmente querem duas coisas: (1) ter tudo sob um rígido controle e (2) parecer estar no controle.

Mas quando a meta é controlar ela pode afetar negativamente outras partes da nossa cultura. Por exemplo, conheço muitos gerentes que detestam ser surpreendidos em reuniões; eles deixam claro que querem ser informados, com antecedência e em particular, a respeito de qualquer notícia inesperada. Em muitos locais de trabalho, é sinal de desrespeito surpreender um gerente com informações novas diante de outras pessoas. Mas o que significa isso na prática? Significa que há reuniões prévias antes das reuniões e que estas começam a assumir um tom *pro forma*. Significa desperdício de tempo. Significa que os funcionários que trabalham com essas pessoas vivem pisando em ovos. Significa o domínio do medo.

Fazer com que os gerentes de nível intermediário tolerem problemas e surpresas (e não se sintam ameaçados por eles) é uma de nossas tarefas mais importantes; eles já sentem o peso de acreditar que, se errarem, terão de pagar caro. Como faremos com que as pessoas reformulem seu modo de pensar a respeito do processo e dos riscos?

O antídoto do medo é a confiança e todos nós desejamos achar algo em que confiar neste mundo incerto. Medo e confiança são forças poderosas e, embora não sejam exatamente opostas, a confiança é a melhor ferramenta para eliminar o medo. Sempre haverá motivos de sobra para ter medo, em especial quando você está fazendo algo de novo. Confiar nos outros não significa que eles não irão cometer erros. Significa que, se errarem (ou você), você confia que eles vão agir para ajudar na sua correção. O medo pode ser criado rapidamente, mas a confiança não. Os líderes devem demonstrar que são dignos de confiança através de seus atos – e a melhor maneira de fazer isso é reagir bem ao fracasso. O Banco de

Cérebros e vários grupos dentro da Pixar passaram por dificuldades juntos, resolveram problemas juntos e foi assim que desenvolveram confiança uns nos outros. Seja paciente, seja autêntico. E seja consistente. A confiança virá.

Quando menciono autenticidade, estou me referindo à maneira pela qual os gerentes se relacionam com seus funcionários. Em muitas organizações, os gerentes tendem a errar para o lado do sigilo, de ocultar coisas dos funcionários. Creio que esse é o instinto errado. O padrão de um gerente não deve ser o sigilo. O que é preciso é uma consideração criteriosa do custo do sigilo em relação aos riscos. Quando recorre imediatamente ao sigilo, você está dizendo às pessoas que não se pode confiar nelas. Quando você é franco, está dizendo às pessoas que confia nelas e não há o que temer. Confiar nos funcionários é dar a eles um senso de propriedade sobre a informação. O resultado – e já vi isso muitas vezes – é que eles têm menor probabilidade de revelar aquilo que você lhes confiou.

Na Pixar, as pessoas têm se mostrado muito boas para manter segredos, o que é crucial num negócio cujos lucros dependem do lançamento estratégico de ideias ou produtos quando estão prontos, e não antes. Como a produção de filmes é um processo muito confuso, precisamos ser capazes de falar com franqueza entre nós a respeito da confusão, sem comentá-la fora da empresa. Dividindo problemas e itens sensíveis com os funcionários, fazemos deles parceiros de nossa cultura e eles não querem prejudicar uns aos outros.

Seus funcionários são inteligentes; foi por isso que você os contratou. Portanto, trate-os como tal. Eles sabem quando você envia uma mensagem que foi muito trabalhada. Quando gerentes explicam seus planos sem dar as razões para eles, as pessoas se perguntam qual é a "verdadeira" agenda. Pode ser que não haja uma agenda oculta, mas você conseguiu sugerir que existe uma. A discussão dos processos de pensamento que estão por trás das soluções visa o foco nas soluções, não em adivinhações. Quando somos honestos, as pessoas sabem.

Jamie Woolf, responsável pelo desenvolvimento gerencial na Pixar, formulou um programa de treinamento que iguala os novos gerentes àqueles já experimentados. Uma faceta importante deste programa é que mentores e *protégés* trabalham em conjunto por um longo período – oito meses. Eles abordam todos os aspectos de liderança, de desenvolvimento de carreiras e obtenção de confiança, desafios do gerenciamento de pessoal e construção de ambientes de equipe sadios. Os objetivos são cultivar conexões profundas e contar com um lugar para dividir temores e desafios, explorando os talentos de gerenciamento por meio do enfrentamento conjunto de problemas reais, quer eles sejam externos (um supervisor instável) ou internos (um crítico interno excessivamente ativo). Em outras palavras, desenvolver um senso de confiança.

Além de trabalhar com alguns *protégés*, também falo uma vez por ano a todo o grupo. Nessa palestra, conto a história de como, quando eu era gerente na New York Tech, eu não me sentia como gerente. E embora gostasse da ideia de ser o responsável, ia todos os dias para o trabalho sentindo que era uma fraude. Mesmo nos primeiros anos da Pixar, quando era o presidente, aquele sentimento não me deixava. Eu conhecia muitos presidentes de outras empresas e tinha uma boa ideia das suas características de personalidade. Eles eram agressivos e extremamente confiantes. Sabendo que não tinha muitos daqueles traços, mais uma vez eu me sentia uma fraude. Na verdade, eu estava com medo do fracasso.

Foi só há oito ou nove anos, eu digo a eles, que aquele sentimento opressivo se foi. Tenho várias coisas a agradecer por aquela evolução: minha experiência de amenizar nossos fracassos e também observar o sucesso de nossos filmes; minha decisão, posterior a *Toy Story*, de renovar meu compromisso com a Pixar e sua cultura; e a alegria do amadurecimento de meu relacionamento com Steve e John. A seguir, pergunto ao grupo: "Quantos de vocês sentem que são uma fraude?" E, todas as vezes, todos na sala erguem a mão.

Como gerentes, todos nós começamos com uma certa apreensão. Quando somos novos na posição, imaginamos que a tarefa é de abraçá-la, e a seguir nos comparamos com o modelo que imaginamos. Mas a tarefa nunca é aquela que pensamos ser. O segredo está em esquecer nossos modelos a respeito do que "deveríamos" ser. Uma medida melhor do nosso sucesso é olhar para as pessoas da nossa equipe e ver como elas estão trabalhando em conjunto. Elas podem se unir para resolver problemas importantes? Se a resposta for sim, você está gerenciando bem.

Este fenômeno de não perceber corretamente qual é nosso trabalho ocorre com frequência com novos diretores. Mesmo que uma pessoa trabalhe lado a lado com um diretor experiente num papel de apoio, no qual os dois demonstram repetidamente a capacidade de assumir o comando do seu próprio filme, quando eles recebem o trabalho este não é exatamente como ambos pensavam. Existe algo de assustador a respeito deles descobrirem que têm responsabilidades que não faziam parte do seu modelo mental. No caso dos diretores estreantes, o peso dessas responsabilidades não só é novo, mas também é amplificado pelo histórico dos nossos filmes anteriores. Todos os diretores da Pixar se preocupam se o seu filme será aquele que irá fracassar, que irá interromper nossa linha de sucessos. "A pressão está presente: Você não pode fazer a primeira bomba", diz Bob Peterson, redator e colaborador da Pixar há muito tempo. "Você quer que essa pressão o leve a dizer: 'Vou fazer melhor.' Mas existe o medo de não saber se você poderá achar a resposta certa. Os diretores de sucesso são capazes de relaxar e deixar que nasçam ideias dessa pressão."

Bob brinca dizendo que, para aliviar essa pressão, a Pixar deveria fazer um filme ruim "só para corrigir o mercado". É claro que nunca iremos nos dispor a fazer um filme terrível, mas a ideia de Bob faz pensar: existem maneiras de prover aos seus funcionários que sua empresa não estigmatiza o fracasso?

Toda essa atenção sobre não só permitir, mas até mesmo esperar erros, tem ajudado a fazer da Pixar uma cultura única. Para provar o quanto é única, considere mais uma vez o exemplo de *Toy Story 3*. Como eu disse no início deste capítulo, essa foi a única produção da Pixar durante a qual não tivemos uma grande crise, fato que mencionei em público muitas vezes depois do lançamento, elogiando sua equipe por não provocar nem um só desastre durante a gestação do filme.

Você pode imaginar que a equipe de *Toy Story 3* ficou feliz quando eu disse isto, mas está errado. As crenças a respeito de fracasso por mim descritas estão tão arraigadas na Pixar que as pessoas que trabalharam naquele filme ficaram ofendidas com minhas observações. Elas as interpretaram como querendo dizer que não haviam se esforçado como seus colegas em outros filmes – que elas não haviam feito o suficiente. Não foi isso que eu quis dizer, mas devo admitir que fiquei emocionado com a reação delas, pois vi nela uma prova de que nossa cultura é saudável.

Nas palavras de Andrew Stanton, "É verdade que nos preocupamos quando um filme não mostra logo ser uma criança problema. Conseguimos reconhecer os sinais da invenção – de lidar com originalidade. Começamos a dar boas-vindas ao sentimento de 'Oh, nunca tivemos antes este exato problema – e ele é incrivelmente teimoso e se recusa a fazer o que desejamos'. Este é para nós um território conhecido – no bom sentido".

Em vez de tentar evitar todos os erros, devemos assumir, como quase sempre é o caso, que as intenções do nosso pessoal são boas e que eles querem resolver problemas. Dê-lhes responsabilidade, deixe que os erros aconteçam e que as pessoas os corrijam. Se existe medo, há uma razão – nossa tarefa é encontrá-la e corrigi-la. O trabalho do gerente não é evitar riscos, mas desenvolver a capacidade para se recuperar.

Capítulo 7

A FERA FAMINTA E O BEBÊ FEIO

No final da década de 1980 e início de 1990, enquanto uma Disney Animation em ascensão ostentava uma notável fileira de sucessos – *A pequena sereia, A Bela e a Fera, Aladdin, Rei Leão* –, comecei a ouvir uma frase ser usada repetidamente nas salas dos executivos da sua sede em Burbank: "Você precisa alimentar a Fera."

Como você deve se lembrar, a Pixar havia assinado um contrato para desenvolver um sistema gráfico para a Disney – o Computer Animation Production System, ou CAPS, que iria criar e gerenciar células de animação. Começamos a trabalhar no CAPS quando a Disney estava produzindo *A pequena sereia*; assim, eu estava em lugar privilegiado para ver que o sucesso do filme levou à expansão do estúdio e à necessidade de mais projetos de filmes para justificar (e ocupar) o crescente quadro de pessoal. Em outras palavras, eu era testemunha da criação da Fera da Disney – e com "Fera" quero dizer qualquer grupo grande que precise ser alimentado de forma ininterrupta com novos materiais e recursos para poder funcionar.

Devo dizer que nada disso estava acontecendo por acaso ou por motivos errados. Michael Eisner, CEO da Walt Disney Company, e Jeffrey Katzenberg, presidente do conselho, haviam se comprometido a reviver a animação depois do longo período de inação que se seguiu à morte de Walt. O resultado foi um florescimento artístico que utilizou os talentos de artistas lendários que estavam no estúdio havia décadas, bem como de talentos mais novos. Os filmes que eles produziam não só contribuíam enormemente para a empresa em termos econômicos, mas também tornaram-se imediatamente icônicos na cultura popular e, por sua vez, motivaram a explosão de animação que viria a possibilitar a produção de *Toy Story* pela Pixar.

Mas o sucesso de cada novo filme da Disney também fazia outra coisa: criava fome por mais. À medida que a infraestrutura do estúdio crescia para comercializar e promover cada filme de sucesso, a necessidade de mais produtos só se expandia. As apostas eram simplesmente altas demais para permitir que todos aqueles funcionários ficassem inativos em suas mesas. Se você perguntasse na Disney na época, teria problemas para achar alguém que acreditava que filmes animados eram produtos que poderiam ou deveriam ser feitos numa linha de montagem, apesar da expressão "alimentar a Fera" conter em si essa ideia. Na verdade, as intenções e os valores das pessoas de alto nível que trabalhavam na produção eram certamente admiráveis. Mas a Fera é poderosa e pode superar até mesmo os indivíduos mais dedicados. À medida que a Disney expandia sua programação de lançamentos, sua necessidade por produção aumentava a ponto de ela abrir estúdios de animação em Burbank, na Flórida, França e Austrália, só para satisfazer seu apetite. A pressão para criar – depressa – passou a ser a ordem do dia. É claro que isso acontece em muitas empresas, não só em Hollywood, e seu efeito não pretendido é sempre o mesmo: a redução da qualidade em todos os aspectos.

Depois do lançamento de *O Rei Leão* em 1994, com faturamento bruto de 952 milhões de dólares, o estúdio começou seu lento declínio. No início, foi difícil deduzir por que tinham ocorrido algumas mudanças de liderança, mas a maior parte das pessoas ainda estava lá e elas ainda tinham talento e desejo de realizar grandes trabalhos. Não obstante, infelizmente, a seca que se iniciava iria durar pelos 16 anos seguintes. De 1994 a 2010, nenhum novo filme animado da Disney chegaria ao topo da parada de sucessos. Creio que isso tenha sido um resultado direto dos funcionários pensarem que sua tarefa era alimentar a Fera.

Ao ver as primeiras manifestações daquilo na Disney, senti urgência de entender os fatores ocultos que estavam por trás. Por quê? Porque eu sentia que, se continuássemos a ter sucesso, aquilo que estava acontecendo na Disney Animation quase certamente também iria acontecer conosco.

A originalidade é frágil. E em seus primeiros momentos em geral ela está longe de ser bonita. É por isso que chamo os primeiros esboços de nossos filmes de "bebês feios". São versões em miniatura feias dos adultos que virão a ser. Eles são realmente feios: desajeitados e ainda não formados, vulneráveis e incompletos. Eles precisam ser nutridos – na forma de tempo e paciência para que cresçam. Isso significa que têm dificuldades para coexistir com a Fera.

A ideia do bebê feio não é fácil de aceitar. Tendo visto filmes da Pixar e deles gostado, muitas pessoas assumem que eles vieram ao mundo totalmente "crescidos". Na verdade, fazer com que cheguem até esse ponto envolve meses ou anos de trabalho. Se você assistisse aos primeiros carretéis de qualquer um de nossos filmes, a feiura ficaria dolorosamente clara. Mas o impulso natural é de comparar os primeiros carretéis com os filmes acabados – assim, nossa tarefa é proteger nossos bebês de julgamentos apressados. Devemos proteger os novos.

Antes de continuar, quero dizer algo a respeito do termo *proteção*. Preocupo-me porque ele tem uma conotação muito positiva, implicando que qualquer coisa que é protegida parece merecer proteção. Mas nem sempre esse é o caso. Em alguns casos, a produção tenta proteger processos que são confortáveis e familiares, mas não fazem sentido; os departamentos jurídicos são conhecidos pelo excesso de cautela em nome da proteção de suas empresas de possíveis ameaças externas; as pessoas em burocracias costumam tentar proteger o *status quo*. Nesses contextos, a proteção é usada para promover uma agenda conservadora (com "c" minúsculo): não perturbe aquilo que já existe. À medida que uma empresa torna-se bem-sucedida, esse conservadorismo ganha força e uma energia excessiva é dirigida para a proteção daquilo que funcionou até agora.

Assim, quando defendo a proteção do novo, estou usando a palavra com um sentido um pouco diferente. Estou dizendo que, quando alguém tem uma ideia original, ela pode ser desajeitada e mal definida, mas também é o oposto daquilo que está estabelecido – *e esse é precisamente seu aspecto mais estimulante*. Se a ideia, nesse estado vulnerável, for exposta a pessoas negativistas, que não conseguem compreender seu potencial ou carecem de paciência para deixá-la evoluir, poderá ser destruída. Parte do nosso trabalho é proteger o novo de pessoas que não entendem que, para que a grandeza surja, é preciso haver fases sem muita grandeza. Pense numa lagarta transformando-se em borboleta – ela sobrevive somente porque ficou protegida num casulo. Em outras palavras, sobrevive porque está protegida daquilo que poderia prejudicá-la. Está protegida da Fera.

A primeira batalha da Pixar com a Fera foi em 1999, depois do lançamento de dois filmes de sucesso, quando estávamos iniciando a produção daquele que esperávamos que fosse nosso quinto filme, *Procurando Nemo*.

Lembro-me da introdução inicial de Andrew Stanton a respeito de Marlin, um peixe palhaço superprotetor, e sua busca por Nemo, seu filho sequestrado. Estávamos em outubro e nos reunimos numa sala lotada para ouvir Andrew falar sobre sua história. Sua apresentação foi magnífica. A narrativa, de acordo com sua descrição, seria entremeada por uma série de flashbacks explicando o que tinha acontecido para tornar o pai de Nemo tão preocupado e superprotetor do seu filho (a mãe de Nemo e seus irmãos, disse Andrew, havia sido morta por uma barracuda). Em pé na frente da sala, Andrew costurou duas histórias: o que estava acontecendo no mundo de Marlin, durante a épica busca que ele empreende depois que Nemo é apanhado por um mergulhador, e o que estava acontecendo no aquário em Sydney, onde Nemo tinha ido parar com um grupo de peixes tropicais denominado "A Gangue do Tanque". A história que Andrew queria contar ia ao coração da luta por independência que muitas vezes molda o relacionamento entre pai e filho. Além disso, era engraçada.

Quando Andrew terminou sua apresentação, ficamos um momento em silêncio. Então, John Lasseter falou por todos quando disse: "Você me conquistou na palavra *peixe*."

Naquele ponto, o fantasma de *Toy Story 2*, que havia cobrado um preço devastador de nossos funcionários, ainda estava forte em nossas memórias. Forçados até o ponto de colapso, tínhamos saído daquele filme com uma clara compreensão de que aquilo que havíamos feito não era saudável para nossa empresa e nossos funcionários. Tínhamos jurado não repetir aqueles erros em *Monstros S.A.* e, na maior parte dos casos, não o fizemos. Mas nossa determinação também significou que *Monstros S.A.* acabou levando cinco anos para ser feito. Logo depois, estávamos ativamente em busca de maneiras para melhorar e acelerar nosso processo. Era óbvio que uma grande parcela de nossos custos provinha do fato de nunca pararmos de mexer nos roteiros dos nossos filmes, mesmo muito tempo depois de iniciada a produção. Não era preciso ser gênio para ver que se conseguíssemos chegar logo a um acordo sobre a história, nossos filmes seriam muito mais fáceis – e baratos – de fazer. Aquela passou a ser nossa meta – finalizar o roteiro *antes* de iniciarmos a produção. Depois da excelente apresentação de Andrew, *Procurando Nemo* parecia o projeto perfeito para testar nossa nova teoria. Quando dissemos a Andrew para ir em frente, estávamos confiantes de que fixar a história no início iria produzir não só um filme fenomenal, mas também uma produção economicamente eficiente.

Em retrospecto, percebo que não estávamos apenas tentando ser mais eficientes. Esperávamos evitar a parte confusa (e às vezes incômoda) do processo criativo. Estávamos tentando eliminar erros (e, com isso, alimentar nossa Fera com eficiência). É claro que isso não aconteceria. E todos aqueles flashbacks que havíamos adorado na apresentação de Andrew? Eles se mostraram confusos quando os vimos nos primeiros carretéis – numa reunião do Banco de Cérebros, Lee Unkrich foi o primeiro a chamá-los de crípticos e impressionistas e pediu por uma estrutura narrativa mais linear. Quando Andrew fez uma tentativa, surgiu um benefício inesperado. Anteriormente, Marlin havia parecido antipático porque foi preciso muito tempo para se descobrir a razão pela qual ele estava sendo um pai tão sufocante. Agora, com uma abordagem mais cronológica, Marlin estava mais simpático. Além disso, Andrew constatou que sua intenção de costurar dois enredos concorrentes – a ação no oceano *versus* a ação no aquário – era muito mais complicada do que ele havia imaginado. A história da Gangue do Tanque, pretendida originalmente como importante, passou a ser secundária. E aquelas foram apenas duas de muitas mudanças difíceis que foram feitas durante a produção como problemas imprevistos – e nossas metas de uma história predeterminada e uma produção simplificada foram para o espaço.

Apesar de nossas esperanças de que *Procurando Nemo* seria o filme que mudaria nossa maneira de operar, acabamos fazendo durante a produção tantos ajustes quanto havíamos feito em qualquer outro filme anterior. O resultado, é claro, foi um filme de que nos orgulhamos muito, que teve o segundo maior faturamento bruto de 2003 e o maior de todos os filmes de animação da história.

A única coisa que não fiz foi transformar nosso processo de produção.

Na época, minha conclusão foi de que a finalização da história antes da produção começar ainda era uma meta válida – apenas ainda não a havíamos atingido. Porém, à medida que continuamos a fazer filmes, acabei acreditando que minha meta não só era pouco prática, mas também ingênua. Insistindo na importância de colocar logo nossos patos em fila, tínhamos chegado perigosamente perto de adotar uma falácia. Tornar o processo melhor, mais fácil e mais barato é uma aspiração importante, algo em que sempre trabalhamos – *mas não é a meta*. Fazer um filme ótimo é a meta.

Vejo isso repetidas vezes em outras empresas. Uma subversão na qual simplificar o processo ou elevar a produção suplanta a meta suprema, com cada pessoa ou grupo pensando que está fazendo a coisa certa – quando, na verdade, desviou-se do curso. Quando a eficiência ou a consistência do fluxo de trabalho não é equilibrada por outras forças compensatórias igualmente fortes, o resultado é que novas ideias – nossos bebês feios – não recebem a atenção e a proteção de que precisam para brilhar e amadurecer; são abandonados. A ênfase está em fazer projetos mais seguros que imitam realizações comprovadamente bem-sucedidas, apenas para manter a máquina – qualquer máquina – em funcionamento (veja *O Rei Leão 1*, um esforço direto para DVD lançado em 2004, seis anos depois de *O Rei Leão 2: O Reino de Simba*). Esse tipo de pensamento produz filmes previsíveis e não originais, porque impede a fermentação orgânica que alimenta uma inspiração verdadeira. Mas alimenta a Fera.

Quando falo a respeito da Fera e do Bebê, pode parecer tudo branco e preto – que a Fera é toda má e o Bebê, todo bom. Na verdade, a realidade está em algum ponto no meio. A Fera é glutona, mas também é uma motivadora valiosa. O Bebê é puro e incorrupto, cheio de potencial, mas também é carente e imprevisível e pode mantê-lo acordado à noite. O segredo está na sua Fera e seus Bebês coexistirem pacificamente, e isso exige que você mantenha várias forças em equilíbrio.

Como equilibrar essas forças que parecem tão discordantes, em especial quando a luta parece tão injusta? As necessidades da Fera parecem superar as do Bebê todas as vezes, uma vez que o verdadeiro valor dele muitas vezes é desconhecido ou duvidoso e pode permanecer assim por meses. Como conter a Fera, controlando seu apetite, sem colocar em risco nossas empresas? Isso porque toda empresa precisa da sua Fera. A fome dela se traduz em prazos e urgência. Isso é bom, desde que a Fera seja mantida em seu lugar. E essa é a parte difícil.

Muitos falam da Fera como se ela fosse uma criatura ávida e irrefletida, insistente e fora do nosso controle. Mas na verdade qualquer grupo que faz um produto ou gera receitas pode ser considerado uma parte da Fera, inclusive marketing e distribuição. Cada grupo opera de acordo com sua própria lógica e muitos não têm responsabilidade pela qualidade do que é produzido, nem uma boa compreensão do seu impacto sobre essa qualidade. O problema de manter o processo em andamento e o dinheiro fluindo simplesmente não é deles. Cada grupo tem suas próprias metas e expectativas e age de acordo com seus apetites.

Em muitas empresas, a Fera requer tanta atenção que adquire um poder excessivo. A razão: ela é dispendiosa, respondendo pela grande maioria da maior parte dos custos. A margem de lucro de qualquer empresa depende, em grande parte, da eficácia com a qual ela usa seu pessoal. Os trabalhadores de linha de montagem de uma empresa automotiva, que são pagos quer a linha esteja ou não em movimento; os funcionários dos estoques nos depósitos da Amazon, que vão trabalhar independentemente do número de compradores que estão on-line no dia; os especialistas em iluminação (que selecionam um entre dezenas de exemplos no mundo da animação), que precisam esperar que muitos outros funcionários concluam suas tarefas numa determinada cena para poder iniciar seu trabalho. Se as ineficiências forçam qualquer pessoa a esperar por tempo demais, se a maioria dos seus funcionários não está empenhada no trabalho que gera sua receita, você corre o risco de ser devorado de dentro para fora.

A solução, é claro, é alimentar a Fera, ocupar seu tempo e sua atenção, pondo em ação seus talentos. Porém, mesmo quando você faz isso, ela não pode ser saciada. Uma das ironias cruéis da vida é que, quando se trata de alimentar a Fera, o sucesso só cria mais pressão para se apressar e ter sucesso novamente. Essa é a razão pela qual em muitas empresas a programação (isto é, a necessidade de produtos) gera a produção, em vez da força das ideias. Não estou dizendo que são as pessoas que compõem a Fera que são o problema – elas estão fazendo o que podem para realizar aquilo que as mandaram fazer. Apesar das boas intenções, o resultado é problemático: alimentar a Fera passa a ser o foco central.

É claro que a Fera não floresce somente nas empresas de animação ou de filmes. Nenhuma empresa criativa está imune. Mas todas as Feras têm uma coisa em comum. Com frequência, as pessoas encarregadas delas são as mais organizadas da empresa – pessoas preocupadas com fazer as coisas da maneira certa e dentro do orçamento, como seus chefes esperam que façam. Quando essas pessoas e seus interesses tornam-se demasiado poderosas – quando não há forças compensatórias suficientes para proteger as novas ideias –, as coisas dão errado. A Fera assume.

O segredo para evitar isso é o equilíbrio. Vejo as trocas entre os diferentes participantes de uma empresa como centrais para seu sucesso. Assim, quando falo a respeito de domar a Fera, o que quero de fato dizer é que manter as necessidades dela em equilíbrio com as necessidades de outras facetas mais criativas da sua empresa irá torná-lo mais forte.

Darei um exemplo do que quero dizer, tirado da empresa que melhor conheço. Em animação, temos muitos componentes: enredo, arte, orçamento, tecnologia, finanças, produção, marketing e produtos de consumo. As pessoas dentro de cada um têm prioridades importantes – e muitas vezes conflitantes. O escritor e o diretor querem contar a história de maior efeito possível; o designer de produção quer que o filme seja belo; os diretores técnicos querem efeitos impecáveis; o pessoal de finanças quer manter os orçamentos dentro dos limites; o marketing quer um gancho facilmente vendável aos espectadores em potencial; o pessoal de produtos de consumo quer personagens com apelo para transformar em brinquedos de pelúcia e para imprimir em lancheiras e camisetas; os gerentes de produção tentam manter todos satisfeitos – e impedir que a empresa escape ao controle. E assim por diante. Cada grupo se concentra nas suas próprias necessidades, o que significa que ninguém tem uma visão clara de como suas decisões afetam outros grupos; cada grupo está sob pressão para que se desempenhe bem, o que quer dizer atingir as metas declaradas.

Em particular nos primeiros meses de um projeto, essas metas – que na verdade são submetidas na realização de um filme – costumam ser mais fáceis de articular e explicar do que o filme em si. Mas se o diretor for capaz de conseguir tudo o que quer, provavelmente irá acabar com um filme longo demais. Se o pessoal de marketing conseguir seu objetivo, faremos somente um filme que imita sucessos anteriores – em outras palavras, familiar para os espectadores, mas provavelmente um fracasso criativo. Assim, cada grupo tenta fazer a coisa certa, mas cada um está puxando numa direção diferente.

Se qualquer um desses grupos "vence", nós perdemos.

Numa cultura doentia, cada grupo acredita que, se seus objetivos superarem as metas dos outros grupos, a empresa estará melhor. Numa cultura sadia, todos os participantes reconhecem a importância de se equilibrar os desejos concorrentes – eles querem ser ouvidos, mas não têm de vencer. Suas interações – que ocorrem naturalmente quando pessoas talentosas recebem metas claras – produzem o equilíbrio que buscamos. Mas isso só acontece se todos entenderem que atingir o equilíbrio é a meta central da empresa.

Embora a ideia de equilíbrio sempre pareça boa, ela não capta a natureza dinâmica do que significa atingir o equilíbrio. Nossa imagem mental de equilíbrio é algo distorcida, porque tendemos a igualá-lo à imobilidade – o calmo equilíbrio de um praticante de ioga equilibrando-se numa perna só, um estado sem movimento aparente. Para mim, os exemplos melhores de equilíbrio vêm dos esportes, como quando um jogador de basquete dribla um defensor ou um surfista pega uma onda. São respostas extremamente dinâmicas a ambientes em rápida mudança. No contexto de animação, diretores contaram-me que veem seu engajamento na produção de um filme como sendo extremamente ativo. "Parece que, psicologicamente, é bom esperar que esses filmes sejam problemáticos", contou-me Byron Howard, um de nossos diretores na Disney. "É como alguém que diz: 'Tome conta deste tigre, mas cuidado com seu traseiro, porque eles são traiçoeiros.' Sinto que meu traseiro está mais seguro quando *espero* que o tigre seja traiçoeiro."

Na opinião do diretor Brad Bird, toda organização criativa – seja um estúdio de animação ou um selo de gravadora – é um ecossistema. "Você precisa de todas as estações", diz ele. "Você precisa de tempestades. É como uma ecologia. Considerar ótima a ausência de conflitos é como dizer que um dia ensolarado é ótimo. Um dia assim é quando o sol vence a chuva. Não há conflito. Você tem um vencedor claro. Mas, se todos os dias forem de sol e não chover, as coisas não irão crescer. E se fizer sol todo o tempo – se nem tivermos noites –, nada irá acontecer e o planeta irá secar. O segredo é ver o conflito como essencial, porque é assim que sabemos que as melhores ideias serão testadas e irão sobreviver. Não pode haver somente luz do sol."

É tarefa da gerência descobrir como ajudar os outros a ver os conflitos como sendo saudáveis – como caminhos para o equilíbrio, que nos beneficia no longo prazo. Estou aqui para dizer que isso pode ser feito – mas é um trabalho infindável. Um bom gerente sempre deve estar em busca de áreas nas quais o equilíbrio foi perdido. Por exemplo, à medida que ampliamos nosso pessoal de animação na Pixar, que tem o impacto positivo de permitir que façamos um trabalho de melhor qualidade, também há um impacto negativo que temos de enfrentar: as reuniões tornaram-se maiores e menos íntimas, com cada participante tendo uma parcela proporcionalmente menor do filme final (o que pode significar sentir-se menos valorizado). Em resposta, criamos subgrupos menores, nos quais departamentos e indivíduos são encorajados a sentir que têm voz ativa. Para fazer correções como essa – para restabelecer o equilíbrio –, os gerentes precisam ser diligentes a respeito de prestar atenção.

No capítulo 4, falei a respeito de um momento-chave no desenvolvimento da Pixar, quando embarcamos na produção de *Toy Story 2*, quando nos demos conta de que não queríamos promover uma cultura na qual alguns trabalhadores eram considerados de primeira classe e outros de segunda, onde alguns funcionários tinham um alto padrão e outros eram efetivamente relegados à equipe B. Para alguns, isso pode ter soado vagamente como idealista, mas era apenas outra maneira de dizer que acreditamos na preservação do equilíbrio em nossa cultura. Se alguns funcionários, públicos ou metas são vistos como mais importantes, não pode haver equilíbrio.

Imagine uma prancha de equilíbrio – uma tábua cujo centro se apoia sobre um cilindro. O truque é colocar um pé em cada extremo a deslocar seu peso para atingir o equilíbrio enquanto o cilindro rola sob seu corpo. Não conheço exemplo melhor de equilíbrio e de habilidade para gerenciar duas forças concorrentes, a esquerda e a direita. Mas, embora eu possa tentar lhe explicar como fazê-lo, mostrar vídeos e sugerir métodos para começar, nunca poderia explicar plenamente *como* chegar ao equilíbrio. Isso você aprende somente fazendo – permitindo que seu consciente e seu subconsciente descubram quando em movimento. Para determinadas tarefas, não existe outra maneira de aprender, a não ser fazendo – colocando-se no lugar instável e sentindo como fazer.

Digo sempre que os gerentes de empresas criativas devem segurar de leve as metas e se agarrar firmemente às intenções. O que isso quer dizer? Quer dizer que devemos ser abertos a mudanças em nossas metas à medida que recebemos novas informações ou somos surpreendidos por coisas que pensávamos saber, mas não sabíamos. Desde que nossas intenções – nossos valores – permaneçam constantes, nossas metas podem mudar, se necessário. Na Pixar, procuramos nunca hesitar em nossa ética, nossos valores e nossa intenção de criar produtos originais e de qualidade. Estamos dispostos a ajustar nossas metas à medida que aprendemos, lutando para acertar não necessariamente na primeira vez. Como para mim essa é a única maneira de estabelecer outra coisa que é essencial para a criatividade: uma cultura que protege o que é novo.

Fiz parte, por muitos anos, de um comitê que lia e selecionava estudos a serem publicados na SIGGRAPH, a conferência anual sobre computadores que mencionei no capítulo 2. Esses estudos expunham ideias que trouxessem avanços para a área. O comitê era composto de muitos dos mais importantes participantes da área e eu conhecia todos; era um grupo que levava muito a sério a tarefa de selecionar estudos. Em cada reunião, eu via que parecia haver dois tipos de revisores: alguns buscavam falhas nos estudos e tratavam de eliminá-los, e outros que buscavam e promoviam boas ideias. Quando os "promotores de ideias" viam falhas, mostravam-nas gentilmente, no espírito de aperfeiçoar o estudo – e não o eviscerando. É interessante notar que os "matadores de estudos" não estavam conscientes de que estavam servindo alguma outra agenda (que para mim era, muitas vezes, mostrar aos colegas o quanto seus padrões eram altos). Ambos os grupos achavam que estavam protegendo o processo, mas só um deles entendia que, buscando algo novo e surpreendente, estava oferecendo a proteção mais valiosa. O feedback negativo pode ser divertido, mas vale menos que apoiar uma coisa não comprovada e dar espaço para que ela cresça.

Espero que você note que não estou afirmando que a proteção do novo deve significar seu isolamento. Assim como admiro a eficiência da lagarta em seu casulo, eu não acredito que produtos criativos devam ser desenvolvidos no vácuo (esse foi um dos erros que cometemos no filme a respeito de sapos com pés azuis). Conheço pessoas que gostam de guardar suas joias só para si mesmas enquanto lhes dão polimento. Mas permitir esse tipo de comportamento não é proteger. Na verdade, pode ser o oposto: um fracasso para proteger seus funcionários deles mesmos. Porque, se a história serve de guia, alguns estão tentando polir um tijolo.

Na Pixar, proteção significa encher as reuniões com protetores de ideias, com pessoas que compreendem o processo difícil e efêmero de desenvolver o novo. Significa dar apoio ao nosso pessoal, porque sabemos que as melhores ideias emergem quando tornamos segura a solução de problemas. (Lembre-se: pessoas são mais importantes do que ideias.) Finalmente, não proteger o novo para sempre. Em algum ponto, o novo deve se encaixar com as necessidades da empresa – com seus muitos públicos e também com a Fera. Enquanto não se permitir à Fera passar por cima de tudo o mais, enquanto não permitirmos que ela inverta nossos valores, sua presença pode ser um impulso para o progresso.

Em algum ponto, a nova ideia tem de sair do casulo de proteção e ir para as mãos de outras pessoas. Esse processo de engajamento normalmente é confuso e pode ser doloroso. Uma vez, depois que um dos nossos funcionários de efeitos especiais pediu demissão, ele enviou-me um e-mail com duas reclamações. Em primeiro lugar, ele não gostava do fato de a sua função envolver a eliminação de muitos probleminhas causados pelo novo software. Em segundo lugar, estava desapontado porque não assumíamos mais riscos técnicos em nossos filmes. A ironia era que seu trabalho era de ajudar a resolver problemas ocorridos precisamente porque *estávamos* assumindo um importante risco técnico implantando novos sistemas de software. A confusão que ele havia encontrado – razão para sua demissão – era, na verdade, causada pela complexidade de tentar fazer algo de novo. Fiquei surpreso porque ele não compreendia que assumir riscos implicava a disposição para lidar com a confusão criada por eles.

Então: quando ocorre aquele momento mágico em que passamos da proteção para o empenho? É como perguntar à mamãe pássaro como ela sabe que está na hora de empurrar seu filhote para fora do ninho. Ele terá força para voar sozinho? Irá descobrir como usar suas asas na descida ou irá chocar-se com a terra?

Na verdade, lutamos com essa pergunta em todos os filmes. Hollywood usa a expressão luz verde para indicar o momento, no desenvolvimento de um projeto, em que o estúdio decide oficialmente que ele é viável (e muitos projetos permanecem atolados no "inferno do desenvolvimento", nunca emergindo para enfrentar o mundo). Porém, na história da Pixar, desenvolvemos somente um filme que não conseguiu chegar a ser concluído.

Um dos meus exemplos favoritos de como a proteção pode facilitar o engajamento provém não de um filme da Pixar, mas do nosso programa de estágios. Em 1998, decidi que a empresa deveria se beneficiar com um programa de verão – como aqueles de muitas empresas criativas – que iria trazer para a Pixar jovens brilhantes por dois meses, para aprender trabalhando com pessoal experimentado de produção. Mas quando expus a ideia aos gerentes de produção, eles agradeceram, mas recusaram. Não tinham interesse na contratação de estagiários. Pensei inicialmente que era porque estavam ocupados demais para perder tempo cuidando de universitários inexperientes e lhes ensinando os truques do ofício. Mas quando aprofundei minha análise ficou claro que a resistência não era uma questão de tempo, mas de dinheiro. Eles não queriam a despesa adicional de pagar os estagiários. Seu orçamento era apertado e eles prefeririam gastar com pessoas experientes. Tinham pouco tempo e poucos recursos, e a Fera estava faminta. Sua reação era uma forma de proteção, motivada pelo desejo de proteger o filme e dedicar cada dólar a fazer dele um sucesso. Mas aquela posição não beneficiava a empresa como um todo. Programas de estágios são mecanismos para identificar talentos e ver se pessoas de fora se encaixam no trabalho. Além disso, pessoas novas trazem novas energias. Para mim, aquilo parecia bom para todos.

Suponho que eu poderia simplesmente ter ordenado que nossos gerentes de produção acrescentassem o custo dos estagiários aos seus orçamentos. Mas isso iria transformar aquela nova ideia em inimiga, provocando ressentimentos. Em vez disso, decidi tornar os estagiários uma despesa corporativa – eles estariam à disposição, sem custo extra, de qualquer departamento que quisesse aceitá-los. No primeiro ano, a Pixar contratou oito estagiários, que foram colocados nos departamentos técnico e de animação. Eles estavam tão ansiosos por trabalhar, eram tão esforçados e aprendiam tão depressa que no fim cada um deles estava realizando trabalhos reais de produção. Sete deles voltaram depois de formados a trabalhar conosco em tempo integral. Depois disso o programa cresceu um pouco a cada ano e, todos os anos, mais e mais gerentes aderiram ao programa. Não era apenas que os estagiários aliviavam a carga de trabalho assumindo projetos. O ensino dos processos da Pixar fazia com que nossos funcionários analisassem como faziam as coisas, o que levou a melhoramentos para todos. Depois de alguns anos, ficou claro que não precisávamos mais financiar os estagiários com fundos corporativos; à medida que o programa provava ser válido, as pessoas se dispunham a absorver os custos em seus orçamentos. Em outras palavras, o programa de estágios inicialmente precisou de proteção, mas depois livrou-se dessa necessidade. No último ano tivemos dez mil candidatos para cem vagas.

Quer se trate do núcleo da ideia para um novo filme ou de um novo programa de estágios, o novo precisa de proteção. Situações normais não precisam. Os gerentes não precisam se esforçar para proteger ideias ou maneiras de operar já consagradas. O sistema se inclina a favor do operador.

O desafiante precisa de apoio para encontrar uma base sólida. E a proteção do novo – do futuro, não do passado – deve ser um esforço consciente.

Sempre penso em um dos meus momentos favoritos em qualquer filme da Pixar, quando Anton Ego, o temido crítico de gastronomia em *Ratatouille*, entrega seus comentários sobre o Gusteau's, o restaurante dirigido por nosso herói, Remy, um rato. Dublado pelo grande Peter O'Toole, Ego diz que os talentos de Remy "desafiaram meus preconceitos a respeito da boa cozinha... [e] abalaram meu íntimo". Sua fala, redigida por Brad Bird, também me abalou – e até hoje mexe comigo quando penso a respeito do meu trabalho.

"De várias maneiras, o trabalho de um crítico é fácil", diz Ego. "Arriscamos muito pouco, mas gozamos de uma posição sobre aqueles que oferecem seu trabalho e sua autoestima ao nosso julgamento. Prosperamos com críticas negativas, que são divertidas de escrever e de ler. Mas a amarga verdade que nós, críticos, temos que enfrentar é que o grande esquema de coisas, o lixo médio, tem provavelmente mais significado que nossas críticas que o qualificam como tal. Mas existem vezes em que um crítico realmente se arrisca: na descoberta e na defesa do novo. Muitas vezes o mundo é cruel com novos talentos e novas criações. O novo precisa de amigos."

Capítulo 8

MUDANÇA E ALEATORIEDADE

Não existe nada parecido com aquilo que você sente, no fundo das suas entranhas, quando está prestes a ficar diante de toda a sua empresa e diz algo que sabe que tem potencial para ser desconcertante. O dia em que Steve, John e eu convocamos uma reunião com todos os funcionários para anunciar a decisão de vender a Pixar à Disney em 2006 foi definitivamente um desses momentos. Sabíamos que a possibilidade de nosso pequeno estúdio ser absorvido por uma entidade muito maior iria preocupar muitas pessoas. Apesar de termos nos esforçado para instalar salvaguardas que iriam garantir nossa independência, ainda esperávamos que nossos funcionários temessem que a fusão afetasse de forma negativa nossa cultura. Falarei mais a respeito das providências específicas que tomamos para proteger a Pixar em outro capítulo, mas quero expor aqui o que aconteceu quando, em minha ansiedade de aplacar os temores de meus colegas, eu me ergui e assegurei que a Pixar não mudaria.

Foi uma das coisas mais estúpidas que eu já disse.

Durante o ano seguinte, sempre que queríamos tentar algo de novo ou repensar uma maneira estabelecida de trabalhar, uma fila de pessoas alarmadas e chateadas vinha até minha sala. "Você prometeu que a fusão não iria afetar nosso modo de trabalhar", diziam elas. "Você disse que a Pixar nunca mudaria."

Isso aconteceu tantas vezes que decidi convocar outra reunião geral para me explicar. "O que eu *quis dizer* foi que não iremos mudar só *porque* fomos adquiridos por uma empresa maior. Ainda iremos passar por mudanças pelas quais iríamos passar de qualquer maneira. Além disso, estamos *sempre* mudando, porque mudar é uma coisa boa."

Fiquei satisfeito por esclarecer aquilo. Só que não esclareci. Acabei precisando fazer o discurso de "É claro que continuaremos a mudar" três vezes, até ele finalmente ser aceito.

Interessante para mim foi que as mudanças que causaram tanta preocupação nada tinham a ver com a fusão. Elas constituíam os ajustes normais que devem ser feitos quando uma empresa cresce e evolui. É tolice pensar que mudanças podem ser evitadas, por mais que se queira. Não há crescimento sem mudanças.

Por exemplo, na época da fusão estávamos avaliando como chegar a um equilíbrio entre filmes originais e sequências. Sabíamos que as pessoas que amavam nossos filmes estavam ansiosas para ver mais histórias ambientadas naqueles mundos (e, é claro, o pessoal de marketing e produtos de consumo quer filmes mais fáceis de vender, coisa que as sequências sempre são). Porém, se fizéssemos somente sequências, a Pixar iria murchar e morrer. Eu considerava as sequências como uma espécie de falência criativa. Precisávamos de um fluxo constante de novas ideias, mesmo sabendo que filmes originais são mais arriscados. Reconhecíamos que fazer sequências, as quais tinham probabilidade de render boas bilheterias, nos davam mais margem para assumir novos riscos. Portanto, chegamos à conclusão de que uma mistura um filme original por ano e uma sequência a cada dois anos, ou três filmes a cada dois anos, parecia uma forma razoável para nos manter saudáveis tanto em termos financeiros quanto criativos.

Naquela altura, a Pixar havia empreendido somente uma sequência, *Toy Story 2*. Assim nossa decisão, pelo fato de ocorrer tão perto da fusão, fez com que muitas pessoas pensassem que a Disney nos estava pressionando para fazer sequências. Isso não era verdade. Na verdade, a Disney nos deu muita liberdade. Embora tivéssemos dito isso na ocasião, nossas palavras foram recebidas com ceticismo.

Tivemos uma confusão semelhante em torno da questão de espaço de escritório. Como estávamos fazendo mais contratações para atender à produção mais intensa, rapidamente superamos a capacidade do edifício principal da Pixar. Por isso alugamos um anexo a alguns quarteirões para abrigar a próxima produção que estávamos desenvolvendo, *Valente*, bem como os engenheiros do grupo de instrumentos de software, que estavam trabalhando na nova geração de software de animação. Pouco depois, as pessoas começaram de novo a aparecer na minha sala. Elas queriam saber por que estávamos separando nossos engenheiros de instrumentos de todos os nossos artistas de produção, exceto aqueles que estavam trabalhando em *Valente*? Por que estávamos separando nossos departamentos de história e de arte, que estavam acostumados a trabalhar juntos?

Em resumo, parecia que toda questão que surgisse, grande ou pequena, era atribuída à fusão: "Você disse que as coisas não iriam mudar! Você não está cumprindo sua palavra! Não queremos perder a velha Pixar!" Devo dizer que aqueles protestos vinham, apesar do fato das medidas que havíamos tomado para proteger a cultura da Pixar estarem *funcionando* – e, para mim, constituíam um modelo de como manter a integridade cultural depois de uma fusão. Contudo, as pessoas sentiam-se vulneráveis – e isso gerava suspeitas. Comecei a pensar cada vez mais que muitos dos nossos funcionários consideravam qualquer mudança como uma ameaça à maneira da Pixar (e, como tal, à nossa capacidade de ter sucesso indo em frente).

As pessoas querem se agarrar a coisas que funcionam – histórias que funcionam, métodos que funcionam, estratégias que funcionam. Você descobre uma coisa, ela funciona e assim você continua fazendo aquilo – é isso que faz uma organização comprometida com aprendizado. E à medida que temos sucesso, nossas abordagens são reforçadas e nos tornamos cada vez mais resistentes a mudanças.

Além disso, é precisamente devido à inevitabilidade das mudanças que as pessoas lutam para se agarrar àquilo que conhecem. Infelizmente, com frequência temos pouca capacidade para distinguir entre o que funciona e vale a pena agarrar e aquilo que está nos levando para trás e deve ser descartado. Se você pesquisasse os funcionários de qualquer empresa criativa, minha opinião é que a grande maioria diria que *acredita* em mudanças. Mas minha experiência posterior à fusão ensinou-me outra coisa: o medo de mudar – inato, obstinado e resistente à razão – é uma força poderosa. De várias maneiras, isso me faz lembrar da Dança das Cadeiras:

Nós nos agarramos o máximo possível ao lugar considerado "seguro" que já conhecemos, recusando-nos a soltá-lo até nos sentirmos confiantes de que outro lugar seguro está à nossa espera.

Numa empresa como a Pixar, os processos de cada pessoa estão profundamente interconectados com os de outras pessoas e é quase impossível fazer com que todos mudem da mesma maneira, no mesmo ritmo e ao mesmo tempo. Com frequência, tentar forçar uma mudança simultânea não parece valer a pena. Como, no papel de gerentes, diferenciamos entre ficar com aquilo que foi testado e é seguro e buscar algo desconhecido, que pode ou não ser melhor?

Isso é o que todos nós sabemos, embora possamos desejar que não seja verdade: a mudança irá acontecer, gostemos ou não. Algumas pessoas consideram eventos randômicos imprevistos como algo a ser temido. Para mim, a aleatoriedade não é apenas inevitável: ela faz parte da beleza da vida. Reconhecer esse fato nos ajuda a reagir de forma construtiva quando somos surpreendidos. O medo faz com que as pessoas busquem certeza e estabilidade, nenhuma das quais garante a segurança esperada. Eu adoto uma abordagem diferente. Em vez de temer a aleatoriedade, acredito que podemos fazer escolhas para ver o que ela é e deixar que trabalhe para nós. O imprevisível é o terreno no qual ocorre a criatividade.

Up – Altas aventuras, nosso décimo filme, seria um de nossos filmes mais originais e emocionalmente ricos, mas também era um estudo de caso em mudança e aleatoriedade. Concebido e dirigido por Pete Docter, ele seria saudado pelos críticos como uma aventura sincera e feita de forma impecável com talento e profundidade. Mas como ele mudou durante seu desenvolvimento!

Na primeira versão, havia um castelo flutuando no céu, completamente desligado do mundo lá embaixo. Nesse castelo viviam um rei e seus dois filhos, e ambos queriam herdar o reino. Os filhos eram opostos – não conseguiam se aturar. Um dia, os dois caíram na Terra. Quando estavam caminhando, tentando voltar ao seu castelo no céu, encontraram um pássaro, que os ajudou a chegar à compreensão mútua.

Aquela versão era intrigante, mas em última análise não poderia ser posta para funcionar. Quem era dessa opinião tinha problemas para sentir empatia por príncipes mimados ou compreender as regras daquele estranho mundo flutuante. Pete lembra que precisava se esforçar para saber o que estava tentando expressar. "Eu estava atrás de um sentimento – uma experiência de vida", diz ele. "Para mim, há dias em que o mundo é esmagador – em especial quando estou dirigindo uma equipe de trezentas pessoas. Em consequência disso, sonho muito com fugir. Devaneio a respeito de estar perdido numa ilha tropical ou caminhando sozinho através da América. Acho que todos nós podemos nos relacionar com a ideia de querer fugir de tudo. Quando consegui entender atrás do que eu estava, fomos capazes de reformular a história para comunicar melhor aquele sentimento."

Somente duas coisas sobreviveram daquela versão original, o pássaro alto e o título: *Up*.

Para o novo caminho, Pete e sua equipe introduziram um velho, Carl Fredrickson, cujo longo caso de amor com sua namorada de infância Ellie era resumido num prólogo brilhante que dava o tom emocional para o restante do filme. Depois que Ellie morre, um Carl enlutado amarra sua casa a um enorme número de balões que lentamente ergue a estrutura para o céu. Ele logo descobre que tem um passageiro clandestino, um escoteiro de 8 anos chamado Russell. Posteriormente, a casa desce sobre um dirigível abandonado da era soviética, camuflado para parecer uma nuvem gigante. Grande parte dessa versão da história se deu naquela aeronave, até que alguém notou que – embora funcionasse bem em toda a história – ela tinha uma ligeira semelhança com uma ideia escolhida pela Pixar que era ligada a nuvens. Embora Pete não tivesse sido inspirado por aquela ideia, o eco pareceu alto demais. Assim, todos voltaram à prancheta.

Na terceira versão, Pete e sua equipe deixaram de lado a nuvem, mas mantiveram Carl, seu clandestino Russell, o pássaro alto e a ideia da casa sendo erguida para o céu por balões. Juntos, Carl e Russell flutuaram na casa até uma montanha venezuelana de topo plano, onde encontraram um famoso explorador chamado Charles Muntz, a cujo respeito Frederickson tinha ouvido falar quando era um garoto. A razão pela qual Muntz não havia morrido de velhice era que o anteriormente citado pássaro botava ovos que tinham um efeito mágico de fonte da juventude para quem os comia. Porém, a mitologia dos ovos era complicada e atrapalhava a história central – assim, Pete fez uma nova revisão.

Na quarta repetição, não havia ovos mágicos – Pete os tinha eliminado. Isso nos deixou com um problema cronológico. Embora a linha emocional do filme estivesse funcionando, a diferença de idade entre Muntz e Carl (que era seu admirador desde a infância) devia ter mais de cem anos. Mas estávamos demasiado atrasados no cronograma – e, no final, decidimos simplesmente deixar tudo como estava. Ao longo dos anos, descobrimos que, se as pessoas gostam do mundo que você criou, perdoam pequenas inconsistências, isso se as percebessem. Naquele caso, ninguém percebeu.

Up – Altas aventuras teve de passar por todas aquelas mudanças – que levaram anos – para encontrar seu coração. O que significou que as pessoas que trabalhavam no filme precisaram lidar com a evolução sem entrar em pânico nem desanimar. Uma coisa que ajudou foi o fato de Pete compreender o que elas estavam sentindo.

"Foi somente depois que terminei de dirigir *Monstros S.A.* que percebi que o fracasso é uma parte saudável do processo", disse-me ele. "Durante toda a produção do filme, levei para o lado pessoal – eu acreditava que meus erros eram deficiências pessoais e que, se eu fosse um diretor um pouco melhor, não os cometeria." Até hoje ele diz: "Meu humor tende a oscilar quando me sinto sobrecarregado. Quando isso acontece, normalmente é porque *sinto* que o mundo está ruindo e tudo está perdido. Um truque que aprendi é me forçar a fazer uma lista do que está errado. Em geral, logo que começo a lista, descubro que posso agrupar a maior parte das questões em dois ou três problemas que abrangem tudo. Então, na realidade, nem tudo está tão ruim. Ter uma lista finita de problemas é muito melhor que ter um sentimento ilógico de que *tudo* está errado."

Também foi útil o fato de Pete nunca ter perdido de vista sua missão em *Up – Altas aventuras*, que era chegar ao núcleo emocional de seus personagens e a partir daí construir toda a história. Pessoas que estiveram na equipe de Pete dizem que seriam voluntárias para tirar todo o lixo, caso isso significasse trabalhar novamente com ele. Ele é amado. Mas o caminho que seguiu em *Up – Altas aventuras* foi difícil e imprevisível; não havia nada a respeito de como o filme começava que indicasse onde ele iria acabar. Não era uma questão de desenterrar uma história enterrada; no começo, não *havia* nenhuma história.

"Se começo um filme e sei imediatamente a estrutura – para onde ele vai, a trama –, eu não confio nele", diz Pete. Acho que a única razão pela qual conseguimos achar algumas dessas ideias, personagens e histórias únicas é através da descoberta. E, por definição, 'descoberta' significa que você não conhece a resposta quando começa. Isso pode se dever à minha formação luterana e escandinava, mas creio que a vida não deve ser fácil. Devemos nos esforçar e tentar coisas novas – e isso nos deixa claramente desconfortáveis. Passar por algumas catástrofes pode ajudar. Depois que o pessoal sobreviveu a *Vida de inseto* e *Toy Story 2*, começou a perceber que a pressão conduz a algumas ideias muito boas."

Pete tem alguns métodos que usa para ajudar a gerenciar pessoas através dos temores gerados pelo caos anterior à produção. "Em algumas reuniões, sinto as pessoas travadas, não querendo nem falar a respeito de mudanças", diz ele. "Então eu tento enganá-las e digo: 'Esta seria uma grande mudança se realmente fôssemos fazê-la, mas apenas como um exercício de pensamento, e se...' Ou: 'Na verdade, não estou sugerindo isso, mas sigam-me por um minuto...' Se as pessoas anteciparem as pressões da produção, irão fechar a porta para novas ideias – assim é preciso fingir que você de fato não vai fazer nada, apenas conversar, trocar ideias. Então, se você encontrar uma nova ideia que realmente funciona, as pessoas se entusiasmam e ficam mais felizes em trabalhar na mudança."

Outro truque é encorajar as pessoas a brincar. "Algumas das melhores ideias nascem de brincadeiras, que só acontece quando você (ou o patrão) dá a si mesmo permissão para fazê-las", diz Pete. "Posso achar uma perda de tempo assistir a vídeos no YouTube ou contar histórias daquilo que aconteceu no último fim de semana, mas isso pode vir a ser muito produtivo no longo prazo. Já ouvi pessoas descreverem criatividade como 'conexões inesperadas entre conceitos ou ideias não relacionados'. Se isso for verdade, você precisa estar com disposição para fazer essas conexões.

Assim, quando percebo que não estamos indo para lugar nenhum, simplesmente encerro a conversa e vamos todos fazer outra coisa. Mais tarde, quando o humor tiver mudado, ataco novamente o problema."

Essa ideia – de que a mudança é nossa amiga porque a clareza somente emerge da luta – deixa muitas pessoas pouco à vontade e compreendo por quê. Quer você esteja lançando uma linha de moda, uma campanha publicitária ou um novo modelo de carro, o processo criativo é dispendioso, e becos sem saída e desordens imprevistas inevitavelmente elevam seus custos. As apostas são tão altas e as crises que surgem podem ser tão imprevisíveis que procuramos exercer controle. O custo potencial do fracasso parece muito mais danoso que a microgestão. Mas se evitamos esse investimento tão necessário – apertando os controles porque temermos ser expostos por ter feito uma aposta errada – passamos a ser pensadores rígidos ou gerentes que impedem a criatividade.

O que as pessoas *realmente* temem quando dizem que não gostam de mudanças? Existe o desconforto de sentir-se confuso, ou o trabalho extra, ou o estresse exigido por elas. Para muitas pessoas, mudar de curso também é um sinal de fraqueza, equivalente a admitir que você não sabe o que está fazendo. Isso me soa particularmente bizarro – pessoalmente, acho que a pessoa que não consegue mudar de opinião é perigosa. Steve Jobs era conhecido por mudar de ideia instantaneamente à luz de novos fatos, e não sei de ninguém que o achasse fraco.

Muitas vezes os gerentes veem mudanças como ameaças ao seu modelo de negócio existente – e é claro que elas são. No decorrer da minha vida, a indústria de computadores passou das máquinas de grande porte para minicomputadores, estações de trabalho, computadores de mesa e agora para iPads. Cada máquina teve uma organização de vendas, marketing e engenharia construída ao seu redor, e assim a passagem de uma para outra exigiu mudanças radicais na organização. No Vale do Silício, tenho visto as forças de vendas de muitos fabricantes de computadores lutarem para manter o *status quo*, mesmo se sua resistência a mudanças fizesse com que sua participação de mercado fosse engolida pelos rivais – uma visão de curto prazo que afundou muitas empresas. Um bom exemplo é da Silicon Graphics, cuja força de vendas estava tão acostumada a vender máquinas grandes e caras que resistiu ferozmente à transição para modelos mais econômicos. A empresa ainda existe, mas raramente ouço falar a seu respeito.

"É melhor o demônio conhecido que o desconhecido." Para muitas pessoas, essas são palavras pelas quais vivem. Os políticos dominam qualquer sistema necessário à sua eleição e depois têm poucos incentivos para mudar. Empresas de todos os tipos contratam lobistas para evitar que o governo mude qualquer coisa que possa perturbar seu modo de operação. Em Hollywood, existem multidões de agentes, advogados e assim chamados talentos (atores e outros que se apresentam) que reconhecem que o sistema é seriamente falho, mas não tentam mudá-lo porque sair da norma poderá cortar suas receitas, ao menos no curto prazo. Por que alguém iria querer mudar um sistema de maneiras que pusessem em risco – ou mesmo eliminassem – seu trabalho?

O interesse próprio guia a oposição a mudanças, mas a falta de consciência alimenta-a ainda mais. Uma vez que domine qualquer sistema, normalmente você fica cego para suas falhas; mesmo que possa vê-las, elas parecem complexas demais para pensar em mudanças. Mas permanecer cego é correr o risco de tornar-se a indústria da música, na qual o interesse próprio (tentar proteger os ganhos no curto prazo) venceu a consciência (poucas pessoas perceberam que o antigo sistema estava prestes a ser totalmente superado). Os executivos da indústria agarraram-se ao seu superado modelo de negócio – vender discos – até ser demasiado tarde, e a partilha de arquivos e o iTunes terem virado tudo de pernas para o ar.

Quero deixar claro que não apoio mudanças apenas por mudar. Muitas vezes existem boas razões para manter as coisas que funcionam. Uma mudança errada pode colocar em risco nossos projetos, razão pela qual aqueles que se opõem a ela estão sendo sinceros quando dizem que querem apenas proteger as empresas para as quais trabalham. Quando as pessoas que dirigem burocracias recusam mudanças, em geral estão agindo a serviço daquilo que consideram certo. Muitas das regras consideradas onerosas e burocráticas foram adotadas para lidar com abusos, problemas ou inconsistências, ou como forma de gerenciar ambientes complexos.

Mas, embora cada regra possa ter sido instituída por uma boa razão, depois de algum tempo é criado um emaranhado de regras que no seu todo pode não fazer sentido. O perigo é que sua empresa seja esmagada por regras bem-intencionadas que só fazem uma coisa: drenam o impulso criativo.

Assim cobrimos a mudança. E onde se encaixa a aleatoriedade? Uma vez, quando estava num encontro fechado em Marin, ouvi uma história ótima – e possivelmente apócrifa – a respeito do que aconteceu quando os britânicos introduziram o golfe na Índia na década de 1820. Depois de construir o primeiro campo de golfe local, o Royal Calcutta, os britânicos descobriram um problema: os macacos indianos ficaram intrigados com aquelas bolinhas brancas e desciam das árvores para apanhá-las e levá-las embora. Era um transtorno, para dizer o mínimo. Em resposta, os funcionários ergueram cercas para manter os macacos fora, mas estes as pulavam. Tentaram capturar e realocar os macacos, mas eles sempre voltavam. Tentaram ruídos fortes para assustá-los, mas nada funcionou. No fim, chegaram a uma solução: acrescentaram uma nova regra ao jogo – "Bata na bola onde o macaco deixá-la cair".

A aleatoriedade faz parte do folclore da história e da literatura; tem sido extensamente estudada por matemáticos, cientistas e estatísticos, e está profundamente inserida em tudo o que fazemos. Estamos cientes dela no sentido abstrato; quero com isso dizer que desenvolvemos métodos para reconhecer sua existência. Falamos a respeito de golpes de sorte, dias bons e maus, coincidências malucas, de a sorte sorrir para nós ou de se estar no lugar errado na hora errada; sabemos que um motorista bêbado pode surgir do nada ou, como diz o ditado, que podemos ser atropelados por um ônibus amanhã. Contudo, a aleatoriedade permanece teimosamente difícil de entender.

O problema é que nossos cérebros não estão preparados para pensar a respeito dela. Somos feitos para buscar por padrões em vistas, sons, interações e eventos no mundo. Esse mecanismo está tão entranhado em nós que vemos padrões mesmo quando não existem. Há uma razão sutil para isso: podemos armazenar em nossas cabeças padrões e conclusões, mas não a própria aleatoriedade. Ela é um conceito que desafia categorização; por definição, surge do nada e não pode ser prevista. Apesar de intelectualmente aceitarmos sua existência, nossos cérebros não conseguem compreendê-la totalmente; assim, ela tem menos impacto sobre nosso consciente do que as coisas que podemos ver, medir e categorizar.

Aqui está um exemplo simples: você sai tarde para o trabalho, mas ainda chega a tempo para sua reunião das nove horas. Parabenizando a si mesmo, você ignora o fato de que, dois minutos depois que passou, alguém teve um pneu furado e bloqueou o trânsito por meia hora. Sem saber, você escapou por pouco de chegar atrasado. Pode ser que tenha concluído que amanhã poderá dormir um pouco mais. Mas, se tivesse estado naquele congestionamento, você teria chegado à conclusão oposta: nunca mais sair atrasado. Porque faz parte da nossa natureza atribuir grande importância aos padrões que testemunhamos, ignorar as coisas que não podemos ver e fazer deduções e previsões de tudo.

Esse é o enigma de se tentar entender a aleatoriedade. Padrões reais estão misturados com eventos aleatórios e é para nós muito difícil diferenciar entre acaso e habilidade. Você chegou cedo ao trabalho porque saiu no horário, planejou à frente e dirigiu com cuidado? Ou apenas estava no lugar certo no momento certo? Em sua maioria, as pessoas escolheriam a primeira resposta sem pensar duas vezes – sem nem mesmo reconhecer que a segunda era uma opção. Quando procuramos aprender com o passado, formamos padrões de pensamento baseados em nossa experiência, sem perceber que as coisas que aconteceram contam com uma vantagem injusta sobre as que não aconteceram. Em outras palavras, não podemos ver as alternativas que poderiam ter acontecido se não fosse por um pequeno evento do acaso. Quando acontece uma coisa ruim, as pessoas tiram conclusões que podem incluir conspiração ou forças agindo contra elas, ou, por outro lado, se acontece uma coisa boa, concluem que são brilhantes e merecedoras. Mas essas percepções erradas acabam nos iludindo. E isso tem consequências nos negócios e na nossa maneira de gerenciar.

Quando uma empresa tem sucesso, é natural assumir que ele é o resultado de decisões inteligentes. Esses líderes seguem em frente, acreditando que descobriram o segredo para construir uma empresa próspera. Na verdade, aleatoriedade e sorte desempenharam um papel vital nesse sucesso.

Se você dirige uma empresa coberta pela mídia com qualquer frequência, poderá enfrentar outro desafio. Os jornalistas tendem a buscar padrões que possam ser explicados com um número de palavras relativamente pequeno. Caso não tenha destacado o que é aleatório daquilo que realizou de forma intencional, você será excessivamente influenciado pelas análises de observadores externos, que costumam ser exageradamente simplificadas. Quando dirigimos uma empresa que sai com frequência no noticiário, caso da Pixar, devemos ter o cuidado de não acreditar em nossa própria propaganda. Digo isso sabendo como é difícil resistir, em especial quando a empresa é um sucesso e somos tentados a pensar que fizemos tudo certo. Mas a verdade é que não posso responder por todos os fatores envolvidos em qualquer sucesso em particular e, sempre que aprendo mais, preciso revisar aquilo que sei. Não se trata de uma fraqueza nem falha. É a realidade.

A física é a disciplina dedicada a tentar encontrar os mecanismos subjacentes que regem a maneira pela qual nosso mundo funciona. Uma ideia realmente influente em física é o famoso princípio conhecido como Navalha de Ockham, atribuído a William de Ockham, um matemático inglês do século XIV. No nível mais básico, ele diz que, se houver explicações concorrentes para o motivo pelo qual uma coisa ocorre da maneira que ocorre, deve-se escolher aquela que depende de menos hipóteses e, portanto, é a mais simples. Quando os astrônomos renascentistas estavam tentando explicar o movimento dos planetas, havia muitas teorias complexas. A crença predominante era de que as órbitas eram círculos perfeitos, ou epiciclos, mas à medida que melhorava a observação planetária, os modelos baseados em círculos precisaram se tornar extremamente complexos para que funcionassem. Então, Johannes Kepler teve a ideia, comparativamente simples, de que a órbita de cada planeta é uma elipse, com o Sol ocupando um dos dois pontos focais. A simplicidade da explicação pareceu provar que aquela era a certa – e com isso a simplicidade ganhou muito poder.

Ao contrário de algumas ideias teóricas, a Navalha de Ockham combina facilmente com a natureza humana. Em geral, buscamos aquilo que pensamos ser explicações simples para eventos em nossas vidas porque acreditamos que, quanto mais simples é uma coisa, mais fundamental ela é – ou mais verdadeira. Mas quando se trata de aleatoriedade, nosso desejo de simplicidade pode nos desorientar. Nem tudo é simples e tentar forçar uma coisa a ser simples é deturpar a realidade.

Acredito que a aplicação inadequada de regras e modelos simples a mecanismos complexos causa danos – a qualquer projeto e mesmo à empresa como um todo. A explicação simples é tão desejável que muitas vezes é adotada mesmo que seja completamente inadequada.

E se simplificarmos demais para atravessar nossos dias? E se nos prendermos a ideias familiares, que nos dão as respostas que queremos? O que importa isso? Para mim, importa muito. Em empreendimentos criativos, é preciso enfrentar o desconhecido. Mas se o fizermos com viseiras – se afastarmos a realidade em nome de manter as coisas simples –, não iremos nos distinguir. Os mecanismos que nos mantêm a salvo de ameaças desconhecidas foram embutidos em nós antes de os nossos ancestrais estarem combatendo tigres-de-dentes-de-sabre com varas. Mas quando o assunto é criatividade, o desconhecido não é nosso inimigo. Se lhe dermos espaço, ao invés de evitá-lo, ele poderá trazer inspiração e originalidade. Como então tornar-se amigo do aleatório e incompreensível? Como ter mais conforto com nossa falta de controle? Uma coisa útil é compreender como a aleatoriedade é difusa.

Um conceito matemático compreendido por todos (embora possam desconhecer seu nome) é o da linearidade – a ideia de que as coisas seguem o mesmo curso ou se repetem de maneiras previsíveis. O ritmo do dia, ou do ano, é sempre o mesmo – é um ciclo repetitivo. O sol se levanta. O sol se põe. A segunda-feira é seguida pela terça. Fevereiro é frio, agosto é quente. Nada disso parece mudar – ou pelo menos essas mudanças parecem previsíveis e compreensíveis. Isso é linear e reconfortante.

Um conceito um pouco menos óbvio é o da curva em forma de sino, embora a maioria das pessoas tenha um senso intuitivo do que ele significa. Na escola, às vezes recebemos notas segundo a curva em forma de sino – com poucas pessoas recebendo notas baixas, poucas recebendo notas excelentes e a maioria agrupada no centro. Se você colocar esses resultados num gráfico, pondo as notas sobre um eixo e o número de pessoas que a receberam no outro, o resultado será uma curva em forma de sino. A altura dos seres humanos funciona da mesma forma, com a maioria dos adultos entre 1,50 e 1,80 metro e números menores em ambos os extremos. Profissionais como médicos ou encanadores também têm uma distribuição semelhante em suas habilidades – alguns são extraordinários e outros nem sabem amarrar seus próprios sapatos. Mas a maioria fica no espaço entre excelente e falho.

Somos competentes em trabalhar com eventos repetíveis e em compreender a variação em forma de sino. Porém, como não somos bons na modelagem de eventos randômicos, tendemos a usar instalações mentais em que somos bons e aplicá-las à nossa visão de mundo, mesmo quando essa aplicação é comprovadamente errada. Por exemplo, a aleatoriedade não ocorre de forma linear. Por um lado, os processos aleatórios não evoluem de uma só maneira; por definição, eles são indeterminados. Como então desenvolver maneiras para entender a aleatoriedade? Com isso quero dizer: como podemos pensar de forma clara a respeito de eventos inesperados que estão por aí e não se encaixam em nenhum dos nossos modelos existentes?

Existe um terceiro conceito, também do mundo da matemática, que pode ajudar: a autossimilaridade estocástica. Estocástica significa aleatória; autossimilaridade descreve o fenômeno – encontrado em tudo, de flutuações no mercado de ações a atividades sísmicas ou a chuva – de padrões que parecem os mesmos quando vistos com graus diferentes de ampliação. Por exemplo, se você arrancar um galho de uma árvore e segurá-lo na vertical, ele parecerá uma arvorezinha. Um trecho de litoral tem a mesma forma áspera, quer seja visto de uma asa-delta ou do espaço exterior. Observe ao microscópio um pequeno pedaço de floco de neve e ele parece uma versão em miniatura do floco inteiro. Esse fenômeno ocorre sempre na natureza – em formações de nuvens, no sistema circulatório humano, em cadeias de montanhas, na forma das folhas de samambaia.

Mas como a autossimilaridade estocástica se relaciona com a experiência humana?

Em nossas vidas, todos os dias enfrentamos centenas de desafios. Em sua maioria, não chegam a ser desafios. Um de nossos sapatos desapareceu embaixo do sofá, o tubo de creme dental está vazio, a lâmpada da geladeira queimou. Um número menor perturba mais, mas ainda é relativamente pouco importante: você torce o tornozelo em sua caminhada ou o despertador não toca, fazendo-o chegar atrasado ao trabalho. Um conjunto ainda menor tem consequências maiores: você é deixado de lado para uma promoção que esperava; teve uma discussão acalorada com seu cônjuge. Menor ainda: você sofre um acidente de carro; há uma infiltração em seu porão; seu filho pequeno fratura o braço. Finalmente, há os eventos importantes e ainda mais raros, como guerras, doenças, ataques terroristas – é importante saber que não há limite para a gravidade dos eventos. Assim, em termos gerais, é bom que quanto maior o impacto de um evento, menor é sua incidência. Porém, assim como o galho que parece uma árvore em miniatura, esses desafios – embora de magnitudes diferentes – têm mais em comum do que pensam as pessoas.

Lembre que, embora sejamos rápidos para atribuir padrões e causas a um evento depois da sua ocorrência, antes dela nem o vemos chegando. Em outras palavras, apesar de podermos atribuir um padrão *a posteriori*, os eventos aleatórios não chegam no horário. A distribuição e a natureza dos problemas variam consideravelmente entre as pessoas – meus problemas parecem ser como os seus, mas não exatamente. Além disso, não é como se a aleatoriedade acontecesse no vácuo. Ela se superpõe aos padrões regulares e repetíveis de nossas vidas e assim muitas vezes fica oculta.

Algumas vezes, ocorre um grande evento que muda tudo. Quando isso acontece, ele tende a afirmar a tendência humana de tratar os grandes eventos como sendo fundamentalmente diferentes dos menores. Isso é um problema dentro das empresas. Quando colocamos reveses em dois baldes – o de "negócios como sempre" e o de "caramba" – e usamos uma atitude diferente para cada um, estamos chamando problemas. Ficamos tão enredados em nossos grandes problemas que ignoramos os pequenos, deixando de perceber que alguns deles terão consequências no longo prazo – sendo portanto grandes problemas em formação. Em minha opinião, é preciso abordar problemas grandes e pequenos com o mesmo conjunto de valores e emoções, porque eles na verdade têm estruturas semelhantes. Em outras palavras, é importante não perder o bom senso nem começar a culpar pessoas quando um limiar – o balde de "caramba" já citado – é atingido. É preciso ter humildade para reconhecer que coisas imprevistas podem acontecer sem culpa de ninguém.

Um bom exemplo disto ocorreu durante a produção de *Toy Story 2*. Anteriormente, quando descrevi a evolução desse filme, expliquei que nossa decisão de refazê-lo tão tarde levou a um colapso da nossa força de trabalho. Esse colapso foi o grande evento inesperado e nossa resposta a ele tornou-se parte da nossa mitologia. Mas cerca de dez meses antes de autorizada a reformulação, no inverno de 1998, tínhamos sido atingidos por três eventos aleatórios menores – o primeiro dos quais iria ameaçar o futuro da Pixar.

Para entender esse primeiro evento, você precisa saber que usamos máquinas Unix e Linux para armazenar os milhares de arquivos que abrangem todas as tomadas de qualquer filme. E nessas máquinas existe um comando – /bin/rm -r -f" – que remove rapidamente tudo no sistema de arquivos. Você provavelmente pode prever o que virá: por acidente, alguém usou esse comando nos drives em que eram mantidos os arquivos de *Toy Story 2*. Não apenas alguns arquivos, mas *todos* os dados que compunham as imagens, de objetos a fundos de cenas, foram apagados do sistema. Primeiro, sumiu o chapéu de Woody. Depois, suas botas. Então ele desapareceu totalmente. Um a um, os outros personagens também começaram a desaparecer; Buzz, Mr. Potato Head, Hamm, Rex. Todas as sequências foram deletadas.

Oren Jacobs, um dos diretores técnicos do filme, lembra-se de observar aquilo ocorrer em tempo real. Inicialmente, ele não conseguiu acreditar no que estava vendo. A seguir, estava discando freneticamente o telefone para acessar os sistemas. "Desligue a máquina de *Toy Story 2*!", gritou ele. Quando o sujeito do outro lado perguntou, com sensatez, por que, Oren gritou ainda mais alto: "Pelo amor de Deus, apenas desligue o mais rápido possível!" O sujeito de sistemas agiu rapidamente, mas mesmo assim dois anos de trabalho – 90% do filme – haviam sido apagados numa questão de segundos.

Uma hora depois, Oren e Galyn Susman, sua chefe, estavam na minha sala, tentando descobrir o que faríamos a seguir. "Não se preocupe", dizíamos uns aos outros. "Vamos restaurar os dados hoje à noite, a partir do sistema de reserva. Perderemos somente meio dia de trabalho. Mas então veio o segundo evento aleatório: descobrimos que o sistema de reserva não estava funcionando direito. O mecanismo que havíamos instalado especificamente para nos ajudar a recuperar dados também tinha falhado. *Toy Story 2* já era e, naquele ponto, o impulso para o pânico era bastante real. A remontagem do filme teria requerido trinta pessoas durante um ano.

Lembro-me da reunião em que, à medida que aquela realidade devastadora começou a ser entendida, os líderes da empresa foram para uma sala para discutir nossas opções – que pareciam não existir. Então, cerca de uma hora depois, Galyn Susman, a diretora técnica do filme, lembrou-se de algo: "Esperem", disse ela. "Pode ser que eu tenha um backup em casa, no meu computador." Seis meses antes, Galyn tinha tido seu segundo bebê e com isso passava grande parte do seu tempo trabalhando em casa. Para tornar o processo mais conveniente, ela havia instalado um sistema que copiava automaticamente todo o banco de dados do filme para seu computador uma vez por semana. Aquilo – nosso terceiro evento aleatório – seria nossa salvação.

Menos de um minuto depois, Galyn e Oren estavam no Volvo dela, a caminho da sua casa em San Anselmo. Pegaram o computador, embrulharam-no com cobertores e colocaram-no com cuidado no banco de trás. A seguir, voltaram devagar para o escritório, onde o computador foi, segundo Oren, "carregado até a Pixar como um faraó egípcio". Graças aos arquivos de Galyn, Woody estava de volta – juntamente com o resto do filme.

Naquela ocasião tivemos, em rápida sucessão, dois fracassos e um sucesso, todos aleatórios e imprevistos. Porém, a verdadeira lição do evento estava em como lidamos com suas consequências. Em resumo, não perdemos tempo procurando culpados. Depois das perdas do filme, nossa lista de prioridades era: (1) restaurar o filme; (2) consertar nossos sistemas de reserva; (3) adotar restrições preventivas para dificultar muito mais o acesso direto ao comando de deleção.

É importante notar que um item não estava na nossa lista: encontrar o responsável que digitou o comando errado e puni-lo.

Algumas pessoas podem questionar essa decisão, com base no raciocínio pelo qual por mais valioso que possa ser criar um ambiente de confiança, a responsabilidade sem prestação de contas pode prejudicar a expectativa de excelência. Sou totalmente a favor da prestação de contas. Mas, naquele caso, meu raciocínio foi o seguinte: nosso pessoal é bem-intencionado. Pensar que você pode controlar ou impedir problemas aleatórios tomando uma pessoa como exemplo é ingenuidade e teimosia. Se você disser que é importante deixar que as pessoas com quem trabalha resolvam seus próprios problemas, então deve se comportar de acordo com isso. Certifique-se de que todos entendam a importância de se fazer o possível para evitar tais problemas no futuro. Mas sempre – *sempre* – aja de acordo com aquilo que prega.

Como isso se relaciona com a autossimilaridade estocástica ou aleatória? Em resumo, quando você começa a compreender que os problemas, grandes e pequenos, têm estruturas semelhantes, isso o ajuda a manter uma perspectiva mais calma. Além disso, ajuda-o a permanecer aberto para uma realidade importante: caso seu cuidadoso planejamento não possa evitar problemas, nosso melhor método de resposta é capacitar os funcionários de todos os níveis a assumir a propriedade dos problemas e ter confiança para resolvê-los. Queremos que as pessoas sintam que podem tomar providências para resolver problemas sem pedir licença. Nesse caso, a necessidade de Galyn de executar seu trabalho com um recém-nascido em casa levou-a a improvisar e baixar uma versão do filme uma vez por semana. Caso ela não tivesse resolvido assim o seu problema, a Pixar teria perdido o prazo de entrega de *Toy Story 2*, o que teria sido catastrófico para uma pequena empresa de capital aberto. As pessoas que agem sem um plano aprovado não devem ser punidas por se "rebelar". Uma cultura que permite que todos, independentemente da posição, detenham a linha de montagem, de forma figurativa ou literal, maximiza o engajamento criativo das pessoas que querem ajudar. Em outras palavras, devemos enfrentar problemas inesperados com respostas inesperadas.

A segunda lição está ligada à nossa compreensão do limite entre grande e pequeno – e, a propósito, entre bom e mau e importante e não importante. Tendemos a pensar que existe uma linha brilhante entre problemas pequenos e esperados e grandes desastres imprevistos. Isso nos leva a crer, erradamente, que devemos abordar esses dois fenômenos – ou dois baldes, como eu os chamei anteriormente – de maneiras diferentes. Mas não existe nenhuma linha brilhante. Problemas grandes e pequenos são basicamente iguais.

Existe aqui um conceito crucial, mas difícil de entender. Em sua maioria, as pessoas compreendem a necessidade de fixar prioridades; elas põem os problemas maiores no topo e os problemas menores embaixo. Há pequenos problemas demais para poderem ser todos considerados. Assim, elas traçam uma linha horizontal abaixo da qual não passam, dirigindo todas as suas energias para aqueles acima da linha. Para mim existe outra abordagem: se permitirmos que mais pessoas resolvam problemas sem permissão e tolerarmos seus erros, então possibilitaremos a resolução de um conjunto muito maior de problemas. Quando um problema aleatório surge nesse cenário, não causa pânico, porque a ameaça de fracasso foi removida. O indivíduo ou a organização responde com seu melhor pensamento, porque a organização não está paralisada, temerosa, à espera de uma aprovação. Os erros ainda irão ocorrer, mas, em minha experiência, serão em menor número e mais espaçados; além disso, serão identificados mais cedo.

Como eu disse, ao encontrar um problema nem sempre você sabe seu tamanho. Ele pode parecer pequeno, mas também pode ser a gota-d'água que faz o copo transbordar. Se sua tendência é de colocar os problemas em baldes, você poderá não saber em que balde colocá-los. A dificuldade é que priorizamos os problemas por tamanho e por importância, muitas vezes ignorando problemas pequenos devido à sua abundância. Mas, se você empurrar a propriedade dos problemas para os níveis mais baixos da organização, então todos irão sentir-se livres (e motivados) para tentar resolvê-los, sejam grandes ou pequenos. Não consigo prever tudo que nossos funcionários irão fazer, nem como irão reagir aos problemas, e isso é bom. O segredo está em criar uma estrutura de resposta compatível com a estrutura dos problemas.

O raio de esperança de um grande desastre é que ele dá aos gerentes uma oportunidade de enviar sinais claros aos funcionários a respeito dos valores da empresa, os quais informam o papel que cada indivíduo deve esperar desempenhar. Quando reagimos às falhas de um filme em desenvolvimento jogando-o fora e recomeçando, estamos dizendo às pessoas que damos valor, acima de tudo, à qualidade dos nossos filmes.

Até aqui falei a respeito de aleatoriedade no contexto de eventos. Mas o potencial humano também pode ser imprevisível. Conheci alguns gênios com quem era tão difícil trabalhar que tive de deixá-los ir embora; por outro lado, alguns de nossos funcionários mais brilhantes, agradáveis e eficazes foram demitidos por empregadores anteriores por não serem nada disso. Seria bom se houvesse uma bala mágica que transformasse pessoas difíceis em histórias de sucesso, mas não há. Existem apenas demasiadas características pessoais desconhecidas e imensuráveis para podermos pretender que descobrimos como fazer isso. Todos dizem que querem contratar pessoas excelentes, mas na verdade não sabemos logo de início quem irá se destacar e fazer uma diferença. Acredito em instalar uma estrutura para determinar potencial e depois estimular talento e excelência, na crença de que muitos irão surgir, sabendo ao mesmo tempo que nem todos irão fazê-lo.

Quando Walt Disney era vivo, tinha tanto talento que era difícil conceber o que seria a empresa sem ele. E depois da sua morte não havia ninguém que chegasse perto de substituí-lo. Durante anos, os funcionários da Disney tentaram manter seu espírito vivo perguntando constantemente a si mesmos: "O que Walt faria?" Talvez pensassem que, se fizessem essa pergunta, teriam uma ideia original, que eles permaneceriam fiéis ao espírito pioneiro de Walt. Na verdade, esse tipo de pensamento só conseguiu o oposto. Pelo fato de ser regressivo, e não ousado, ele prendia o lugar ao *status quo*. Estabeleceu-se um temor generalizado de mudanças. Steve Jobs estava ciente dessa história e costumava repeti-la ao pessoal da

Apple, acrescentando que não queria que seus funcionários perguntassem: "O que Steve faria?" Ninguém – nem Walt, nem Steve, nem o pessoal da Pixar – obteve sucesso criativo simplesmente agarrando-se àquilo que costumava funcionar.

Quando analiso a história da Pixar, devo reconhecer que muitas das coisas boas que aconteceram poderiam facilmente ter ocorrido de maneira diferente. Steve poderia ter nos vendido – ele tentou mais de uma vez. *Toy Story 2* poderia ter sido deletado para sempre, quebrando a empresa. Durante anos a Disney tentou nos roubar John de volta, e poderia ter tido sucesso. Estou perfeitamente consciente de que o sucesso da Disney Animation na década de 1990 deu à Pixar sua chance com *Toy Story* e também que as lutas internas na empresa permitiram que nos juntássemos a ela e finalmente fizéssemos nossa fusão.

Sei que grande parte do nosso sucesso ocorreu porque tínhamos intenções puras e muito talento, e fizemos muitas coisas certas, mas acredito que atribuir nosso sucesso exclusivamente à nossa inteligência, sem reconhecer o papel dos eventos acidentais, nos diminui. Devemos reconhecer os eventos aleatórios que surgiram em nosso caminho, porque reconhecer nossa boa sorte – e não dizer a nós mesmos que tudo que fizemos tinha algo de genial – nos permite fazer avaliações e tomar decisões mais realistas. A existência da sorte também nos faz lembrar que nossas atividades são menos repetíveis. Como mudanças são inevitáveis, a pergunta é: você age para detê-las e tenta proteger-se delas, ou torna-se o mestre das mudanças aceitando-as e sendo aberto a elas? É claro que, em minha opinião, trabalhar com mudanças é o significado de criatividade.

Capítulo 9

O OCULTO

Na antiga mitologia grega, Apolo, deus da poesia e da profecia, apaixona-se pela bela Cassandra, filha dos reis de Troia, cujos cabelos ruivos encaracolados e pele de alabastro eram famosos por toda a terra. Ele lhe dá um presente raro e valioso – a capacidade para ver o futuro –, e ela, em resposta, concorda em ser sua consorte. Mas quando mais tarde ela o trai e rompe seu voto, Apolo, furioso, a amaldiçoa com um beijo e tira-lhe os poderes de persuasão. Daquele dia em diante, ela está condenada a gritar ao vento: ninguém irá acreditar nas verdades que fala e todos acham que ela enlouqueceu. Embora Cassandra preveja a destruição de Troia – ela alerta que um exército grego irá penetrar na cidade dentro de um cavalo de madeira –, é incapaz de evitar a tragédia, porque ninguém dá atenção ao seu alerta.

A história de Cassandra é tradicionalmente vista como uma parábola a respeito do que acontece quando alertas válidos são ignorados. Mas, para mim, ela levanta questões diferentes. Por que, pergunto sempre, pensamos em Cassandra como a pessoa amaldiçoada? A mim parece que a maldição aflige todas as outras pessoas – incapazes de perceber a verdade falada por ela.

Passo muito tempo pensando a respeito dos limites da percepção. Em especial no contexto gerencial, eles nos levam a perguntar constantemente: quanto somos capazes de ver? E quanto não somos? Existe uma Cassandra que não estamos ouvindo? Em outras palavras, apesar de nossas melhores intenções, também estamos amaldiçoados?

Essas perguntas nos levam ao centro deste livro, porque as respostas são essenciais para sustentar uma cultura criativa. No prefácio, perguntei-me por que os líderes de tantas empresas em ascensão do Vale do Silício tomaram más decisões, as quais – mesmo na época – pareciam obviamente erradas. Eles tinham qualificações gerenciais e operacionais; tinham grandes ambições; não pensavam estar tomando más decisões, nem que estavam sendo arrogantes. Contudo, se enganaram – e por mais brilhantes que fossem, deixaram passar algo essencial ao seu sucesso continuado. A implicação para mim era que iríamos estar inevitavelmente sujeitos aos mesmos problemas na Pixar, a menos que aceitássemos nossa limitada capacidade de ver. Teríamos de enfrentar aquilo que vim a chamar de O Oculto.

Em 1995, quando Steve Jobs estava tentando nos convencer de que devíamos abrir nosso capital, um dos seus principais argumentos era que um dia faríamos um filme que seria um fracasso de bilheteria e precisávamos estar financeiramente preparados para esse dia. A abertura do capital nos daria recursos para financiar nossos projetos e para ter mais voz ativa a respeito de para onde iríamos, e também nos ajudaria a enfrentar um fracasso. O sentimento de Steve era de que a sobrevivência da Pixar não podia depender exclusivamente de cada filme.

A lógica subjacente ao seu raciocínio deixou-me abalado. Um dia iríamos cometer um grande erro; era inevitável. E não sabíamos quando ou como. Portanto, precisávamos nos preparar para um problema desconhecido, um problema oculto. Daquele dia em diante, resolvi trazer para a luz o máximo possível de problemas ocultos, um processo que iria exigir um compromisso incomum com a autoavaliação. Ter um amortecedor financeiro ajudaria a nos recuperar de um fracasso e Steve estava certo ao garantir que haveria um. Mas a meta mais importante para mim era tentar permanecer alerta, sempre em busca de sinais de que estávamos cometendo erros – sem saber, é claro, quando isso iria ocorrer ou como viria à luz.

Quando menciono os erros cometidos em empresas, como Silicon Graphics ou Toyota, algumas pessoas citam o excesso de confiança como razão. "Eles começaram a acreditar no seu próprio balanço", dizem elas. "Tornaram-se complacentes." Outras argumentam que empresas saem dos trilhos devido ao excesso de crescimento ou às expectativas de lucratividade, que as forçam a tomar más decisões de curto prazo. Mas acredito que o problema mais profundo é que os líderes dessas empresas não estavam sintonizados com o fato de que havia problemas que não podiam ver. E como não estavam cientes desses pontos cegos, assumiram que os problemas não existiam.

Isso nos leva a uma de minhas crenças gerenciais básicas. Se você não tenta descobrir aquilo que não vê e entender sua natureza, está mal preparado para liderar.

Todos nós conhecemos pessoas que podem ser descritas como não sendo autoconscientes. Em geral chegamos a essa conclusão porque elas não veem, a respeito de si mesmas, coisas que nos parecem óbvias – e, igualmente importante, não têm ideia que as estão deixando passar. Mas e quanto a respeito de nossa própria consciência? Se aceitamos aquilo que vemos e sabemos que é inevitavelmente falho, podemos nos esforçar para achar maneiras de elevar essa consciência – ou, se preferir, preencher os vazios. Quanto a mim, não posso dizer que possuo uma visão perfeita, mas acredito que o fato de reservar em minha cabeça espaço para a certeza de que, querendo ou não, alguns problemas sempre estarão ocultos de mim tornou-me um gerente melhor.

A maioria das pessoas está disposta a aceitar que há áreas de especialização que elas não dominam. Por exemplo, não sei instalar encanamentos. Se você me pedir para transplantar um rim, substituir uma transmissão ou defender um caso perante o Supremo Tribunal Federal, é claro que terei de admitir que não posso. Reconhecemos que há muitos tópicos a respeito dos quais sabemos muito pouco – física, matemática, medicina, direito –, a menos que sejamos treinados nessas áreas. Mas, mesmo que fosse possível aprender todas as disciplinas e dominar todas as profissões, ainda haveria pontos cegos, porque existem outras limitações – muitas das quais com origem nas dinâmicas da interação humana – que nos impedem de ter um quadro claro do mundo à nossa volta.

Imagina uma porta que, quando é aberta, revela o universo de tudo aquilo que você não sabe, nem pode saber. Esse universo é vasto – muito maior do que você tem consciência. Mas a ignorância não é necessariamente uma bênção. Esse universo desconhecido irá interferir em nossas vidas e atividades; assim, não temos escolha, a não ser lidar com ele. Uma das maneiras de fazê-lo é tentar compreender as muitas razões pelas quais uma coisa pode ser difícil ou impossível de se ver. A conquista dessa compreensão requer a identificação de múltiplos níveis do desconhecido, dos triviais aos fundamentais.

O primeiro nível do que está oculto me faz lembrar de quando tornei-me gerente na New York Tech alguns meses depois de terminar meus estudos de graduação em 1974. Gerenciar pessoas nunca tinha sido uma de minhas metas. Honestamente, tudo o que eu queria até aquele ponto era pertencer a uma equipe e fazer minhas pesquisas. Nosso grupo era pequeno e unido, ligado por uma meta comum. Como tínhamos muita convivência, eu achava que tinha um bom senso daquilo que estava acontecendo com cada membro da equipe.

Mas com o passar do tempo, enquanto passava para a Lucasfilm e depois para a Pixar, o número de pessoas que se reportavam a mim cresceu muito e comecei a sentir que nossos funcionários estavam se comportando de forma diferente à minha volta. Eles me viam como um "gerente importante" de uma "empresa importante", ao passo que os colegas que haviam começado comigo na New York Tech me viam apenas como Ed. À medida que minha posição mudava, as pessoas tornavam-se mais cuidadosas em sua maneira de falar e agir na minha presença. Não penso que meus atos tivessem mudado de forma a provocar isso, mas minha *posição* mudou. E isso significou que coisas a cujo respeito eu era informado passaram a estar cada vez menos disponíveis. Gradualmente os resmungos e a rudeza desapareceram de vista – pelo menos da minha. Eu raramente via casos de mau comportamento, porque as pessoas não o exibiam na minha frente. Eu estava ausente de um determinado círculo e era essencial nunca perder de vista aquele fato. Se não tomasse o cuidado de ser alerta e consciente, eu poderia facilmente chegar a conclusões erradas.

É provável que o fenômeno aqui descrito, firmemente enraizado no impulso humano para a autopreservação, não constitua uma surpresa. Todos sabem que as pessoas trazem o melhor de si para as interações com seus chefes e deixam seus momentos não tão bons para seus pares, cônjuges ou terapeutas. Contudo, muitos gerentes não têm consciência disso quando acontece (talvez porque gostem de ter sua opinião acatada). Não lhes ocorre que, depois que são promovidos a uma posição de liderança, ninguém irá lhes dizer: "Agora que é um gerente, não posso mais ser tão sincero com você." Em vez disso, muitos novos líderes assumem, erradamente, que seu acesso às informações não mudou nada. Mas esse é apenas um exemplo de como a sonegação de fatos afeta a capacidade de liderança de um gerente.

Passemos a outra camada.

Até que ponto hierarquias e ambientes estruturados, que foram concebidos para ajudar grandes grupos de pessoas a trabalhar em conjunto, contribuem para a ocultação de informações? Muitas vezes as pessoas tremem quando lhes falam a respeito de hierarquia, como se ela fosse essencialmente ruim; elas usam o termo hierárquico como pejorativo, como abreviatura para um local de trabalho que dá demasiada ênfase à posição. É claro que isso não é inteiramente justo e trabalhei em alguns ambientes altamente estruturados e "hierárquicos" que inspiravam um trabalho excelente e um intercâmbio sadio entre colegas.

Ao mesmo tempo, existem alguns ambientes hierárquicos que são um pesadelo.

Aqui está o que transforma uma hierarquia de sucesso numa que impede o progresso: quando muitas pessoas começam, de forma subconsciente, a comparar seu próprio valor e o dos outros com seus lugares na hierarquia. Assim, concentram suas energias em gerenciar para cima, tratando mal seus subordinados. As pessoas que tenho visto fazendo isso parecem estar agindo por instinto animal, sem consciência do que estão fazendo. Esse problema não é causado pela hierarquia em si, mas por ilusões individuais ou culturais a ela associadas, em especial aquelas que atribuem valor pessoal com base no cargo. Deixando de pensar a respeito de como e por que damos valor às pessoas, corremos o risco de cair nessa armadilha quase por falta de informação.

Façamos uma pausa e analisemos o assunto do ponto de vista de um gerente que tem um subordinado gerenciando para cima. Não estou falando a respeito de puxar o saco abertamente, mas de formas mais sutis de lisonja. O que vê esse líder? Vê uma pessoa que quer fazer um bom trabalho e quer agradá-lo. O que há de errado com isso? Como um gerente diferencia entre alguém que atua em equipe e uma pessoa meramente talentosa para dizer ao chefe aquilo que ele quer ouvir? O gerente poderia contar com pessoas para alertá-lo para a falta de autenticidade de um determinado funcionário, mas muitas delas não querem parecer invejosas. Assim, a visão do líder é obstruída por pessoas com talento para agradá-lo. A partir de um ponto de vista único, um quadro completo das dinâmicas de qualquer grupo é ilusório. Embora estejam cientes desses tipos de comportamento porque os vemos nos outros, a maioria das pessoas não se dá conta de que distorce sua visão de mundo, em grande parte porque pensa que vê mais do que vê na verdade.

Existe uma terceira camada de fatores obscuros – mais um conjunto de coisas que não consigo ver. As pessoas que realizam o duro trabalho cotidiano de produzir nossos filmes estão empenhadas num conjunto incrivelmente complexo de processos, todos os quais vêm com seus próprios problemas e idiossincrasias. Há obstáculos logísticos que devem ser eliminados, charadas de programação a serem decifradas, interesses interpessoais e gerenciais. É provável que eu seja capaz de entender cada uma dessas questões individualmente se elas forem trazidas à minha atenção e explicadas a mim. Mas as pessoas diretamente envolvidas têm uma compreensão mais firme dos problemas, porque estão no centro da ação e veem coisas que não vejo. Se houver uma crise em formação, elas saberão dela antes de mim. Isso não seria um problema se eu pudesse confiar que elas dariam um alerta caso suspeitassem de algo, mas eu não posso. Até mesmo funcionários com as melhores intenções podem ser tímidos demais para falar quando percebem problemas. Eles podem sentir que é cedo demais para envolver gerentes de níveis mais altos, ou podem assumir que já estamos cientes do problema. Por definição, os ambientes complexos são complicados demais para que sejam plenamente compreendidos por uma única pessoa. Contudo muitos gerentes, temendo parecer não estar no controle, acreditam que devem saber tudo – ou ao menos agem como tal.

Assim, meus colegas sabem mais que eu a respeito do que está acontecendo em qualquer departamento, em qualquer momento. Por outro lado, sei mais a respeito de problemas do que as pessoas que trabalham na produção: requisitos de programação, conflitos de recursos, problemas de mercado ou questões pessoais que seria inadequado revelar a todos. Assim, cada um de nós chega a conclusões baseado em quadros incompletos. Seria errado eu assumir que minha visão limitada é necessariamente melhor.

Se é verdade que é difícil, se não impossível, conseguir um quadro completo daquilo que está acontecendo, em qualquer momento, em qualquer empresa, isso se torna ainda mais difícil quando você é bem-sucedido, porque o sucesso nos convence de que estamos agindo da maneira certa. Não existe nada mais eficaz, quando se trata de eliminar pontos de vista alternativos, do que estar convencido de que você está certo.

Quando enfrentamos complexidade, é reconfortante poder dizer a nós mesmos que podemos descobrir e compreender todas as facetas de cada problema, desde que nos esforcemos. Mas isso é uma falácia. Para mim, a melhor abordagem é aceitar que *não* podemos compreender todas as facetas de um ambiente complexo e focalizar, em vez disso, técnicas para lidar com combinações de pontos de vista diferentes. Se adotarmos a atitude de que pontos de vista diferentes são aditivos, e não competitivos, seremos mais eficazes porque nossas ideias ou decisões serão afiadas e temperadas por esse discurso. Numa cultura sadia e criativa, o pessoal da produção sente-se livre para falar e trazer à luz visões diferentes que poderão ajudar a nos dar clareza.

Ou tome este exemplo, ocorrido na Pixar durante aquela que foi chamada de "verificação executiva" – uma reunião para aprovar orçamentos e programações – para a produção de *Up – Altas aventuras*. Uma produtora de efeitos visuais chamada Denise Ream estava presente e fez uma sugestão um tanto radical: a produção seria mais barata e custaria menos pessoas-semanas (a medida – o volume de trabalho realizado por uma pessoa em uma semana – que usamos para calcular orçamentos) se fizéssemos uma coisa que parecia contrariar completamente aquela meta – retardar o início do trabalho dos animadores. Denise, que tinha o benefício de uma perspectiva mais ampla porque trabalhara anos na Industrial Light & Magic antes de ir para a Pixar, estava se referindo a uma realidade que via com mais clareza do que qualquer um de nós: a ansiedade para começar, que dava a impressão de eficiência, na verdade era contraproducente porque os animadores muitas vezes tinham de refazer seu trabalho à medida que eram feitas mudanças... o que os levava a perder tempo à espera de trabalho... e resultava em custos maiores. Do ponto de vista dela, parecia óbvio que usaríamos menos pessoas-semanas se déssemos aos animadores trechos maiores e mais plenamente resolvidos mais tarde no processo.

"Creio que os animadores irão trabalhar mais rápido do que vocês pensam", disse Denise, "se eles tiverem todas as partes de que necessitam quando começarem." Rapaz, ela tinha razão. Mesmo com toda a confusão usual, ajustes infindáveis na história e reformulações de último minuto para determinados personagens, *Up – Altas aventuras* foi feito em menos pessoas-semanas do que considerávamos possível.

Recordando sua decisão de falar naquela reunião, Denise me disse: "Para mim, estávamos entregando o filme com uma antecipação arbitrária e disse: 'Não entendo por que estamos fazendo isso, porque sempre batemos na parede. Ninguém jamais termina cedo; por que então não chamamos as coisas pelos seus nomes agora, dois anos antes do prazo fatal? Para mim, parecia claro que é melhor ter mais tempo para melhorar a história. E funcionou."

Isso não poderia ter acontecido se o produtor do filme – e a liderança da empresa em geral – não estivesse aberto a um ponto de vista novo que questionasse o *status quo*. Esse tipo de abertura somente é possível numa cultura que reconhece seus próprios pontos cegos, quando os gerentes compreendem que outras pessoas veem problemas que eles não veem – e também veem soluções.

Sabemos que há acidentes felizes, mas existe ainda outro nível de ocultação relacionado à confluência de eventos que anunciam qualquer acontecimento importante. Muitas vezes alguns desses eventos são impossíveis de ver e assim não nos damos conta da importância do papel que desempenharam. Considere as crianças que frequentam o serviço de creche da Pixar, muitas das quais são filhos de casais que se conheceram na empresa. (John e eu observamos frequentemente com orgulho o número de casamentos entre funcionários da Pixar e as muitas crianças que vieram ao mundo em consequência disso.) Pense em todas as coisas que tiveram que acontecer para tornar possíveis aqueles bebês. Se a Pixar não existisse, eles nunca teriam nascido.

Você pode voltar um pouco mais no tempo e dizer que os pais daqueles bebês poderiam nunca ter se conhecido se John não tivesse entrado para a produção de *As aventuras de André e Wally B.*, ou se Walt Disney nunca tivesse existido, ou se eu não tivesse tido a sorte de estudar com Ivan Sutherland na Universidade de Utah. Ou volte a 1957, quando eu tinha 12 anos e retornava de férias no Parque Yellowstone com minha família. Meu pai estava dirigindo nossa perua Ford 57 amarela, minha mãe a seu lado e meus irmãos, minhas irmãs e eu estávamos empilhados no banco de trás. Estávamos subindo por uma estrada sinuosa com um alto penhasco à direita, sem grade de proteção. De repente, surgiu numa curva um carro que vinha pela nossa pista em sentido contrário. Lembro-me de minha mãe gritando e meu pai pisando no freio; ele não podia se desviar, porque o penhasco estava a um metro à direita. Lembro do tempo passando em câmera lenta e de um momento de profundo silêncio antes que – bang! – outro carro batesse no nosso, amassando sua lateral. Quando finalmente conseguimos parar, os adultos desceram e começaram a gritar uns com os outros, mas eu apenas fiquei parado lá, olhando para o estrago em nosso carro. Se o outro carro tivesse entrado mais alguns centímetros na nossa pista, teria acertado nosso para-choque dianteiro e nos jogado pelo penhasco. Ameaças existenciais como aquela tendem a permanecer com você. Mais alguns centímetros – e não haveria a Pixar.

É claro que muitas pessoas escapam por um triz de desastres no curso de suas vidas, mas há um ponto importante: quando escrevo isto, todos aqueles casais da Pixar de que me orgulho tanto não têm a menor ideia dos poucos centímetros que poderiam ter impedido que se conhecessem ou seus filhos de serem concebidos.

Tenho ouvido pessoas dizendo que o sucesso da Pixar era inevitável devido ao caráter das pessoas que a formaram. Embora o caráter seja crucial, também estou certo de que houve um grande número de eventos "de poucos centímetros", além do meu próprio, que cruzaram nosso caminho – eventos que não tenho como conhecer, porque ocorreram na vida de outras pessoas que foram críticas para a formação da Pixar. O conjunto completo de resultados possíveis a qualquer momento é tão vasto que não podemos explorá-lo; assim, nossos cérebros precisam simplificá-lo para poderem funcionar. Por exemplo, eu não fico pensando a respeito do que teria acontecido se John não estivesse disponível para juntar-se à produção de *As aventuras de André e Wally B.*, ou se Steve tivesse conseguido, como desejava, vender a Pixar à Microsoft. Mas a verdade é que a história da Pixar teria sido muito diferente se qualquer uma dessas coisas tivesse acontecido. Quando digo que os destinos de qualquer empreendimento, e os das pessoas que nele estão, são interligados e interdependentes, isso pode soar banal, mas não é. Além disso, ver todas as interdependências que moldam nossas vidas é impossível, por mais que tentemos fazê-lo.

Se não reconhecermos quanto está oculto, iremos nos prejudicar no longo prazo. Reconhecer aquilo que você não pode ver – ficar à vontade com o fato de que há um grande número de eventos de poucos centímetros ocorrendo neste momento, fora da sua vista, que irão afetá-lo de mil maneiras – ajuda a promover a flexibilidade. Você poderá dizer que sou a favor da humildade nos líderes. Mas, para serem de fato humildes, esses líderes devem antes compreender quantos dos fatores que moldam sua vida e negócios estão – e sempre estarão – fora de vista.

Quando pensava a respeito deste capítulo e dos limites da nossa percepção, uma frase familiar e muito repetida me vinha à mente: "O retrospecto é 20-20." Quando a ouvimos, normalmente concordamos – sim, claro –, aceitando que podemos olhar para o que aconteceu, ver com total clareza, aprender com o passado e chegar à conclusão correta.

O problema é que essa frase está totalmente errada. O retrospecto nem chega perto de 20-20. Na verdade, nossa visão do passado não é mais clara que nossa visão do futuro. Embora saibamos mais a respeito de um evento passado do que de um futuro, a compreensão dos fatores que o influenciaram é seriamente limitada. Pelo fato de pensarmos que vemos claramente o que aconteceu – porque o retrospecto é 20-20 etc. –, com frequência não estamos abertos para conhecer mais. "Devemos evitar sair de uma experiência somente com a sabedoria que nela está – e parar por aí", dizia Mark Twain, "para não sermos como o gato que se senta numa chapa quente de fogão. Ele nunca mais irá se sentar numa chapa quente – e isso é bom –, mas também nunca mais irá se sentar numa chapa fria." Em outras palavras, o retrospecto do gato distorce sua visão. O passado deve ser nosso professor, não nosso senhor.

Existe uma espécie de simetria entre olhar para a frente e para trás, embora raramente pensemos dessa maneira. Sabemos que no planejamento do nosso próximo movimento estamos selecionando caminhos para o futuro, analisando as melhores informações possíveis e decidindo sobre um caminho para diante. Mas normalmente não estamos conscientes de que, quando olhamos para trás no tempo, nossa tendência à criação de padrões nos leva a ser seletivos a respeito de quais memórias têm significado. E nem sempre fazemos as seleções certas. Construímos nossa história – nosso modelo do passado – o melhor que podemos. Podemos buscar memórias de outras pessoas e examinar nossos históricos limitados para obter um modelo melhor. Mesmo assim, trata-se somente de um modelo – não da realidade.

No capítulo 5, coloquei você numa reunião em que o Banco de Cérebros estava debatendo *The Untitled Pixar Movie That Takes You Inside the Mind*, o ambicioso filme de Pete Docter que viria a ser conhecido como *Do avesso*. Durante a fase intensiva de pesquisa do filme, Pete ficou surpreso em ouvir de um neurocientista que somente cerca de 40% daquilo que pensamos "ver" entram através dos olhos. "O resto é composto por memória ou padrões que reconhecemos de experiências passadas", contou ele.

Animadores são treinados para serem observadores – eles sabem que os espectadores, inconscientemente, registram até mesmo os movimentos mais sutis, e estes, por sua vez, acionam o reconhecimento. Se os animadores querem que um personagem pegue uma coisa à sua esquerda, antecipam isso uma fração de segundo antes fazendo o personagem se mover de forma muito sutil para a direita. Embora a maioria das pessoas não se dê conta, isso é o que o cérebro espera ver – é um aviso que sinaliza o que está por vir. Podemos usá-lo para guiar os olhos do público para onde queremos que ele olhe. Por outro lado, se queremos surpreendê-lo, podemos eliminar o sinal, tornando o movimento imprevisto mais impressionante. Por exemplo, em *Toy Story 2*, quando Jessie fala sobre seus temores, ela torce uma das suas tranças em torno do dedo. Vendo esses pequenos movimentos, você sente o estado da mente dela, talvez sem saber por quê. Mas nessa ação simples o significado é fornecido pelo público – por suas experiências e sua inteligência emocional. Em sua maioria, as pessoas pensam em animação como personagens apenas se movimentando de maneiras engraçadas enquanto falam seus textos, mas os grandes animadores preparam cuidadosamente os movimentos que desencadeiam respostas emocionais, convencendo o público de que os personagens têm sentimentos, emoções, intenções.

Tudo isso se baseia em como funcionamos na realidade e não é o que supomos normalmente. Nosso cérebro tem uma tarefa difícil: o volume real de detalhes visuais diante de nós é vasto e nossos olhos só conseguem registrar uma pequena fração deles no diminuto período de exibição no fundo dos nossos olhos. Basicamente, não percebemos – ou temos de ignorar – a maior parte do que está lá fora. Mas precisamos funcionar e assim o cérebro simultaneamente preenche os detalhes que perdemos. Preenchemos muito mais do que pensamos fazer. Estou realmente falando a respeito de nossos modelos mentais, os quais desempenham um papel importante em nossa percepção do mundo.

Os modelos em nossa cabeça operam a uma velocidade espantosa, nos permitindo funcionar em tempo real, captando o que é bom ou ameaçador em qualquer cenário. Na verdade, esse processo é tão rápido e automático que nem chegamos a perceber que ele está acontecendo. Um fragmento de som ou um breve relance em alguém é suficiente para ativar esses modelos; uma contração facial sutil pode nos fazer ver que algo está perturbando nosso amigo; uma breve oscilação na qualidade da luz nos diz que uma tempestade está chegando. Precisamos apenas de um pequeno fragmento de informação para dar grandes saltos de inferência com base em nossos modelos – como eu digo, preencher os vazios. Somos criaturas criadoras de significado que leem os indícios sutis de outras pessoas, assim como elas leem os nossos.

Uma forma de compreender as implicações de como funcionam nossos modelos mentais é considerar a habilidade manual dos mágicos. Quando um deles faz uma moeda ou carta desaparecer, temos prazer em ser enganados e nossos olhos buscam em torno, tentando descobrir o truque. Só podemos ver uma pequena parte do que está acontecendo quando o mágico movimenta suas mãos, desviando nossa atenção com sua parceira e com movimentos irrelevantes. Para que o truque funcione, duas coisas precisam acontecer: primeira, o mágico precisa desviar nossos olhos do ponto em que a ação oculta está acontecendo; segunda, nosso cérebro precisa completar as informações que estão faltando, combinando o que já sabemos com aquilo que estamos percebendo naquele momento. Este é um bom exemplo da regra dos 40% citada por Pete: não estamos cientes de que a maior parte daquilo que pensamos ver é, na verdade, fornecido por nosso cérebro ao preencher os vazios. A ilusão de que temos um quadro completo é extremamente persuasiva. Porém, não é o mágico que cria a ilusão – somos nós. Acreditamos firmemente que estamos percebendo a realidade em sua totalidade, em vez de uma fração dela. Em outras palavras, estamos cientes dos resultados do processamento do nosso cérebro, mas não do processamento em si.

As pessoas em geral imaginam que a consciência é uma coisa que pode ser alcançada *dentro* do nosso cérebro. Alva Noe, professor de filosofia na Universidade da Califórnia em Berkeley que focaliza teorias da percepção, sugeriu outra maneira de pensar a respeito de consciência – como uma coisa que fazemos, pomos em prática ou realizamos em nosso envolvimento dinâmico com o mundo à nossa volta. Em outras palavras, a consciência acontece dentro de um contexto. "Passamos nossas vidas incorporados, ambientalmente situados, com outras pessoas", escreve ele. "Não somos meramente receptores de influências externas, mas sim criaturas construídas para receber influências que nós mesmos decretamos; estamos dinamicamente ligados ao mundo, não dele separados." Por exemplo, ele descreve o dinheiro como algo que só tem valor e significado como parte de um vasto sistema interligado. Embora nossas interações cotidianas com o dinheiro tendam a focalizar números impressos em pedaços de metal e pedaços retangulares de papel, nosso modelo mental do dinheiro é muito mais complicado. Esse modelo molda nossas visões de estilo de vida, nossas preocupações a respeito da nossa cota justa, nossos sentimentos a respeito de status e nossos julgamentos de outras pessoas e de nós mesmos – e é moldado por todos esses fatores.

Os modelos que temos da nossa tecnologia em ação, com os amigos, nossas famílias e em nossa sociedade são todos ainda mais complicados que nossos modelos visuais. Essas construções – chame-as de modelos pessoais – moldam aquilo que percebemos. Mas cada um deles é único para cada pessoa – ninguém pode ver relações da mesma forma que nós. Se conseguíssemos lembrar disso! A maioria das pessoas anda por aí pensando que nossa visão é a melhor – provavelmente porque é a única que realmente conhecemos. Você pode pensar que os desentendimentos que todos nós temos às vezes com outras pessoas – brigas pelo que foi dito ou seu significado – nos indicam a realidade que está incrivelmente oculta de nós. Mas não. Temos que aprender, vezes e vezes, que as percepções e experiências dos outros são muito diferentes das nossas. Em um ambiente criativo, essas diferenças podem ser ativos. Mas, quando não as reconhecemos e respeitamos, elas podem corroer nosso trabalho criativo, em vez de enriquecê-lo.

Isso parece simples – respeitar os pontos de vista dos outros! –, mas pode ser muito difícil de colocar em prática em toda a sua empresa, porque quando os seres humanos veem coisas que questionam seus modelos mentais tendem não só a resistir a elas, mas também ignorá-las. Isso foi cientificamente provado. O conceito da "propensão para a confirmação" – a tendência das pessoas a preferir informações, verdadeiras ou não, que confirmem suas crenças preexistentes – foi introduzido na década de 1960 por Peter Wason, um psicólogo britânico. Wason realizou uma série famosa de experimentos que exploravam a maneira pela qual as pessoas atribuem menos peso aos dados que contradizem aquilo que elas consideram verdade. (Como se precisássemos de mais provas de que o que está oculto pode nos levar a conclusões erradas.)

Se nossos modelos mentais são meras aproximações da realidade, então as conclusões que tiramos só podem nos conduzir a erros. Por exemplo, poucas palavras murmuradas por uma pessoa íntima nossa podem ter um peso enorme, ao passo que as mesmas palavras ditas por um estranho não terão consequências. Em nosso trabalho, podemos interpretar o fato de não sermos convidados para uma reunião como uma ameaça a nós ou a nossos projetos, mesmo que não exista essa intenção. Mas como com frequência não vemos as falhas em nosso raciocínio – ou em nossas propensões –, é fácil ser iludido mesmo estando convencido de que somos os únicos sãos.

Para lhe mostrar a facilidade com a qual esse tipo de ilusão se apodera do local de trabalho, quero contar a história de um erro que cometemos nos primeiros dias da Pixar. Tínhamos contratado escritores externos para ajudar com um filme, mas não estávamos satisfeitos com o resultado. Assim, contratamos outro escritor, que acabou fazendo um ótimo trabalho, mas cometemos o erro de deixar os nomes dos escritores originais na versão seguinte. Quando o filme foi lançado, tivemos de dar crédito aos escritores originais, que haviam fracassado, devido às regras da indústria em que atuamos. Ser obrigado a dar um crédito indevido deixou um gosto ruim na boca de muitos na Pixar. Respeitamos muito nossa crença em dar crédito quando ele é devido.

Esse episódio levou os diretores da Pixar a decidir que, no futuro, deveriam assinar os primeiros esboços de seus filmes e assim receber crédito como escritores. Essa crença moldou nosso modelo de como deveríamos trabalhar como estúdio, e isso, por sua vez, afetou a maneira pela qual vários diretores definiram o que significava ser um diretor. O problema era que todas as conclusões estavam erradas, baseadas numa única experiência ruim. E isso levou a mais problemas. Por exemplo, passamos a enfrentar internamente uma resistência quase passiva-agressiva à contratação de escritores externos no início do nosso processo, mesmo quando declaramos que os diretores escrevessem o primeiro esboço caso nunca tivessem escrito o enredo de um filme. Em alguns casos, isso significava muito tempo perdido. Não só escrever é um processo demorado, mas os escritores também trazem um modo de pensar estrutural ao processo de desenvolvimento – uma contribuição realmente necessária para a maioria dos diretores. Vários projetos ficaram parados porque os diretores estavam atolados, tentando escrever enredos quando deveriam estar fazendo outras coisas.

Acho que superamos aquela fase, mas levou algum tempo. E tudo porque um modelo mental falho, construído em resposta a um evento único, havia predominado. Quando um modelo de como devemos trabalhar entra em nossa cabeça, é difícil mudá-lo.

Todos passamos por épocas em que outras pessoas veem o mesmo evento que nós, mas se lembram dele de maneira diferente. (Normalmente achamos que *nossa* visão é a correta.) As diferenças surgem devido às maneiras pelas quais nossos modelos mentais separados moldam aquilo que vemos. Vou repetir: *nossos modelos mentais não são a realidade.* São instrumentos, como os modelos usados para se prever o tempo. Mas, como todos nós sabemos, às vezes a previsão diz que vai chover e o sol aparece. O instrumento não é a realidade.

O segredo está em saber a diferença.

Quando estamos fazendo um filme, ele ainda não existe. Não o estamos revelando nem descobrindo; não é como se ele estivesse em algum lugar, à espera de ser descoberto. *Não existe nenhum filme.* Estamos tomando decisões para criá-lo. Em termos básicos, o filme está oculto de nós. (Refiro-me a esse conceito como o "Futuro Não Feito" e dedicarei um capítulo ao papel central por ele desempenhado em criatividade.) Sei que isso pode parecer esmagador. Existe uma razão, mencionada pelos escritores, a respeito do terror da página em branco e pintores tremem quando veem uma tela vazia. É muito difícil criar algo a partir do nada, em especial quando se considera que grande parte daquilo que se quer realizar está oculto, ao menos inicialmente. Mas existe uma esperança. Há coisas que podemos fazer para nos ajudar a ver com maior clareza.

Falei a respeito de minha crença de que o equilíbrio é uma atividade dinâmica que nunca termina. Expus minhas razões para não optar por um ou outro extremo porque parece ser mais seguro ou estável. Agora estou recomendando que você tente um ato semelhante de equilíbrio quando estiver navegando entre o conhecido e o desconhecido. Embora a sedução de segurança e previsibilidade seja forte, atingir o equilíbrio significa engajar-se em atividades cujos resultados e retornos ainda não estão evidentes. As pessoas mais criativas estão dispostas a trabalhar à sombra da incerteza.

Voltemos por um momento à metáfora da porta, que usei anteriormente neste capítulo. De um lado está tudo que vemos e sabemos – o mundo como o entendemos. Do outro lado está tudo que não vemos, nem conhecemos – problemas não resolvidos, emoções não expressas, possibilidades não realizadas tão inumeráveis que imaginá-las é inconcebível. Esse lado não é uma realidade alternativa, mas algo ainda mais fácil de compreender: aquilo que ainda não foi criado.

A meta é colocar um pé em cada lado da porta – naquilo que conhecemos, a cujo respeito estamos confiantes, nossas áreas de especialidade, as pessoas e processos com quem podemos contar – e o outro no desconhecido, onde as coisas são obscuras, não foram vistas ou criadas.

Muitas pessoas temem este lado da porta. Preferimos estabilidade e certeza, e assim mantemos os dois pés fincados naquilo que conhecemos, na crença de que se nos repetirmos ou repetirmos aquilo que funciona, estaremos seguros. Essa parece uma visão racional. Assim como sabemos que o estado de direito conduz a sociedades mais sadias e produtivas, ou que a prática faz a perfeição, ou que os planetas orbitam em torno do Sol, todos nós precisamos de coisas com as quais podemos contar. Mas independentemente da intensidade com que desejamos certeza, devemos entender que, seja devido aos nossos limites ou à aleatoriedade ou a futuras e incognoscíveis confluências de eventos, inevitavelmente alguma coisa virá espontaneamente pela porta. Parte dela será edificante e inspiradora e parte será desastrosa.

Todos nós conhecemos pessoas que enfrentam avidamente o desconhecido; elas se engajam com problemas aparentemente sem solução de ciência, engenharia e da sociedade; aceitam as complexidades da expressão visual ou escrita; são revigoradas pela incerteza. E por isso acreditam que, através do questionamento, podem fazer algo mais do que simplesmente olhar através da porta. Elas podem se aventurar além do seu limiar.

Há outras que se aventuram no desconhecido com sucesso surpreendente, mas pouca compreensão do que fizeram. Acreditando em sua inteligência, elas se desvairam em seu brilho, contando às outras a respeito da importância de se assumir riscos. Mas depois de tropeçarem uma vez na grandeza, não estão ansiosas por outra viagem ao desconhecido. Isso porque o sucesso as torna mais cautelosas do que nunca com respeito ao fracasso; assim recuam, satisfeitas em repetir aquilo que fizeram antes. Elas permanecem no lado do conhecido.

Quando expus os elementos de um ambiente criativo sadio, você pode ter notado que não procurei definir a palavra *criatividade* – e isso foi intencional. Não fiz isso PORQUE NÃO PARECEU ÚTIL. Acredito que todas as pessoas têm potencial para resolver problemas e se expressar de forma criativa. O que está no seu caminho são barreiras ocultas – as concepções e suposições erradas que nos impedem sem que saibamos. Assim, a questão daquilo que está oculto não é apenas uma abstração a ser tratada como um exercício intelectual. O Oculto – e seu reconhecimento por nós – é uma parte absolutamente essencial de eliminar aquilo que impede nosso progresso: agarrar-se ao que funciona, temer mudanças e iludir-se a respeito de nossos papéis em nosso próprio sucesso. Franqueza, segurança, pesquisa, autoavaliação e proteger o novo são mecanismos que podemos usar para confrontar o desconhecido e manter no nível mínimo o caos e o medo. Esses conceitos não tornam nada necessariamente mais fácil, mas podem nos ajudar a revelar problemas ocultos e com isso possibilitar que os solucionemos. E é disso que iremos tratar a seguir.

PARTE III

CONSTRUINDO E SUSTENTANDO

Capítulo 10

AMPLIANDO NOSSA VISÃO

No final dos anos 1970, fiz uma viagem de carro de Nova York a Washington com minha mulher e outro casal. Alugamos uma dessas vans enormes com rodas traseiras duplas que podem continuar rodando mesmo que fure um pneu. Navegar aquela coisa era um desafio, para dizer o mínimo, aumentado pelo fato de Dick, o outro marido, nunca ter dirigido uma van antes. Em vez de seguir pela New Jersey Turnpike, que provavelmente teria sido a opção prudente, tomamos uma estrada alternativa porque não tinha pedágio; estávamos sendo econômicos. O problema era que essa estrada tinha uma rotatória a cada poucos quilômetros, complicando a tarefa de dirigir a van.

Quando nos aproximávamos de uma das rotatórias, Dick bateu no meio-fio e ouvi um pneu traseiro estourar.

"Dick, você estourou um pneu!", disse Anne, a mulher dele.

"Não, não estourei", respondeu ele.

Enquanto continuávamos a viagem, Dick e Anne se engajaram numa longa e acalorada discussão a respeito do pneu e da maneira de ele dirigir. "Você precisa ter mais cuidado", repreendia Anne, enquanto Dick esbravejava ("Eu não furei o pneu!") e se defendia ("Essas vans são difíceis de dirigir!"). Para minha mulher e para mim, era evidente que havia uma história por trás da discussão, mas aquilo – qualquer que fosse sua origem – não os estava levando para mais perto da conclusão óbvia e algo urgente de que precisávamos parar para trocar o pneu furado. Era como se tensões acumuladas a respeito de outros problemas os tivessem cegado para a realidade: estávamos rodando pela estrada com um pneu a menos do que aquele enorme veículo necessitava. Devíamos parar e avaliar os danos.

Depois de vários minutos ouvindo aquela briga, achei necessário intervir e dizer que, de fato, o pneu *havia* estourado. Isso porque, embora

Dick e Anne parecessem pensar que estavam falando a respeito do pneu, claramente não estavam e qualquer um podia ver que nossa segurança não era uma preocupação de nenhum deles. Seus modelos mentais, moldados por anos de interação, alteravam a interpretação de eventos diretos – nós havíamos batido no meio-fio e estourado um pneu – e cegava-os para o perigo que corríamos se não cuidássemos imediatamente do problema.

Essa história – o veículo grande demais, o casal inconsciente, o pneu furado e a discussão inútil que se seguiu – tem um elemento de humor negro, é claro, mas eu contei-a aqui porque ela demonstra quatro ideias que informam como penso a respeito de gerenciar. A primeira, exposta no capítulo 9, é que nossos modelos do mundo distorcem nossa visão e podem tornar difícil ver aquilo que está diante de nós. (Estou usando o termo *modelo* de forma genérica, significando os preconceitos que desenvolvemos ao longo do tempo e usamos para avaliar o que vemos e ouvimos, assim como para raciocinar e prever.) A segunda é que normalmente não vemos o limite entre novas informações que chegam de fora e nossos velhos e arraigados modelos mentais – para nós eles estão juntos, como uma experiência unificada. A terceira é que, quando somos apanhados inadvertidamente em nossa interpretação, tornamo-nos inflexíveis e menos capazes para lidar com os problemas que enfrentamos. E a quarta ideia é que as pessoas que trabalham ou vivem juntas – por exemplo, como Dick e Anne – têm, em virtude da proximidade e do histórico comum, modelos do mundo profundamente (em alguns casos, irremediavelmente) entrelaçados entre si. Se minha mulher e eu tivéssemos viajado somente com Dick ou Anne, ele ou ela quase certamente teria respondido de forma adequada, mas como estavam juntos, seu modelo combinado era mais complexo – e mais restritivo – do que teria sido qualquer dos modelos isolado.

Agora pense nisto: o incidente do pneu envolvia os modelos interligados de apenas duas pessoas. Em negócios, onde dezenas ou mesmo centenas de pessoas podem trabalhar muito próximas, esse efeito se multiplica rapidamente e, quando você se dá conta, esses modelos concorrentes e muitas vezes conflitantes conduzem a uma espécie de inércia que torna difícil mudar ou reagir bem a desafios. O entrelaçamento de muitas visões é uma parte inevitável de qualquer cultura e, a menos que você tenha cautela, os conflitos surgidos podem manter grupos de pessoas presos aos seus pontos de vista restritivos mesmo que, como costuma acontecer, cada membro do grupo esteja aberto a ideias melhores.

À medida que mais pessoas são acrescentadas a qualquer grupo, existe uma tendência inexorável no sentido da inflexibilidade. Embora possamos concordar a princípio que uma organização precisa ser flexível para resolver problemas, viver de acordo com esse princípio pode ser extremamente difícil. A rigidez – a determinação de que a visão de uma pessoa é a correta – inicialmente pode ser difícil de reconhecer. E assim como as pessoas têm propensões e tomam conclusões apressadas devido às lentes através das quais veem o mundo, as organizações percebem o mundo através daquilo que já sabem como fazer.

Esta terceira seção do livro é dedicada a alguns métodos específicos empregados na Pixar para evitar que nossas visões díspares prejudiquem nossa colaboração. Em cada caso, procuramos nos forçar – individualmente e como empresa – a questionar nossos preconceitos. Neste capítulo exponho vários dos mecanismos usados por nós para colocar nossas cabeças coletivas numa atitude diferente:

1. Diárias, ou Resolver os problemas juntos
2. Viagens de pesquisa
3. O poder dos limites
4. Integrar tecnologia e arte
5. Experimentos curtos
6. Aprender a ver
7. Postmortens
8. Continuar a aprender

1. DIÁRIAS, OU RESOLVER OS PROBLEMAS JUNTOS

No outono de 2011, oito meses antes do lançamento de *Valente*, cerca de 12 animadores entraram na sala de projeções e estatelaram-se nos enormes sofás. Passava um pouco das nove da manhã e vários participantes engoliam copos de café tentando parecer vivos. Mas o diretor Mark Andrews não é do tipo que fica parado. Quando ele entrou na sala, já havia passado uma hora no jardim lá fora – ele é um esgrimista dedicado –, exercitando-se com uma espada.

Mark havia entrado para a direção de *Valente* no meio da produção por solicitação de John e minha, e era visto por todos como um líder inspirador. Escocês orgulhoso, onde *Valente* é ambientado, ele convidou sua equipe a fazer como ele, vestir kilts para trabalhar às sextas-feiras (ele sempre diz que homens de saia levantam o moral). Era considerado por muitos nada menos que uma força da natureza. "Mark fala com você como se estivesse tentando silenciar um tornado de classe 5 atrás de si – e conseguindo", foi como um animador o descreveu. "Suspeito que ele consome pílulas de plutônio." Aquela reunião nada fez para desmentir essa suspeita.

"Bom-dia a todos! Acordem!", gritava Mark, iniciando uma sessão de uma hora durante a qual os animadores revelaram trechos das cenas às quais estavam dando vida. Mark ouvia com atenção, fazia observações detalhadas a respeito de como melhorar cada cena e incentivava todos na sala – um supervisor, o produtor do filme, o autor do enredo e os outros animadores – para que fizessem o mesmo. A meta daquela reunião, assim como as metas de todas as reuniões diárias, era ver as tomadas em conjunto como elas realmente estavam.

As reuniões diárias são parte da cultura da Pixar, não só devido àquilo que realizam – feedback construtivo a meio caminho –, mas por causa de como elas fazem isso. Os participantes aprenderam a deixar seus egos na entrada – eles estão prestes a mostrar trabalhos incompletos ao seu diretor e seus colegas. Isso requer empenho em todos os níveis e é função dos diretores promover e criar um lugar seguro para isso. Mark Andrews fez isso na reunião de *Valente* sendo irreprimível: cantando canções dos anos 1980, brincando com os apelidos das pessoas e zombando da sua própria habilidade para desenhar enquanto rabiscava apressadamente as mudanças sugeridas. "Esta é toda a energia que vocês têm para mim hoje?", provocava um colega sonolento. Com outro, cujo trabalho ele considerava impecável, gritava as palavras que todos os animadores querem ouvir: "Grande! Um estouro!" Quer todos os animadores recebessem o mesmo incentivo, ou não, todos podiam contar com isto: quando cada um deles terminava sua apresentação, a sala explodia em aplausos.

Mas não se tratava de uma reunião de estímulo. As críticas oferecidas eram específicas e meticulosas. Cada cena era perseguida de forma implacável e cada animador parecia receber bem o feedback. "Este bastão é grande o suficiente para todos?", perguntou Mark a certa altura, referindo-se a um galho de árvore de aparência frágil que deveria manter aberta uma pesada porta numa cena. Várias pessoas não concordaram e, enquanto Mark rabiscava num tablet à sua frente, um tronco mais forte apareceu na tela da sala. "Assim está melhor?", perguntou ele. Uma a uma, cada cena revisada pelo grupo levantava novas questões. Aquele velho que apenas subia um lance de escadas? Ele deveria parecer mais lento. A expressão facial de um jovem espião? Poderia ser mais diabólica. "Deem ideias!", gritava Mark. "Ponham-nas para fora!"

Apesar dos gritos e da leveza, podia-se sentir na sala uma concentração focada. Aquelas pessoas estavam empenhadas numa espécie de análise detalhada – e de abertura a críticas construtivas – que iriam determinar se uma animação meramente boa iria tornar-se ótima. Mark concentrou-se em dez quadros em que a rainha Elinor, a personagem mãe que foi transformada em ursa, caminha sobre pedras ao atravessar um riacho. "Ela parece mais uma gata do que uma ursa pesada", disse ele. "Gosto da velocidade, mas não estou sentindo o *peso*. Ela está caminhando como um ninja." Todos concordaram e – anotada a observação – foram em frente.

As reuniões diárias são aulas sobre como ver e pensar de forma mais expansiva e seu impacto pode ser sentido em todo o edifício. "Algumas pessoas mostram suas cenas para receber as críticas de outras, outras vêm para observar e ver que espécies de notas estão sendo dadas – para aprender com seus pares e comigo –, meu estilo, do que gosto e do que não gosto", contou-me Mark. "As reuniões diárias mantêm todos no máximo da forma. É um lugar intimidador, porque a meta é criar a melhor animação possível. Passamos vezes e vezes um pente-fino em cada quadro. Às vezes ocorrem debates generalizados porque, na verdade, não tenho todas as respostas. Chegamos a elas em conjunto."

Dou esse relance sobre as sessões diárias porque divulgar e analisar o trabalho que uma equipe está fazendo toda manhã é, por definição, um esforço em grupo – mas que não vem naturalmente. As pessoas se juntam a nós com um conjunto de expectativas a respeito do que pensam ser importante. Elas querem agradar, impressionar e mostrar seu valor. Na verdade, não querem se embaraçar mostrando trabalhos incompletos ou ideias mal-concebidas, nem querem dizer coisas estúpidas diante do diretor. O primeiro passo é ensinar-lhes que todos na Pixar mostram trabalhos incompletos e todos estão livres para fazer sugestões. Quando elas percebem isso, o embaraço desaparece – e com isso tornam-se mais criativas. Tornando as lutas para solucionar problemas seguras para se discutir, todas aprendem e inspiram umas às outras. A atividade inteira torna-se socialmente compensadora e produtiva. A participação plena todas as manhãs requer empatia, clareza, generosidade e a capacidade para ouvir. As reuniões diárias são concebidas para promover a capacidade de todos de estar abertos aos outros, no reconhecimento de que a criatividade individual é ampliada pelas pessoas à sua volta. O resultado: vemos com mais clareza.

2. VIAGENS DE PESQUISA

Certa vez, eu estava numa sala de reuniões na Disney na qual dois diretores apresentavam a mais recente versão do filme que estavam desenvolvendo. As paredes da sala estavam cobertas com grandes quadros de cortiça, os quais estavam cheios de ilustrações daquilo que acontece em cada ato, bem como desenhos de personagens e colagens de obras de arte. Para dar uma sensação do sabor geral do filme, os diretores haviam pendurado dezenas de imagens de filmes bem conhecidos que, para eles, eram visual e contextualmente semelhantes: fotos panorâmicas que esperavam imitar, cenários considerados inspiradores, estudos de personagens que mostravam roupas semelhantes àquelas que planejavam usar. Embora esperassem transmitir o senso do seu filme apresentando exemplos de outros filmes, cada quadro era baseado nessas referências icônicas, com o resultado – não pretendido – de tudo que foi apresentado parecer terrivelmente derivativo. De certa forma, aquilo fazia sentido – todos os diretores entram nesse negócio porque adoram filmes; é inevitável que referências a outros filmes apareçam com frequência em conversas a respeito de produção de filmes. (Na Pixar, brincamos que é permitida somente uma menção a *Guerra nas Estrelas* por reunião.) Referências a filmes, bons e maus, fazem parte do vocabulário de se falar a respeito da produção de filmes. Contudo, se você se basear demais nas referências a filmes anteriores, seu filme estará condenado a ser um derivativo.

Brad Bird observou um fenômeno semelhante quando estava estudando no California Institute of Arts. Ele se lembra de um grupo de alunos que simplesmente imitava a animação dos mestres, uma abordagem que ele apelidou de "Frankensteinice". "Eles queriam uma personagem que caminhasse como a Medusa do animador Milt Kahl em *The Rescuers*", diz ele. "E queriam que ela acenasse as mãos como a Fauna, de Frank Thomas, fazia em *A Bela Adormecida*. E assim por diante..."

Quando produtores de filmes, desenhistas industriais, desenhistas de software ou pessoas em qualquer outra profissão criativa meramente cortam e remontam aquilo que veio antes, existe uma ilusão de criatividade, mas é trabalho manual sem arte. Habilidade é o que se espera que tenhamos; arte é o uso inesperado da nossa habilidade.

Apesar de copiar o que veio antes ser um caminho garantido para a mediocridade, isso *parece* uma escolha segura, e o desejo de estar seguro – ter sucesso com risco mínimo – pode contaminar não só indivíduos, mas também empresas inteiras. Se sentirmos que nossas estruturas estão rígidas, inflexíveis ou burocráticas, devemos arrombá-las – sem nos destruir no processo. A questão de como fazer isso deve ser analisada continuamente – não existe uma resposta única – porque condições e pessoas mudam constantemente.

Sempre que produtores de filmes apresentam um derivativo a John, quase sempre ele manda que parem e olhem para aquilo que pensam que já sabem. "Vocês precisam pesquisar", diz ele.

Não é possível exagerar o quanto John acredita no poder da pesquisa. Por exemplo, por recomendação dele, quando a Pixar estava preparando um filme a respeito de um rato parisiense que aspira ser um chef gourmet, vários membros da equipe de *Ratatouille* foram à França e passaram duas semanas jantando em restaurantes premiados, visitando suas cozinhas e entrevistando seus chefs. (Também se arrastaram pelos esgotos de Paris, lar de muitos ratos.) Quando foi decidido que a casa-balão de Carl Fredrickson iria partir para as montanhas da América do Sul em *Up – Altas aventuras*, John enviou um grupo de artistas para ver de perto os tepuis [mesetas, acidente geográfico] da Venezuela; além disso, um avestruz foi levado à sede da Pixar para inspirar os animadores que estavam modelando o personagem do pássaro gigante. E quando, na filmagem de *Procurando Nemo*, surgiu a necessidade de ele escapar do consultório de um dentista pulando numa pia, foi organizada uma ida ao sistema de tratamento de esgotos de San Francisco. (E assim os produtores do filme ficaram sabendo que é possível para um peixe ir de uma pia até o mar sem ser morto.) Muitos membros da equipe de *Nemo* também conquistaram certificados de mergulhador.

Essas experiências são mais que viagens ao campo ou diversões. Como ocorrem no início do processo de produção do filme, elas alimentam seu desenvolvimento. Tome *Universidade Monstros* como exemplo. Em dezembro de 2009, mais de três anos antes da estreia do filme nos cinemas, uma dúzia de pessoas da Pixar – diretor, produtor e escritores, além de vários membros dos departamentos de arte e história – voaram para a Costa Leste para visitar o MIT, Harvard e Princeton. "O campus da *Universidade Monstros* deveria ser famoso por ser assustador; assim, queríamos visitar universidades antigas e prestigiosas", recorda Nick Berry, gerente do departamento de arte do filme, que ajudou a organizar aquela excursão, bem como visitas a Berkeley e Stanford. Visitamos dormitórios, salas de aulas, laboratórios de pesquisa e sedes de fraternidades, comemos pizza em locais frequentados pelos estudantes, tiramos muitas fotos e fizemos muitas anotações "documentando tudo em detalhes como as trilhas se integravam nos dormitórios", diz Nick, "e a aparência dos graffiti gravados nas carteiras de madeira". O filme acabado estava cheio desses tipos de detalhes – inclusive a aparência das jaquetas dos alunos – todos os quais deram ao público um sentimento de realidade.

No fim das contas, queremos autenticidade. O que apavora os produtores dos filmes quando John os envia para essas viagens é que eles ainda não sabem o que estão procurando. Mas pense nisto: você nunca irá tropeçar no inesperado se ficar somente com o que é familiar. Em minha experiência, quando as pessoas saem em viagens de pesquisa, sempre voltam mudadas.

Em qualquer negócio, é importante você fazer sua lição de casa, mas o que quero mostrar vai além da simples obtenção dos fatos. As viagens de pesquisa questionam suas noções preconcebidas e mantêm os clichês sob controle. Elas alimentam a inspiração. Para mim, são o que nos faz criar, em vez de copiar.

Aqui está um fato curioso a respeito da pesquisa. A autenticidade por ela promovida no filme sempre é comunicada, mesmo que os espectadores nada saibam a respeito da realidade descrita pelo filme. Por exemplo, muito poucos deles estiveram de fato dentro da cozinha de um restaurante francês de luxo; assim, você pode pensar que a especificidade obsessiva das cenas de cozinha em *Ratatouille* – os tamancos dos chefs batendo nos ladrilhos brancos e pretos, a posição dos seus braços quando cortam verduras ou como organizam seus espaços de trabalho – passaria despercebida ao público. Mas descobrimos que, quando somos precisos, o público sabe e sente que está certo.

Será que essa espécie de microdetalhe é importante? Acredito que sim. Existe algo a respeito de conhecer seu assunto e seu cenário por dentro e por fora – uma confiança – que penetra em todos os quadros do seu filme. É um motor oculto, um contrato não falado com o espectador que diz: Estamos nos esforçando para contar-lhe alguma coisa de impacto e verdadeira. Quando estamos tentando cumprir essa promessa, nenhum detalhe é pequeno demais.

3. O PODER DOS LIMITES

Há um fenômeno que os produtores da Pixar chamam de "o centavo lindamente oculto". Ele se refere ao fato de os artistas que trabalham em nossos filmes cuidarem tanto de cada detalhe que às vezes passam dias ou semanas criando aquilo que Katherine Serafian, produtora da Pixar, chama de "equivalente de uma moeda de um centavo sobre o criado-mudo que ninguém vê". Katherine, que foi gerente de produção de *Monstros S.A.*, lembra-se de uma cena que ilustra perfeitamente a ideia da moeda oculta. Ela ocorre quando Boo, desconcertada, chega pela primeira vez ao apartamento de Mike e Sulley e começa a explorá-lo, como fazem todas as crianças. Quando os monstros tentam contê-la, ela se dirige para duas altas pilhas de CDs com mais de noventa ao todo. "Não toque neles!", grita Mike quando ela agarra uma caixa de CD da parte de baixo, derrubando as pilhas. "Oh, estes estavam em ordem alfabética", queixa-se Mike quando ela se afasta. O momento termina em três segundos e, durante ele, somente algumas caixas de CDs estão visíveis. Mas para cada um daqueles CDs os artistas da Pixar criaram não apenas uma caixa, mas também um programa que calcula como a aparência de um objeto muda à medida que ele se move.

"Você consegue ver todas as caixas de CDs?", pergunta Serafian. "Não. Foi divertido fazer seu design? Sim. Talvez tenha sido uma brincadeira interna, mas havia um membro da equipe que acreditava que cada uma delas fosse ser vista de perto; assim, elas foram feitas com amor."

Não quero pensar a respeito de quantas pessoas-semanas aquilo consumiu.

Alguma coisa em nosso processo claramente havia se rompido – o desejo por qualidade havia ido muito além da racionalidade. Mas, devido à maneira pela qual a produção aconteceu, nosso pessoal tinha de trabalhar nas cenas sem conhecer seu conteúdo – assim, eles exageravam em nome da segurança. Para piorar as coisas, nossos padrões de excelência são extremamente altos, levando-os a concluir que mais é sempre mais. Como então resolver o problema do "centavo lindamente oculto" sem dizer às pessoas que se preocupem menos ou que sejam menos excelentes? Eu sabia que nenhuma das pessoas que trabalhavam em *Monstros S.A.* achava que os detalhes eram tão importantes a ponto de elas gastarem tempo para atingi-los. E é claro que elas sabiam que havia limites – só que não conseguiam vê-los. Aquela era uma falha por parte da gerência; na verdade, temos lutado de forma consistente com a maneira de fixar limites úteis e também como torná-los visíveis.

Muitos dos nossos limites são impostos não por nossos processos internos, mas por realidades externas – recursos finitos, prazos finais, oscilações na economia ou no clima dos negócios. Não podemos controlar esses fatores. Mas os limites que impomos internamente, se bem aplicados, podem ser um instrumento para forçar as pessoas a corrigir a maneira pela qual estão trabalhando e, em alguns casos, inventar outra maneira. O próprio conceito de limite significa que você não pode fazer tudo que quer – assim, devemos pensar em maneiras de trabalhar mais inteligentes. Sejamos honestos: muitas pessoas não fazem esse tipo de ajuste até serem obrigadas. Os limites nos forçam a repensar nossa maneira de trabalhar e nos forçam a novos níveis de criatividade.

Outra área em que os limites têm grande valor é aquela que chamamos de "controle de apetite". No caso da Pixar, quando estamos fazendo um filme a demanda por recursos é literalmente sem fim. A menos que você imponha limites, as pessoas sempre irão justificar o gasto de mais tempo e dinheiro dizendo: "Estamos apenas tentando fazer um filme melhor." Isso acontece não porque as pessoas são insaciáveis ou esbanjadoras, mas porque se preocupam com sua parte do filme e não têm necessariamente uma visão clara de como ela se encaixa no todo. Elas acreditam que investir mais é o único caminho para o sucesso.

Em qualquer empreendimento criativo há uma longa lista de características e efeitos que você quer incluir para empurrá-lo no sentido da grandeza – uma lista *muito* longa. Mas a certa altura você percebe que é impossível fazer tudo que está na lista. Assim, você define um prazo final, que então força uma reordenação da lista com base em prioridades, seguida pela difícil discussão do que, na lista, é absolutamente necessário – ou se o projeto é viável. Você não quer ter essa discussão cedo demais, porque no início não sabe o que está fazendo. Porém, se esperar demais, ficará sem tempo ou sem recursos.

Para complicar o assunto, muitas vezes nem os líderes do filme nem os membros da equipe sabem o real custo dos itens da lista. Por exemplo, o diretor pode ter somente uma vaga ideia de quanto dinheiro extra uma mudança na história irá exigir. Analogamente, um artista ou diretor técnico pode pensar que aquilo em que está trabalhando é essencial e mergulhar nele de cabeça, sem ter ideia do valor real do filme. Na história da van e do pneu furado, Dick teve dificuldades para separar a realidade dos eventos daquilo que ele *desejava* que fosse verdade. Num processo complexo como a produção de um filme, essa dificuldade de separar aquilo que você quer daquilo que pode realizar é exponencialmente maior. O mais importante é contar com instrumentos que nos permitem ver com maior clareza.

Brad Bird gosta de contar uma história exatamente a respeito dessa questão. Durante a produção de *Os Incríveis*, ele distraiu-se com o que chama de "miragens" – cenas ou ideias pelas quais se apaixonou, mas que essencialmente não serviam para o filme. Por exemplo, durante muito tempo ele esteve obcecado com a visão de um peixe num aquário que apareceria no fundo de uma cena. Ele queria que o peixe se movesse e tremeluzisse de uma forma que evocasse chamas de uma lareira – ele estava de fato fixado em realizar a visão que tinha em sua cabeça. Mas os animadores do filme estavam realmente se esforçando para que a cena ficasse boa e, depois de cinco meses – e milhares de horas de trabalho –, Brad de repente se deu conta de que ela não iria melhorar o filme. Uma miragem o havia desviado do caminho.

Felizmente Brad tinha um produtor, John Walker, que criou um sistema (em colaboração com Laura Reynolds, uma gerente de departamento) que ajudaria a equipe a ver o que era possível com os recursos disponíveis. O sistema de John consistia em palitos de sorvete fixados a uma parede com Velcro. Cada palito representava uma pessoa-semana, que, como foi dito, equivale ao volume de trabalho que um animador pode realizar em uma semana. Um determinado número de palitos seria colocado ao lado de um determinado personagem para facilitar a referência. Uma olhada na parede diria: se você usar todos esses palitos na Mulher-Elástica, terá menos para gastar com Zezé. E assim por diante. "Brad chegava a mim e dizia: 'Isso precisa ser feito hoje'", recorda John. "E eu podia apontar para a parede e dizer: 'Bem, então você precisa de outro palito. De onde irá tirá-lo? Porque só temos estes.'" Considero esse um grande exemplo do impacto criativo positivo de limites.

Porém, alguns esforços para impor limites podem ser contraproducentes. Quando John e eu chegamos à Disney Animation em 2006, encontramos um conflito interessante. A produção de animação é complexa e custosa; assim, a gerência anterior achou que a melhor maneira de manter todos operando dentro dos limites acertados era formar um "grupo de supervisão" que seria, em essência, os olhos e ouvidos da gerência. Sua única instrução era assegurar que o orçamento e as metas de programação fossem cumpridos. O grupo analisava todos os relatórios de produção sobre todos os filmes para certificar-se de que as coisas estavam indo conforme o esperado e comunicava aquilo que encontrava à liderança do estúdio. Em consequência disso, os responsáveis pelo estúdio tinham certeza de que estavam fazendo o possível para evitar erros custosos.

Porém, do ponto de vista de quem trabalhava na produção de qualquer filme, o grupo de supervisão era um obstáculo, não uma ajuda. Eles sentiam que não dispunham mais da flexibilidade de que necessitavam para reagir rapidamente a problemas, porque o grupo de supervisão verificava cada decisão – até mesmo a menor – minuciosamente. Eles se sentiam impotentes. Nesse caso, a maneira pela qual os limites eram impostos impedia o progresso. Além disso, ela criava problemas políticos: o grupo de supervisão estava cada vez mais em guerra com o grupo de produção. Em consequência disso, o moral despencou.

Para John e para mim, a solução era clara: simplesmente eliminamos o grupo de supervisão. Acreditávamos que o pessoal da produção era composto por gerentes conscienciosos, que estavam tentando realizar um projeto complexo dentro do prazo e do orçamento. Para nós, o grupo de supervisão nada acrescentava ao processo, exceto tensão. A microgestão por ele imposta não tinha valor, uma vez que o pessoal da produção já contava com um conjunto de limites que determinava cada um dos seus movimentos – o orçamento geral e o prazo final. Dentro desses limites, eles precisavam de toda flexibilidade que pudessem ter. Tão logo efetuamos a mudança, a guerra terminou e a produção começou a ser muito mais tranquila.

A solução que implantamos pode ter sido óbvia, mas havia algo que não era: ela nunca poderia ter vindo do pessoal do grupo de supervisão, pois isso teria exigido que reconhecessem e admitissem que sua existência era desnecessária. Eles não estavam em posição de questionar o preconceito sobre o qual seu grupo se baseava. Além disso, a solução nunca poderia ter sido sugerida pelo grupo que substituímos, porque seus membros acreditavam estar executando uma função importante por criar mais transparência e impor disciplina ao processo. Mas aí estava a ironia: criar aquela camada para fazer cumprir os limites só tornou-os menos claros, reduzindo sua eficácia.

O grupo de supervisão havia sido colocado sem que se fizesse uma pergunta fundamental: como capacitar nosso pessoal para resolver problemas? Em vez disso, a pergunta foi: como evitar que nosso pessoal cometa tolices? Essa abordagem nunca encoraja uma resposta criativa. Minha regra prática é que, sempre que impomos limites ou procedimentos, devemos perguntar como eles irão ajudar as pessoas a reagir de forma criativa. Caso a resposta seja que não irão, então as propostas não são adequadas à tarefa em questão.

4. INTEGRAR TECNOLOGIA E ARTE

Um dos mais queridos instrutores da CalArts nos anos 1980 era o lendário animador Bob McCrea, que passou a lecionar depois de quarenta anos na Disney, onde trabalhou com o próprio Walt. McCrea era tão querido quanto intratável – Andrew Stanton viria mais tarde a imortalizá-lo no personagem do Capitão B. McCrea em *WALL-E* – e ele ajudou a moldar as sensibilidades criativas de muitas que viriam a definir a Pixar. Andrew se lembra de que ele e seus colegas da CalArts viam-se como "puristas em animação", determinados a emular mestres como Bob desde os primeiros dias de Disney. Portanto, tinham conflitos a respeito de usar determinadas tecnologias novas – videotape VHS, por exemplo – que não existiam no apogeu do estúdio. Andrew lembra-se de dizer a Bob McCrea que se os Nove Velhos de Walt não usavam videotape, talvez ele não devesse usar.

"Não seja idiota", disse Bob. "Se tivéssemos essas ferramentas na época, nós as teríamos usado."

Como observei no capítulo 2, Walt Disney era implacável em sua determinação para incorporar tecnologias de ponta e compreender todas elas. Ele trouxe som a cores para a animação. Desenvolveu *matting* para a produção de filmes, a câmera multiplanos, a sala de xerox para células de animação. Uma das vantagens que tivemos desde o início na Pixar era que tecnologia, arte e negócios estavam integrados na liderança, com cada um dos líderes da empresa – John, Steve e eu – dando bastante atenção às áreas em que não éramos considerados especialistas. Desde então havíamos trabalhado assiduamente para manter um equilíbrio entre as três pernas do negócio. Nosso modelo de negócios, nossa maneira de fazer filmes e nossa tecnologia mudavam continuamente, mas pela integração deixamos que elas se guiassem umas às outras. Em outras palavras, o ímpeto para inovação vinha de dentro, e não de fora.

Como John costuma dizer: "A arte desafia a tecnologia e esta inspira a arte." Não é um slogan, mas sim nossa filosofia de integração. Quando tudo está funcionando como deve, arte e tecnologia incentivam uma à outra. Como as duas atitudes podem ser muito diferentes, pode ser difícil mantê-las alinhadas e engajadas. Mas, pela minha visão, o esforço sempre vale a pena. Nossas qualificações e nossos modelos mentais são questionados quando nos integramos com pessoas diferentes. Se pudermos mudar constantemente e melhorar nossos modelos usando a tecnologia na busca da arte, nos manteremos atualizados. Toda a história da Pixar é um atestado dessa interação dinâmica.

Tenho alguns exemplos que demonstram esse ponto. Quando estava fazendo *Os Incríveis*, Brad Bird estava frustrado pela imprecisão – e portanto pela ineficiência – dos feedbacks verbais aos animadores. Por exemplo, se ele estivesse falando a respeito de como conseguir uma cena melhor, não faria sentido colocar suas ideias no papel? Não seria mais eficiente? Brad perguntou se havia uma maneira de ele desenhar sobre uma imagem projetada – uma cena no processo de ser animada – para comunicar aos animadores as mudanças que ele queria com maior eficiência. Nosso departamento de software pôs-se a trabalhar. O resultado foi a ferramenta de Revisão de Esboços, que dá aos diretores um lápis digital para desenhar diretamente sobre uma imagem, salvar os esboços e torná-los acessíveis on-line para quem deles necessitar. Nos anos subsequentes, essa invenção tornou-se uma ferramenta essencial, usada por todos os nossos diretores.

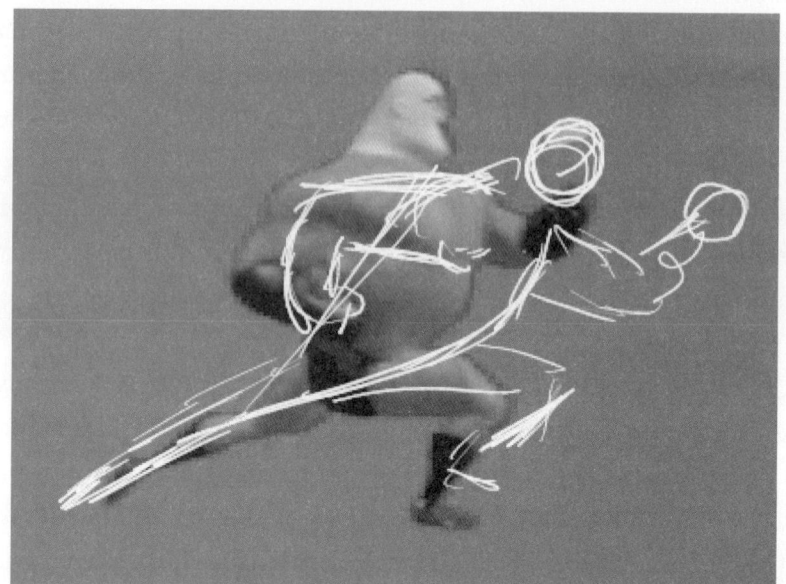

Outra inovação importante ocorreu depois que Pete Docter, frustrado, foi à minha sala um dia em 2002. Sua real necessidade, disse ele, era juntar rascunhos de uma cena, medir precisamente sua duração e apresentá-la numa reunião do Banco de Cérebros, possibilitando que transmitisse o mesmo entusiasmo e a mesma paixão que ele transmitira em sua apresentação ao vivo inicial e se aproximasse mais do resultado final desejado: um filme. Recorri a Michael Johnson, um dos nossos líderes de software, para ver se ele poderia fazer alguma coisa por Pete. Duas semanas depois, Michael voltou com um protótipo que viria a ser conhecido como "Pitch Docter", em homenagem a Pete.

Mencionei anteriormente o problema que o Pitch Docter procurava resolver – o fato de quando um diretor apresenta um filme, ele está basicamente executando uma peça de arte performática. Uma apresentação é dinâmica. O diretor pode olhar o público nos olhos, ver como os vários elementos estão atuando e ajustá-los ao mesmo tempo. Porém, esse desempenho não é o filme e, quando a história é posta em carretéis e forçada a se manter sozinha, com frequência não o faz. Em outras palavras, a apresentação convencional é um bom teatro, mas não começa a simular um filme. O Pitch Docter faz isso.

O Pitch Docter permite que os artistas busquem críticas mais cedo, o que sempre é melhor. Ele permite às pessoas que dão feedback avaliar o material simulando sua apresentação em filme. No início não sabíamos se os artistas iriam aceitar esse modo de trabalhar – eles tinham passado suas carreiras trabalhando com papel e, se fossem adotar essa tecnologia, precisavam descobri-la e adotá-la por conta própria. Mas logo eles viram suas vantagens. Como storyboards são modificados com frequência, tê-las no computador simplificava o processo; a apresentação de novas versões à equipe era fácil como apertar um botão. E, à medida que mais artistas adotaram a ferramenta, suas solicitações para mais funções, ela foi ficando melhor. Os desenvolvedores de software e os artistas trabalharam em conjunto para aperfeiçoar as ferramentas e o modelo de trabalho dos artistas mudou com a evolução do software para satisfazer suas necessidades.

Esse processo foi motivado por solicitações de artistas e também sugestões de programadores – um intercâmbio causado pela integração entre tecnologia e arte. A equipe de Michael, conhecida como o Moving Pictures Group, tornou-se um exemplo da atitude que valorizamos – que não teme mudanças. Aplicamos esse conceito em todo o estúdio, o pessoal de software entra e sai da produção. Essa forma de agir é reativa; ela é ágil – e nos torna melhores.

5. EXPERIMENTOS CURTOS

Na maior parte das empresas, você precisa justificar tanto daquilo que faz – preparar-se para declarações trimestrais de rendimentos se a empresa é de capital aberto ou, se não é, para obter apoio para suas decisões. Porém, não acredito que você não deve ser solicitado a justificar tudo. Sempre devemos deixar a porta aberta para o inesperado. A pesquisa científica opera dessa maneira – quando você embarca num experimento, não sabe se irá conseguir um grande avanço. As probabilidades são de não conseguir. Não obstante, você pode tropeçar numa peça do quebra-cabeça no caminho – um vislumbre do desconhecido.

Nossos curtas-metragens são a maneira da Pixar de experimentar e nós os produzimos esperando conseguir exatamente esses tipos de vislumbre. Ao longo dos anos, a Pixar tornou-se conhecida por incluir curtas-metragens no início dos seus filmes de longa-metragem. Esses filmes, com duração entre três e seis minutos, que custam cada um cerca de 2 milhões de dólares, certamente não rendem lucros para a empresa; portanto, são difíceis de justificar no curto prazo. O que os sustenta é uma espécie de sensação de que sua produção é uma coisa boa a fazer.

Essa tradição de filmes curtos começou no início dos anos 1980, quando John Lasseter juntou-se a nós na Lucasfilm para trabalhar em *As aventuras de André e Wally B.* Nossa primeira onda de curtas-metragens – inclusive *Luxo Jr.*, *Sonho de Red* e o ganhador do Oscar *Tin Toy* – era uma forma de divulgar inovações tecnológicas para nossos colegas da comunidade científica. Então, em 1989, paramos de produzi-los. Nos sete anos seguintes, nos concentramos em anúncios que geravam receitas em nossos primeiros filmes de longa-metragem. Mas em 1996, depois do lançamento de *Toy Story*, John e eu decidimos que era importante revigorar nosso programa de curtas-metragens. Nossa esperança era de que a produção de curtas poderia encorajar a experimentação e, mais importante, tornar-se um campo de provas para novos cineastas que viriam a se tornar diretores. Justificamos a despesa como Pesquisa e Desenvolvimento. Esperávamos que, se inovações técnicas pudessem ser desenvolvidas em nossos curtas, isso iria fazer com que o programa valesse o investimento. No fim, os retornos seriam muitos – mas não necessariamente aqueles esperados.

O jogo de Geri, exibido antes de *Vida de inseto*, em 1998, foi o primeiro da segunda geração de curtas-metragens. Ele apresentava um idoso sentado num parque no outono jogando uma partida de xadrez consigo mesmo. Durante o filme de cinco minutos – que foi escrito e dirigido por Jan Pinkava e ganharia um Oscar –, nenhuma palavra é dita além de um "Ah" ocasional que o velho murmura quando elimina uma peça do jogo. O humor está localizado na maneira pela qual a personalidade do octogenário muda quando ele muda de um para outro lado do tabuleiro. Quando seu personagem manso derrota seu alter ego sádico, não é possível deixar de rir.

Mas isso é que era importante: além de ser um filme divertido, *O jogo de Geri* ajudou a nos desenvolvermos tecnicamente. Nossa única diretiva a Jan antes de ele fazer o filme foi que incluísse um personagem humano. Por quê? Porque precisávamos produzir não só as superfícies suavemente irregulares de rostos e mãos, mas também as roupas usadas pelas pessoas. Naquela época, lembre-se, devido à nossa incapacidade para produzir cabelos e pele e determinadas superfícies curvas que nos satisfizessem, os seres humanos haviam sido somente personagens secundários em nossos filmes. Isso precisava mudar e *O jogo de Geri* era uma oportunidade para começar a fazê-lo.

Embora tivéssemos usado P&D inicialmente para justificar o programa, logo percebemos que nossos filmes de longa-metragem – e não os curtas – eram os principais motivadores de inovações tecnológicas. De fato, nos anos posteriores a *O jogo de Geri*, com exceção de *O guarda-chuva azul*, de 2013, nenhum curta havia nos proporcionado inovações tecnológicas. E embora no início pensássemos que a direção de um curta seria uma boa preparação para dirigir um longa – uma forma para desenvolver talento –, começamos a achar que também estávamos errados. Dirigir um curta é uma ótima educação, e parte do que você aprende será útil quando dirigir um longa-metragem. Mas as diferenças entre dirigir um filme de cinco minutos e um de 85 são muitas. Fazer um curta é meramente um passo de bebê no caminho para um longa, e não o passo intermediário que esperávamos.

Contudo, apesar de todas as nossas suposições erradas, os filmes de curta-metragem realizaram outras coisas para a Pixar. Por exemplo, as pessoas que neles trabalham obtêm uma gama mais ampla de experiências do que em um longa-metragem, onde a escala e a complexidade do projeto exigem maior especialização da equipe. Como os curtas são feitos por menos pessoas, cada uma precisa fazer mais coisas, desenvolvendo uma variedade de qualificações que poderão ser úteis no futuro. Além disso, o trabalho em pequenos grupos cria relacionamentos mais profundos e, no longo prazo, beneficia os futuros projetos da empresa.

Nossos curtas também criam um valor mais profundo em duas áreas importantes. Externamente, nos ajudam a forjar um elo com o público, que passou a vê-los como uma espécie de bônus – algo acrescentado exclusivamente para sua diversão. Internamente, como todos sabem que os curtas não têm valor comercial, o fato de continuarmos a fazê-los transmite uma mensagem de que na Pixar damos importância ao talento artístico; isso reforça e afirma nossos valores e cria um sentimento de boa vontade do qual sempre tiramos partido, conscientemente ou não.

Finalmente, aprendemos que os filmes de curta-metragem são uma forma relativamente barata para cometer erros. (E como acredito que erros são não apenas inevitáveis, mas também valiosos, eles devem ser bem-vindos.) Por exemplo, há muitos anos conhecemos um autor de livros infantis que queria dirigir um filme para nós. Gostamos do seu trabalho e da sua sensibilidade, mas achamos que seria prudente testá-lo antes com um curta para determinar não só se ele levava jeito para fazer filmes, mas também se conseguia trabalhar bem com outras pessoas. O primeiro problema foi que o filme feito por ele tinha dez minutos – mais "média" do que "curta"-metragem. Mas a duração é flexível; o verdadeiro problema era que, apesar de ser extremamente criativo, ele era incapaz de fixar uma linha para a história. O filme se desviava, carecia de foco e assim não causava nenhum efeito emocional. Aquela não seria a primeira vez em que achamos uma pessoa capaz de inventar elementos altamente criativos, mas incapaz de resolver os problemas da história – o desafio criativo central e mais importante. E assim desistimos do filme.

Algumas pessoas poderiam perder o sono com os 2 milhões de dólares que gastamos naquele experimento. Mas nós consideramos aquilo dinheiro bem gasto. Como disse Joe Ranft na ocasião: "É melhor ter desastres de trem com miniatura do que com os de verdade."

6. APRENDER A VER

No ano do lançamento de *Toy Story*, introduzimos um programa de dez semanas para ensinar cada novo funcionário a usar nosso software exclusivo. Chamamos o programa de Universidade Pixar e contratei um excelente treinador técnico para dirigi-lo. Naquele ponto, o nome *universidade* era um pouco equivocado, uma vez que se tratava mais de um seminário de treinamento do que qualquer coisa semelhante a uma instituição de ensino superior. É fácil justificar um programa de treinamento, mas eu tinha outra agenda e, na tentativa de cumpri-la, teríamos bônus surpreendentes.

Embora algumas pessoas na Pixar já soubessem desenhar – e muito bem – em sua maioria, nossos funcionários não eram artistas. Mas havia um princípio importante subjacente ao processo de aprender a desenhar e queríamos que todos o compreendessem. Assim, contratei Elyse Klaidman, que havia dirigido seminários de desenho inspirados pelo livro *Desenhando com o lado direito do cérebro* (Ediouro, 2000), escrito em 1979 por Betty Edwards, para nos ensinar a aumentar nossos poderes de observação. Naquele tempo, ouvia-se muito falar a respeito dos conceitos de pensamento dos hemisférios esquerdo e direito, posteriormente chamado de modo E e modo D. O modo E era verbal/analítico e o modo D era visual/perceptivo. Elyse nos ensinou que, enquanto muitas atividades usavam os dois modos, o desenho exigia o desligamento do modo E. Isso significava aprender a suprimir essa parte do seu cérebro que salta para as conclusões e ver uma imagem somente como uma imagem, e não como um objeto.

Pense a respeito do que acontece quando tentamos desenhar um rosto. A maioria desenha o nariz, os olhos, a testa, as orelhas e a boca, mas – a menos que a pessoa tenha aprendido formalmente a desenhar – eles ficam muito fora de proporção e não se parecem com ninguém em particular. Isso porque, para o cérebro, todas as partes do rosto não são criadas iguais. Por exemplo, uma vez que os olhos e a boca – os lugares de comunicação – são mais importantes para nós que a testa, é dada maior ênfase ao seu reconhecimento e, quando os desenhamos, tendemos a fazê-los grandes demais, ao passo que a testa é feita demasiado pequena. Não desenhamos um rosto como ele é: em vez disso, nós o desenhamos como nossos modelos *dizem* que ele é.

Os modelos de objetos tridimensionais que carregamos na cabeça precisam ser genéricos; devem representar todas as variações dos objetos dados. Por exemplo, nosso modelo mental de um sapato deve abranger tudo, desde um salto agulha até uma bota reforçada; ele não pode ser específico a ponto de excluir esses extremos. A capacidade de generalizar do nosso cérebro é essencial, mas algumas pessoas conseguem passar do genérico para o específico para ver com mais clareza. Para ficar com nosso exemplo de desenhar, algumas pessoas desenham *melhor* que outras. O que elas fazem que a maioria das pessoas não faz? E se a resposta é que elas deixam de lado seus preconceitos, podemos todos aprender a fazer isso?

Na maior parte dos casos, a resposta é sim.

Os professores de arte usam alguns truques para treinar novos artistas. Por exemplo, colocam um objeto de ponta-cabeça para que cada aluno possa olhá-lo como uma forma pura, e não como uma coisa reconhecível (digamos um sapato). O cérebro não distorce esse objeto de ponta-cabeça porque não impõe automaticamente sobre ele seu modelo de sapato. Outro truque é pedir que os alunos focalizem aspectos negativos – as áreas ao redor de um objeto que não são ele. Por exemplo, ao desenhar uma cadeira, a nova artista pode desenhá-la mal, porque sabe como uma cadeira deve parecer (e essa cadeira na sua mente – seu modelo mental –

a impede de reproduzir precisamente o que ela vê à sua frente). Porém, caso ela seja solicitada a desenhar aquilo que *não* é a cadeira – por exemplo, os espaços em torno da perna da cadeira –, então fica mais fácil acertar as proporções e a cadeira ficará mais realista. A razão é que embora o cérebro reconheça uma cadeira como tal, ele não atribui nenhum significado à forma dos espaços entre as pernas (e assim não tenta "corrigi-la" para torná-la mais parecida com o modelo mental do artista).

Essa lição pretende ajudar os alunos a ver as formas como elas são – a ignorar a parte do cérebro que quer transformar aquilo que é visto numa noção genérica: um modelo da cadeira. Então, um artista treinado que vê uma cadeira é capaz de captar aquilo que os olhos veem (forma, cor) antes que a função "reconhecedora" lhe diga o que aquilo *deve* ser.

O mesmo vale para as cores. Quando olhamos para um volume de água, nosso cérebro pensa – e portanto *vê* – azul. Se formos solicitados a pintar o quadro de um lago, escolheremos a cor azul e ficaremos surpresos pelo fato de ela não parecer certa na tela. Mas se olharmos para pontos diferentes do mesmo lago através de um furo de alfinete (e com isso separando-o da ideia geral de "lago"), veremos o que realmente está lá: verde, amarelo, preto e lampejos de branco. Não permitiremos a interferência do cérebro e, com isso, veremos sua verdadeira cor.

Quero acrescentar uma observação importante: o fato de os artistas terem aprendido a usar essas formas de ver não significa que não vejam também aquilo que vemos. Eles veem. Apenas veem mais, porque aprenderam como neutralizar a tendência de suas mentes de saltar para conclusões. Eles adicionaram alguns talentos de observação aos seus instrumentos. (Por isso é tão frustrante o fato de as verbas para programas de arte nas escolas terem sido reduzidas. E esses cortes provêm da concepção errônea de que as aulas de arte servem para aprender a desenhar. Na verdade, elas ensinam a ver.)

Quer ou não você venha a ter um caderno de desenhos ou sonhe tornar-se um animador, espero que entenda que é possível, com prática, ensinar seu cérebro a observar algo claramente, sem permitir a interferência dos seus preconceitos. É um fato da vida, apesar de confuso, que o ato de focalizar um objeto pode torná-lo mais difícil de ver. A meta é aprender a suspender temporariamente os hábitos e impulsos que obscurecem sua visão.

Não introduzi esse tópico para convencê-lo de que qualquer um pode aprender a desenhar. A verdadeira questão é que você pode aprender a deixar preconceitos de lado. Não é que você não tenha propensões, mas há maneiras de aprender a ignorá-las ao considerar um problema. Desenhar a "não cadeira" pode ser um tipo de metáfora para aumentar a capacidade de percepção. Assim como olhar para aquilo que *não é* a cadeira ajuda a destacá-la, afastando o foco de um determinado problema (e, em vez disso, olhar para o ambiente que o cerca), pode conduzir a soluções melhores. Quando fazemos observações sobre filmes da Pixar e isolamos uma cena que não está funcionando, hoje sabemos que sua alteração normalmente requer mudanças em outros lugares do filme e que é para esse ponto que deve ir nossa atenção. Nossos produtores de filmes tornaram-se qualificados em não serem apanhados dentro de um problema, mas sim em busca de soluções em outro ponto da história. Na Disney, da mesma forma, o conflito entre a produção e o grupo de supervisão poderia ter sido resolvido insistindo que todos se comportassem melhor quando, de fato, a verdadeira solução veio de se questionar a premissa sobre a qual foi formado o grupo de supervisão. Era a estrutura – os preconceitos que precediam o problema – que precisava ser enfrentada.

7. POSTMORTEMS

As fases pelas quais passamos para fazer um filme – concepção, proteção, planejamento de desenvolvimento e produção – ocorrem ao longo de um período de anos. Quando finalmente chega a data do lançamento, todos estão prontos para passar para algo novo. Mas ainda não terminamos. Na Pixar, há outra fase essencial para o processo: a postmortem. Postmortem é uma reunião realizada pouco depois da conclusão de um filme na qual exploramos o que funcionou e não funcionou e as lições aprendidas para correções. As empresas, como as pessoas, não se tornam excepcionais acreditando nisso, mas entendendo os aspectos em que *não são* excepcionais. As postmortems são um caminho para esse entendimento.

Nossa primeira postmortem foi realizada em Tiburon, Califórnia, em 1998, algumas semanas depois de terminarmos *Vida de inseto*. Na ocasião já havíamos feito dois filmes e estávamos perfeitamente conscientes do quanto ainda tínhamos que aprender. Para evitar que alguém se prolongasse demais (tínhamos um limite de 15 minutos), alguém trouxe um timer de cozinha em forma de galo. E lá estávamos nós, falando sobre alguns dos desenhos animados de mais alta tecnologia já feitos, e gerenciando o processo com um velho utensílio de cozinha.

Aquela postmortem, que levou um dia inteiro, explorou todos os aspectos da produção. Nenhum processo foi virado pelo avesso. Em vez disso, lembro-me mais do espírito da reunião. Todos estavam muito empenhados em repensar a maneira de fazermos as coisas, abertos ao questionamento de ideias antigas e ao aprendizado com os erros do passado. Ninguém estava na defensiva. Todos estavam orgulhosos, não só do filme, mas de como estávamos comprometidos com a cultura da qual o filme havia brotado. Posteriormente, decidimos fazer aquele tipo de análise profunda depois de cada filme.

Porém, as postmortems subsequentes não produziram o mesmo nível de discernimento. Algumas se mostraram profundas e outras foram uma completa perda de tempo. Algumas vezes as pessoas apareciam, mas não falavam sem rodeios. Compreendi que aquilo fazia parte da natureza humana – por que provocar um urso que dorme quando você pode facilmente mudar de lado? Na verdade, para a maioria das pessoas as postmortems são como ter de engolir um remédio com gosto ruim. Elas sabem que é necessário, mas não gostam. Esse era outro enigma para nós: o que tornava algumas postmortems tão ruins, ao passo que outras tinham um resultado tão bom?

Diante do fato de que a princípio todos concordamos que as postmortems são boas para nós, sempre me choca o fato de tantas pessoas não gostarem delas. Em sua maioria, elas acham que aprenderam o que podiam durante a execução do projeto e assim querem mudar logo. Os problemas surgidos com frequência são pessoais; assim, a maioria quer evitar revisitá-los. Quem quer um fórum para ser reanalisado? Em geral, as pessoas preferem falar a respeito do que deu certo do que daquilo que deu errado, usando a ocasião para cumprimentar os membros mais merecedores da equipe. O jogo é evitar o desprazer.

Mas não se trata apenas de postmortems: em geral, as pessoas resistem a autoavaliações. As empresas também. Para elas, olhar para dentro muitas vezes se resume a isto: "Somos bem-sucedidos, portanto o que estamos fazendo deve estar correto." Ou o contrário: "Falhamos; portanto, o que fizemos estava errado." Isso é superficial. Não se deixe convencer a perder essa oportunidade. Para mim, existem cinco razões para se fazer postmortems. As duas primeiras são relativamente óbvias, as outras três nem tanto.

Consolidar o que foi aprendido
Embora seja verdade que se aprende mais no centro de um projeto, as lições geralmente não são coerentes. Qualquer pessoa pode ter uma boa percepção, mas pode não ter tempo para transmiti-la. Um processo pode ser falho, mas você pode não ter tempo para corrigi-lo dentro da atual programação. Analisar tudo depois é uma maneira para consolidar o que você aprendeu – antes que se esqueça. As postmortems são uma rara oportunidade para fazer uma análise que simplesmente não era possível no calor do projeto.

Ensinar a quem não estava lá
Mesmo que todos os envolvidos numa produção compreendam o que ela lhes ensinou, a postmortem é uma ótima maneira de transmitir as lições positivas e negativas a outras pessoas que não participaram do projeto. Grande parte do que fazemos não é óbvia – o resultado é uma experiência duramente conquistada. Parte daquilo que fazemos realmente não tem sentido. A postmortem provê um fórum para que outros aprendam ou questionem a lógica por trás de determinadas decisões.

Não permitir que se desenvolvam ressentimentos
Muitas coisas que dão errado são causadas por mal-entendidos ou erros crassos. Eles levam a ressentimentos que, caso não sejam resolvidos, podem durar anos. Mas, se as pessoas contarem com um fórum no qual possam expressar suas frustrações a respeito dos erros de forma respeitosa, então estarão mais preparadas para deixá-los de lado e seguir em frente. Tenho visto muitos casos em que sentimentos feridos perduraram muito depois do projeto, sentimentos estes que teriam sido solucionados com muito mais facilidade caso tivessem sido expressos numa postmortem.

Use a programação para forçar a reflexão
Sou a favor de princípios que levem a pensar. As postmortems – mas também outras atividades, como as reuniões do Banco de Cérebros e as reuniões diárias – destinam-se a fazer com que as pessoas pensem e avaliem. O tempo gasto com a preparação para uma reunião de postmortem é tão valioso quanto a própria reunião. Em outras palavras, a programação de uma postmortem força a autorreflexão. Se uma postmortem é uma chance para lutar abertamente com nossos problemas, a "pré-postmortem" prepara o cenário para o sucesso da luta. Eu chegaria a dizer que 90% do valor derivam da preparação que leva à postmortem.

A corrente do bem
Numa postmortem, você pode levantar perguntas que devem ser feitas sobre o próximo projeto. Uma boa postmortem equipa as pessoas com as perguntas certas para poder seguir em frente. Não se deve esperar encontrar as respostas certas, mas se conseguirmos fazer com que as pessoas formulem as perguntas certas, estaremos à frente dos problemas.

Apesar de considerar obrigatórias as razões para a realização de postmortems, a maioria das pessoas ainda resiste a elas. Quero assim sugerir algumas técnicas que podem ajudar os gerentes a tirar o máximo proveito dessas razões. Em primeiro lugar, varie a maneira pela qual conduz as postmortems. Por definição, elas devem tratar das lições aprendidas; assim, se você repetir o mesmo formato, tenderá a descobrir as mesmas lições,

A escultura do logo da Pixar diante do edifício principal da empresa em Emeryville, Califórnia.
Copyright © 2008, Pixar. Foto: Deborah Coleman

Entrada da sede da Pixar no segundo trimestre de 2012, mostrando uma pintura do filme *Valente*. *Copyright © 2012, Pixar. Foto: Deborah Coleman*

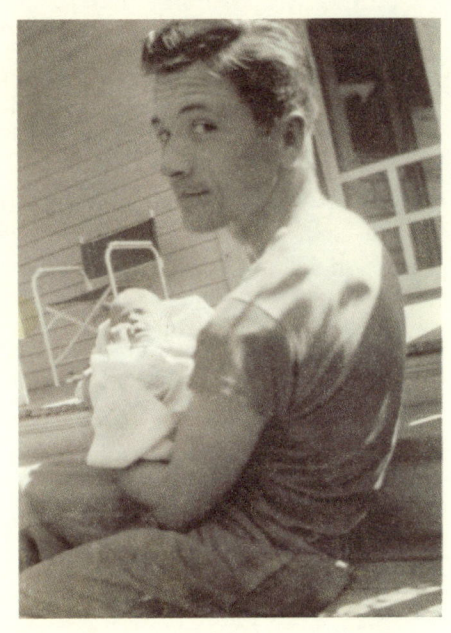

Ed Catmull com Jean, sua mãe, e, quando bebê, com Earl, seu pai.
Coleção Ed Catmull

Ed trabalhando nos escritórios originais da Lucasfilm,
por volta de 1979. *Coleção Ed Catmull*

Membros do Lucasfilm Computer Graphics Group. Da esquerda para a direita: Loren Carpenter, Bill Reeves, Ed Catmull, Rob Cook, John Lasseter, Eben Ostby, David Salesin, Craig Good e Sam Leffler.
Copyright © 1985, Pixar

Esboço de John Lasseter para o personagem Wally B., do curta-metragem *As aventuras de André e Wally B. Copyright © 1984, Pixar*

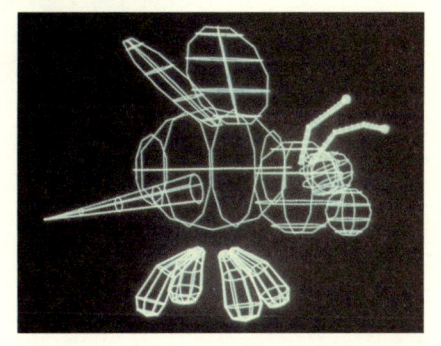

A "estrutura de arame", arquitetura subjacente do modelo de computador do personagem Wally B. *Copyright © Pixar*

Para falar regularmente com os executivos da Disney, Joe Ranft, Pete Docter, John Lasseter e Andrew Stanton registraram muitas milhas de voo pela Southwest Airlines entre Oakland e Burbank durante a produção de *Toy Story*, por volta de 1994. *Copyright © Pixar*

Grupo de produtores no Presto Theatre dentro do campus da Pixar, em 2011. Na primeira fileira: Jonas Rivera, Jim Morris, Darla K. Anderson. Na segunda fileira: Lindsey Collins, Denise Ream, Galyn Susman. Na terceira fileira: Kevin Reher, Katherine Sarafian, John Walker, Tom Porter.
Copyright © 2011, Pixar. Foto: Deborah Coleman

Membros do departamento de desenvolvimento da Pixar e do Banco de Cérebros – inclusive Andrew Stanton, Lee Unkrich e Pete Docter – reunidos para a primeira leitura do roteiro de *Toy Story 3*.
Copyright © 2006, Pixar. Foto: Deborah Coleman

Da esquerda para a direita: Darla K. Anderson, Jason Katz, Dan Scanlon, John Lasseter, Lee Unkrich e Susan Levin durante uma revisão do roteiro de *Toy Story 3*.
Copyright © 2007, Pixar. Foto: Deborah Coleman

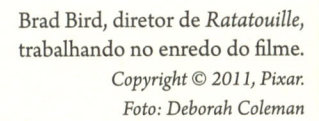

Brad Bird, diretor de *Ratatouille*, trabalhando no enredo do filme.
Copyright © 2011, Pixar.
Foto: Deborah Coleman

A partir da esquerda: John Lasseter, vice-presidente executivo da Creative, Steve Jobs, CEO da Pixar, Bob Iger, CEO da Disney, e Ed Catmull, presidente da Pixar, no átrio da empresa, anunciando a intenção da Disney de comprar a Pixar, em 24 de janeiro de 2006.
Copyright © 2006, Pixar. Foto: Deborah Coleman

John Lasseter e Bob Iger rebatizam o edifício principal da Pixar de Edifício Steve Jobs em 5 de novembro de 2012, pouco mais de um ano depois da morte de Jobs. *Foto: Andrew Tupman*

As produtoras Kori Rae, Denise Ream, Katherine Sarafian e Darla K. Anderson no Edifício Brooklyn, da Pixar Animation Studios, 2013. *Foto: Ed Catmull*

Bob Peterson, codiretor de *Up – Altas Aventuras*, Ricky Nierva, designer de produção, e o diretor Pete Docter observam avestruzes para ajudá-los a animar Kevin, a ave gigante do filme. *Copyright © 2007, Pixar. Foto: Deborah Coleman*

Mais pesquisas: o chef Thomas Keller, classificado com três estrelas pelo Guia Michelin, mostra a Brad Lewis, produtor de *Ratatouille*, a arte de se fazer ratatouille na cozinha do seu restaurante, The French Laundry. *Copyright © 2007, Pixar. Foto: Deborah Coleman*

Membros da equipe do Pixar Animation Studio recebem uma aula de tiro
com arco e flecha para o filme *Valente*, no Golden Gate Park de San Francisco.
Copyright © 2006, Pixar. Foto: Deborah Coleman

Steve Jobs, John Lasseter e Ed conversam depois da cerimônia de graduação
da Universidade Pixar em setembro de 1997. *Copyright © 1997, Pixar*

John Lasseter revela seu modo de pensar a respeito do valor de um feedback honesto na abertura do Dia de Observações no átrio da Pixar. *Copyright © 2013, Pixar. Foto: Deborah Coleman*

Arco-íris que surgiu sobre a sede da Pixar pouco depois do anúncio da morte de Steve Jobs em 5 de outubro de 2011. *Foto: Angelique Reisch, tirada com um iPhone*

o que não ajuda muito. Mesmo que você crie um formato que funciona bem em um caso, as pessoas saberão o que esperar na próxima vez e irão brincar com o processo. Identifiquei aquela que pode ser chamada de "lei da subversão de abordagens sucessivas"; quero dizer que quando você acerta numa coisa que funciona, não espere que ela funcione de novo, porque os participantes saberão como manipulá-la na segunda vez. Assim, procure estreitar o foco da sua postmortem sobre tópicos especiais. Na Pixar, temos grupos que dão cursos sobre suas abordagens. Formamos ocasionalmente forças-tarefas para tratar de problemas que abrangem vários filmes. Nossa primeira força-tarefa alterou de forma dramática nosso modo de pensar a respeito de programação. A segunda foi um grande fiasco. A terceira levou a uma profunda mudança na Pixar, a qual abordarei no capítulo final.

Também permaneça ciente de que, por mais que você recomende o contrário, seu pessoal terá medo de fazer críticas abertas. Uma técnica que uso para suavizar o processo é pedir a todos na sala que façam duas listas: as cinco coisas que fariam novamente e as cinco que *não* fariam. As pessoas acham mais fácil ser sinceras se equilibrarem os negativos com os positivos, e um bom facilitador pode tornar mais fácil a consecução desse equilíbrio.

Finalmente, faça uso de dados. Pelo fato de sermos uma organização criativa, as pessoas tendem a assumir que grande parte do que fazemos não pode ser medida nem analisada. Isso é errado. Muitos de nossos processos envolvem atividades e resultados que podem ser quantificados. Acompanhamos a velocidade com a qual as coisas acontecem, com que frequência uma coisa deve ser retrabalhada, quanto tempo realmente demorou *versus* quanto estimávamos que iria demorar, se um trabalho foi completamente terminado ou não, quando foi enviado para outro departamento e assim por diante. Gosto de dados porque eles são neutros – não há julgamentos de valor, somente fatos. Isso permite que as pessoas discutam os problemas levantados pelos dados de forma menos emocional do que se usassem dados casuais.

Lindsay Collins, uma das nossas produtoras na Pixar, diz que os dados só podem ser tranquilizadores. "Foi um grande alívio para mim quando comecei aqui, poder olhar dados históricos e ver os padrões", diz ela. "Comecei a decompor aquele que parecia um processo nebuloso e coloquei sobre ele uma estrutura frouxa."

Porém, depois de introduzir os dados, quero ser claro a respeito da sua força e dos seus limites. A força está na análise daquilo que sabemos a respeito do processo de produção – por exemplo, dispomos de dados sobre o tempo gasto na construção de modelos e locais de filmagem, animando-os e iluminando-os. É claro que esses dados dão somente um breve relance daquilo que aconteceu enquanto os modelos e locais estavam sendo construídos e iluminados. Mas nos dá algo com que trabalhar para revelar padrões em potencial, os quais podem ser usados para alimentar discussões que nos ajudam a melhorar.

Porém os dados têm seus limites e algumas pessoas confiam demais neles. Analisá-los corretamente é difícil e é perigoso assumir que você sempre sabe o que significam. É muito fácil achar falsos padrões em dados. Em vez disso, prefiro pensar neles como uma maneira de ver, uma de muitas ferramentas que podemos usar para buscar o que está oculto. Se pensarmos que dados sozinhos oferecem respostas, estaremos aplicando mal a ferramenta. É importante entender bem isso. Algumas pessoas vão aos extremos de não ter interesse pelos dados ou de acreditar que somente os fatos medidos devem guiar nossa gerência. Extremos levam a conclusões falsas.

"Não se pode gerenciar aquilo que não se pode medir" é uma máxima ensinada e respeitada por muitos nos setores empresariais e educacionais. Mas na verdade a frase é ridícula – dita por pessoas que não sabiam o quanto estava oculto. Uma grande parcela daquilo que gerenciamos não pode ser medida e ignorar esse fato pode ter consequências inesperadas. O problema surge quando as pessoas pensam que os dados pintam um quadro completo, levando-as a ignorar aquilo que não podem ver. Meça o que puder, avalie o que mede e lembre-se de que não pode medir a maior parte daquilo que faz. E, vez por outra, recue um pouco e pense a respeito do que você está fazendo.

8. CONTINUAR A APRENDER

Quero terminar esta lista falando um pouco mais a respeito da fundação da Universidade Pixar e das aulas de desenho para expandir a mente de Elyse Klaidman. As primeiras aulas foram um sucesso tão grande – das 120 pessoas que então trabalhavam na empresa, 100 se matricularam – que gradualmente passamos a expandir o currículo da universidade. Escultura, pintura, representação, meditação, dança do ventre, filmagem, programação de computadores, desenho e teoria das cores, balé – ao longo dos anos, temos oferecido aulas de tudo isso. Isso significava não só gastar tempo para encontrar os melhores professores, mas também o custo real de liberar as pessoas durante o horário de trabalho para terem as aulas.

E o que exatamente a Pixar estava recebendo em troca de tudo isso?

O material das aulas não melhorava diretamente o desempenho dos nossos funcionários no trabalho. Em vez disso, havia coisas, como um aprendiz de técnico de iluminação sentado ao lado de um animador experiente, que, por sua vez, estava ao lado de alguém que trabalhava no jurídico, na contabilidade ou na segurança, que mostraram ter um grande valor. No ambiente da sala de aulas, as pessoas interagiam de uma forma diferente daquela do local de trabalho. Sentiam-se livres para ser idiotas, descontraídas, abertas, vulneráveis. A hierarquia de nada valia e, em consequência disso, a comunicação floresceu. Dando simplesmente uma desculpa para que todos trabalhassem duro lado a lado, humilhados pelo desafio de desenhar um autorretrato, programar um computador ou esculpir em argila, a Universidade Pixar mudou a cultura para melhor. Ela ensinou a todos na empresa, não importando seu cargo, a respeitar o trabalho dos colegas. E transformou todos em novos principiantes. A criatividade envolve passos em falso e imperfeições. Eu queria que nosso pessoal se sentisse à vontade com essa ideia – que tanto a organização quanto seus membros deveriam estar dispostos, de vez em quando, a operar no limite.

Posso entender que os líderes de muitas empresas podem se perguntar se essas aulas serão de fato úteis e valerão o que custam. E admito que essa interação social que descrevi foi um benefício inesperado. Mas o objetivo da Universidade Pixar nunca foi de transformar programadores em artistas ou artistas em dançarinas do ventre, mas de enviar um sinal a respeito de como é importante para todos nós continuarmos a aprender coisas novas. Essa também é uma parte vital de se permanecer flexível: manter nossos cérebros ágeis forçando-nos a tentar coisas que não tentamos antes. É isso que a Universidade Pixar permite que nosso pessoal faça, e acredito que isso nos torna mais fortes.

Iniciamos a vida como crianças, abertos às ideias alheias porque precisamos estar abertos para aprender. Afinal, a maior parte daquilo que as crianças encontram são coisas que elas nunca viram antes. Uma criança não tem opção, a não ser aceitar o novo. Mas, se essa abertura é tão maravilhosa, por que a perdemos quando crescemos? Onde deixamos de ser uma criança de olhos grandes e abertos e nos tornamos um adulto que tem medo de surpresas, tem todas as respostas e quer controlar todos os resultados?

Isso me faz lembrar de uma noite, há muitos anos, quando me vi numa exposição de arte na escola fundamental de minha filha em Marin. Enquanto caminhava pelos corredores, olhando as pinturas e esboços feitos por crianças de várias idades, notei que os desenhos dos alunos dos dois primeiros anos pareciam melhores e mais puros que aqueles de alunos do quinto ano. Em algum ponto, os alunos do quinto ano haviam se tornado autocríticos e vacilantes. Como consequência, seus desenhos passaram a ser mais artificiais, sérios e menos inventivos, porque eles provavelmente pensavam que os outros iriam reconhecer aquela "falha". O temor do julgamento estava prejudicando a criatividade.

Se o medo nos prejudica até mesmo na escola fundamental, não é de admirar que seja necessária tanta disciplina – algumas pessoas chegam a chamar isso de especialidade – para neutralizar aquele crítico interior na vida adulta e retornar a um lugar de abertura. Em zen coreano, acredita-se que é bom ir além daquilo que é conhecido como "mente de não saber". Ter uma "mente que não sabe" é uma meta de pessoas criativas. Significa que a pessoa está aberta para o novo, exatamente como as crianças. Analogamente, no zen japonês a ideia de não ser constrangido por aquilo que já se sabe é chamada de "mente de principiante". E as pessoas praticam durante anos para readquiri-la.

Quando uma nova empresa é formada, seus fundadores precisam ter uma mentalidade de criadores de empresas – uma mente de principiante, aberta a tudo, porque o que eles têm a perder? (Com frequência, isso é algo de que eles irão sentir saudades.) Mas quando a empresa começa a ter sucesso, muitas vezes seus líderes deixam de lado a mentalidade de criadores, porque pensam que descobriram o que fazer. Eles não querem mais ser principiantes. Pode ser que seja parte da natureza humana, mas acho que é uma parte à qual devemos resistir. Recusando a mente de principiante, você torna-se mais propenso a se repetir do que a criar algo de novo. Em outras palavras, a tentativa de evitar o fracasso o torna mais provável.

Prestar atenção ao momento presente sem permitir que seus pensamentos e ideias a respeito do passado e do futuro atrapalhem é essencial. Por quê? Porque isso abre espaço para as visões dos outros e permite que comecemos a confiar neles – e, mais importante, a *ouvi-los*. Faz com que queiramos experimentar e torna seguro tentar alguma coisa que poderá fracassar. Nos encoraja a trabalhar com nossa consciência, tentando estabelecer nosso próprio sistema de feedback em que prestar atenção melhora nossa capacidade de prestar atenção. Tudo isso requer que entendamos que, para avançar de forma criativa, precisamos abrir mão de algo. Como disse o compositor Philip Glass: "A questão não é como achar sua voz, mas livrar-se dela."

Capítulo 11

O FUTURO DESFEITO

Muitas pessoas têm uma ideia romântica a respeito de como acontece a criatividade. Um visionário solitário concebe um filme ou produto num momento de percepção. Então ele lidera uma equipe de pessoas através das dificuldades para finalmente cumprir aquela grande promessa. Na verdade, não é essa a minha experiência. Conheço muitas pessoas que considero gênios criativos, e não apenas na Pixar e na Disney, mas não consigo me lembrar de nenhum que possa articular exatamente qual era a visão pela qual estava lutando quando começou.

Em minha experiência, as pessoas criativas descobrem e realizam suas visões com o passar do tempo e através de um esforço dedicado e prolongado. Vista assim, a criatividade se assemelha mais a uma maratona do que a uma corrida curta. É preciso adquirir ritmo. Pedem-me com frequência para prever como será o futuro da animação por computador, e faço o possível para dar uma resposta ponderada. Mas o fato é que assim como nossos diretores carecem de um quadro claro de como irão ficar seus filmes ainda em embrião, eu não consigo antever como será nosso futuro técnico *porque ele ainda não existe*. À medida que avançamos, embora imaginemos qual poderá ser ele, precisamos nos basear em nossos princípios, nossas intenções e nossas metas – e não em sermos capazes de ver aquilo que virá antes que ele aconteça. Alan Kay, meu velho amigo da Universidade de Utah – cientista principal da Apple e o homem que me apresentou a Steve Jobs –, expressou-se bem quando disse: "A melhor maneira de prever o futuro é inventá-lo."

Essa frase soa como um slogan que você veria em um adesivo de para-choque, mas ela contém profundidades ocultas. Afinal, a invenção é um processo ativo que resulta de decisões que tomamos; para mudar o mundo, precisamos trazer à existência coisas novas. Mas como criar o futuro ainda não feito? Acredito que tudo que podemos fazer é promover as condições ótimas nas quais ele – qualquer que "ele" seja – possa emergir e florescer. É aqui que entra a verdadeira confiança. Não a confiança de que sabemos exatamente o que fazer todas as vezes, mas a confiança de que, juntos, iremos calculá-lo.

Essa incerteza pode fazer com que nos sintamos desconfortáveis. Os seres humanos gostam de saber para onde vão, mas a criatividade exige que percorramos caminhos que levam a sabe-se lá onde. Isso requer que cheguemos à fronteira entre o conhecido e o desconhecido. Embora todos nós tenhamos potencial para ser criativos, algumas pessoas hesitam, ao passo que outras seguem em frente. Que ferramentas elas usam para levá-las na direção do novo? Aquelas dotadas de talento superior e capacidade para organizar as energias de outras aprenderam com a experiência que existe um ponto ideal entre o conhecido e o desconhecido onde acontece a originalidade; o segredo está em ser capaz de demorar-se lá sem entrar em pânico. E, de acordo com as pessoas que fazem filmes na Pixar e na Disney Animation, isso significa desenvolver um modelo mental que o sustente. Essa visualização pode parecer idiota, mas acredito que é crucial. Algumas vezes – especialmente no início de um projeto intimidante – nossos modelos mentais são tudo que temos.

Por exemplo, John Walker, um dos nossos produtores, permanece calmo, imaginando que seu trabalho, que é penoso, é uma pirâmide gigantesca de cabeça para baixo na palma da sua mão. "Estou sempre olhando para cima, tentando equilibrá-la", diz ele. "Há pessoas demais neste lado ou naquele? Em meu trabalho, faço basicamente duas coisas: gerenciamento de artistas e controle de custos. Ambas dependem de centenas de interações que estão ocorrendo acima de mim, lá no largo sopé da pirâmide. E eu tenho que ficar bem com o fato de não entender nada do que está acontecendo na metade do tempo – e que essa é a mágica. O truque é sempre manter a pirâmide em equilíbrio."

Nesta seção do livro, até agora explorei alguns mecanismos que usamos na Pixar para construir e proteger nossa cultura criativa. Falei a respeito de técnicas e tradições específicas que alargam nossos pontos de vista – de viagens de pesquisa, da Universidade Pixar ao Banco de Cérebros. Falei de forma algo abstrata a respeito da importância de permanecer aberto, não ocasionalmente, mas o tempo todo, como uma rota para a autoconsciência. Agora quero dar alguns exemplos concretos dos modelos mentais que para mim são essências para fortificar e sustentar qualquer pessoa envolvida na dura tarefa de inventar algo novo. Vamos, então, examinar várias abordagens que meus colegas e eu usamos para manter nossas dúvidas sob controle quando avançamos no sentido da originalidade – daquele futuro ainda não feito.

Quando Brad Bird estava dirigindo *Os Incríveis*, tinha um sonho recorrente de ansiedade. No sonho, ele estava dirigindo por um trecho de estrada precário e cheio de curvas numa velha perua sem mais ninguém no carro. Aparentemente, cabia a ele dirigir o veículo. "Mas eu estava no banco de trás!", diz ele. "Por alguma razão, eu ainda tinha um volante, mas minha visibilidade era terrível devido ao lugar em que estava sentado. Tudo que eu podia fazer era dizer a mim mesmo: 'Não bata!'" Para ele, a lição é: "Algumas vezes, como diretor, você está guiando. E outras vezes está deixando o carro dirigir."

Sempre que ouço Brad descrever seu sonho, fico impressionado com seus temas familiares – cegueira, medo do desconhecido, desamparo, falta de controle. Esses temores chegavam quando ele estava dormindo, mas quando estava acordado ele procurava controlá-los rejeitando a analogia do motorista no banco de trás em favor de um modelo mental diferente: esquiar.

Brad contou-me que pensa sobre dirigir da mesma maneira pela qual pensa em esquiar. Em qualquer das duas atividades, diz ele, caso se contrair ou pensar demais, ele bate. Há momentos, como diretor, em que há tanto trabalho a fazer e tão pouco tempo que não consegue deixar de sentir medo. Mas ele também sabe que, se ficar tempo demais com esse medo, irá perder o bom senso. "Assim, digo a mim mesmo que tenho tempo, mesmo que não tenha. Eu penso: 'Muito bem, seguirei em frente como se tivesse tempo – vou me sentar e meditar, em vez de olhar para o relógio –, porque se fizer isso terei maior probabilidade de resolver o problema.'"

Esse é o ponto em que dirigir é muito parecido com esquiar. "Gosto de ir depressa", diz Brad, antes de contar uma história a respeito que fez a Vail quando, "no decorrer de uma semana, quebrei quatro vezes as lentes dos meus óculos. Tive que ir *quatro vezes* à ótica e dizer 'preciso de novos óculos', porque eu os quebrei quando bati em alguma coisa. A certa altura, dei-me conta de que estava batendo porque estava tentando *não* bater. Assim, relaxei e disse a mim mesmo: 'Será assustador fazer as curvas bem rápido, mas irei fazê-lo e me divertir.' Quando adotei essa atitude positiva, parei de cair. De algum modo, isso é como um atleta olímpico que passou anos treinando para um momento em que não pode cometer nenhum erro. Se ele começar a pensar demais a respeito disso, ficará incapaz de fazer aquilo que já sabe fazer."

Atletas e músicos falam com frequência a respeito de estar "na zona" – aquele lugar místico onde seu crítico interior é silenciado e eles habitam completamente o momento, onde o pensamento é claro e os movimentos são precisos. Muitas vezes os modelos mentais ajudam a chegar lá. Assim como George Lucas gostava de imaginar sua empresa como um trem indo para o oeste – seus passageiros cheios de projetos, fazendo parte de uma equipe, inabaláveis na sua busca pelo destino –, os mecanismos usados pelos diretores, produtores e escritores da Pixar e da Disney Animation dependem fortemente de visualização. Imaginando seus problemas como quadros familiares, eles conseguem manter a sanidade quando as pressões de não saber abalam sua confiança.

Byron Howard, um dos nossos diretores na Disney, contou-me que quando estava aprendendo a tocar guitarra um professor ensinou-lhe a frase: "Se você pensa, você fede." Ele gostou da ideia – e até hoje ela baliza seu trabalho como diretor. "A meta é ficar tão à vontade e relaxado com seu instrumento ou processo que você fica zen com ele e deixa a música fluir sem pensar", disse ele. "Sinto a mesma coisa quando faço um storyboard. Meu trabalho fica melhor quando percorro a cena, não pensando demais nem me preocupando com a perfeição de cada desenho, mas apenas fluindo com a cena e me conectando a ela – uma coisa mais instintiva."

Fico particularmente impressionado pelo foco de Byron na velocidade – em "passar por" problemas complexos de lógica e narração de histórias – porque isso me faz lembrar do que Andrew Stanton diz a respeito de ser um diretor. Falei a respeito da crença de Andrew de que seremos todos mais felizes e produtivos se nos apressarmos e errarmos. Para ele, mover-se rapidamente é uma vantagem, porque o impede de ficar atolado preocupando-se a respeito de se o curso de ação por ele escolhido é o errado. Em vez disso, ele prefere ser decisivo e depois se perdoar caso sua decisão inicial mostrar-se errada. Andrew compara o trabalho de diretor ao de um capitão de navio no meio do oceano, com uma tripulação que depende dele para chegar à terra firme. A função do diretor é dizer: "A terra fica para lá." Pode ser que esteja certo e pode ser que não, mas Andrew diz que, se você não tiver alguém escolhendo o rumo – apontando o dedo para aquele ponto do horizonte –, então o navio não irá a lugar algum. Não será uma tragédia se o líder mudar de ideia mais tarde e disser: "Na verdade, a direção não é esta, mas *aquela*. Eu errei." Desde que você se comprometa com um destino e vá na direção dele com tudo que puder, as pessoas irão aceitar correções de rumo.

Como Andrew diz: "As pessoas querem determinação, mas também querem honestidade a respeito de quando você errou. Essa é uma grande lição: incluir as pessoas em seus problemas, não apenas suas soluções."

Isso é vital para uma ideia que introduzi antes neste livro: o diretor, ou líder, nunca pode perder a confiança da sua equipe. Desde que tenha sido franco e tivesse boas razões para tomar suas decisões (hoje erradas em retrospecto), sua tripulação continuará remando. Mas se você constatar que o navio está navegando em círculos – e se afirmar que essa atividade sem significado significa seguir em frente –, então os tripulantes irão recusar-se a prosseguir. Eles sabem melhor que ninguém quando estão se esforçando, mas não indo a lugar algum. As pessoas querem que seus líderes sejam confiantes. Andrew não advoga a confiança pela confiança. Ele acredita que liderança é fazer a melhor suposição e segui-la depressa, porque se estiver errada ainda haverá tempo para mudar de rumo.

Também há outra coisa. Se você for empreender um projeto criativo que requer trabalhar de perto com outras pessoas, deve aceitar que a colaboração traz complicações. Outras pessoas são importantes: elas o ajudarão a ver as coisas por outros ângulos; irão reanimá-lo quando você fraquejar e darão ideias que irão levá-lo a ser melhor. Mas também irão requerer interação e comunicação constantes. Em outras palavras, as outras pessoas são suas aliadas, mas a construção de alianças exige um esforço sustentado. E você deve estar preparado para isso, e não irritado. Como Andrew diz, prosseguindo com sua metáfora náutica: "Se você está velejando pelo oceano e sua meta é evitar mau tempo e ondas, então por que está navegando?", diz ele. "Você precisa aceitar que velejar significa que não pode controlar os elementos e que haverá dias bons e ruins, e você terá que lidar com o que vier, porque sua meta é chegar ao outro lado. Você não poderá controlar exatamente como irá fazê-lo. Esse é o jogo de que decidiu participar. Se sua meta é tornar a travessia mais fácil e simples, não entre no barco."

O modelo mental de Andrew enfrenta o medo que vem inevitavelmente quando seu barco é apanhado numa tempestade ou para por falta de vento. Se você considerar a criatividade um recurso ao qual recorremos constantemente para fazer algo a partir do nada, então seu medo provém da necessidade de trazer o inexistente para a existência. Como já vimos, muitas vezes as pessoas tentam superar esse medo simplesmente repetindo o que funcionou no passado. Isso não leva a nada – ou melhor, leva à direção oposta à da originalidade. O segredo está em usar nossas qualificações e nosso conhecimento não para duplicar, mas para inventar.

Conversando com diretores e escritores, sou constantemente inspirado pelos modelos que eles mantêm em suas cabeças – cada um deles um mecanismo único que eles usam para continuar seguindo em frente, através da adversidade, na busca das suas metas. Pete Docter compara dirigir a correr por um longo túnel sem saber quanto tempo aquilo irá levar, mas confiando que acabará chegando ileso à outra ponta. "Existe um ponto realmente assustador no meio, onde tudo é escuro", diz ele. "Não existe luz de onde você veio nem na outra ponta; tudo que você pode fazer é prosseguir. E então você começa a ver um pouco de luz, depois mais e, de repente, está lá fora sob o sol." Para Pete, essa metáfora é uma forma de tornar esse momento – aquele em que você não consegue ver sua própria mão e não tem certeza de que conseguirá sair – um pouco menos assustador. Sua mente racional sabe que túneis têm duas extremidades, mas sua mente emocional pode se assustar com a escuridão no meio. Em vez de ter um colapso nervoso, o diretor que tem um modelo interno claro do que é criatividade – e do desconforto que ela requer – acha mais fácil confiar que a luz irá brilhar novamente. O segredo é nunca parar de seguir adiante.

Rich Moore, que dirigiu *Detona Ralph* para a Disney Animation, antevê um cenário ligeiramente diferente. Ele se imagina num labirinto enquanto está fazendo um filme. Em vez de correr freneticamente em busca da saída, ele coloca as pontas dos dedos sobre uma parede enquanto segue adiante, indo mais lentamente aqui e ali para avaliar e usando o tato para ajudá-lo a se lembrar do caminho que seguiu até então. Mas ele se mantém em movimento para evitar o pânico. "Eu gostava de labirintos quando era criança", diz Rich. "Mas você precisa manter a cabeça para achar a saída. Quando vejo um filme ir para o sul, digo comigo mesmo: 'Bem, eles enlouqueceram no labirinto e se despedaçaram.'"

Bob Peterson, que ajudou a resolver problemas criativos em quase todos os filmes da Pixar, agradece a Andrew por ter-lhe dado um modelo que teve grande valor em sua carreira. Em *Vida de inseto*, diz Bob, Andrew comparou fazer um filme a uma escavação arqueológica. Isso acrescenta mais um elemento ao quadro – a ideia de que, à medida que progride, seu projeto está se revelando para você. "Você está cavando e não sabe que dinossauro está buscando", diz Bob. "Então surge uma pequena parte dele. E você pode estar cavando em dois lugares diferentes e pensa que tem uma coisa, mas à medida que avança, cavando às cegas, ela começa a se revelar. Quando começa a ter uma ideia do que é, você sabe como cavar melhor."

Bob e Andrew ouviram muitas vezes minha objeção a essa metáfora em particular. Como eu disse, acho que quando trabalhamos num filme não estamos descobrindo uma coisa existente que teve a má sorte de ser enterrada sob toneladas de sedimento; estamos criando uma coisa nova. Mas eles argumentam que a *ideia* de que o filme está lá em algum lugar – pense em Davi, preso no bloco de mármore de Michelangelo – ajuda-os a manter a rota e não perder a esperança. Assim, quando comecei este capítulo, insistindo que aquilo que os espectadores veem na tela não emerge totalmente formado pelo cérebro de um visionário, preciso aceitar esta ideia: ter fé que os elementos de um filme estão todos lá para serem descobertos por nós muitas vezes nos sustenta durante a busca.

Se esse modelo lhe agrada, reconheça apenas que ele tem suas armadilhas. Até mesmo Andrew alerta que, durante sua escavação, nem todos os ossos que desenterra pertencem ao esqueleto que você está tentando reunir. (Pode haver ossos de vários dinossauros – ou histórias – diferentes, misturados no local da sua escavação.) A tentação de usar tudo que você encontra é forte, mesmo que os ossos não se encaixem. Afinal, você provavelmente trabalhou duro para desenterrar cada elemento. Mas se estiver sendo rigoroso na análise de cada peça – se compará-las com os fragmentos que já encontrou para ver se combinam –, seu filme ou projeto irá se revelar para você. "Depois de algum tempo, ele começa a contar-me o que está lá", diz Andrew. "É o lugar que você busca: quando o filme começa a lhe contar o que ele quer ser."

Michael Arndt, que escreveu *Toy Story 3*, e eu temos um diálogo permanente a respeito de como ele vê seu trabalho. Ele compara escrever um roteiro a escalar uma montanha com os olhos vendados. "O primeiro truque", ele gosta de dizer, "é encontrar a montanha." Em outras palavras, você precisa sentir seu caminho, deixando que a montanha se revele a você. Segundo ele, escalar uma montanha não significa necessariamente subir. Às vezes você sobe por algum tempo e a seguir é forçado a descer por uma fenda antes de voltar a subir. E não há como saber antes onde estarão as fendas.

Gosto muito dessa metáfora – exceto da implicação de que a montanha existe. Como a escavação arqueológica de Andrew, ela sugere que o artista deve simplesmente "encontrar" a obra de arte, ou ideia, que está oculta da vista. Isso parece contradizer uma de minhas crenças centrais: que o futuro não está feito e devemos criá-lo. Se escrever um roteiro é como escalar uma montanha com os olhos vendados, isso significa que a meta é ver uma montanha já existente – enquanto eu acredito que a meta do pessoal criativo é construir sua *própria* montanha a partir do zero.

Mas, como tenho falado a meus colegas que ocupam várias posições diferentes, passei a respeitar que a coisa mais importante referente a um modelo mental é que ele possibilita que qualquer pessoa que nele se baseia a concluir seu trabalho. O que não está criado é um vasto espaço vazio, tão assustador que a maior parte das pessoas se agarra àquilo que sabe, fazendo pequenos ajustes naquilo que entendem, incapazes de enfrentar o desconhecido. Para entrar nesse lugar de medo e preencher seu espaço vazio, precisamos de toda ajuda que conseguirmos obter. Michael é roteirista, o que significa que ele começa com uma página em branco. Isso requer mapear o caminho do nada até alguma coisa e imaginar-se um alpinista de olhos vendados. Essa imagem lhe serve, diz ele, porque deixa-o preparado para os inevitáveis altos e baixos do seu trabalho.

Descrevi aqui vários modelos e acho que aquilo que eles têm em comum é a busca por um destino invisível – por terras através do oceano (Andrew), por luz no fim do túnel (Pete), por uma saída do labirinto (Rich), pela própria montanha (Michael). Isso faz sentido para líderes criativos que devem guiar tantas pessoas através dos golpes de uma história ou da produção de um filme. No início o destino de um diretor ou escritor não é claro, mas ele precisa seguir em frente de qualquer maneira.

Mas os produtores têm uma tarefa diferente, mais logística. Se os diretores precisam reunir sua visão criativa e os escritores precisam impor uma estrutura e fazer uma história cantar, os produtores estão aí para manter tudo real. Sua função é garantir que um projeto fique nos trilhos e dentro do orçamento; assim, faz sentido que seus modelos mentais diferiram de forma marcante daqueles de seus colegas. Lembra-se da pirâmide invertida de John Walker? O modelo mental dele não focaliza escalar um monte ou chegar a um destino, mas sim equilibrar uma multidão de demandas concorrentes. Outros produtores têm suas maneiras de imaginar suas funções, mas todos têm isso em comum: gerenciar uma multiplicidade de forças, para não falar em centenas de pessoas com mente própria, requer equilíbrio.

Lindsey Collins, uma produtora que trabalhou com Andrew em vários filmes, imagina-se como um camaleão que muda de cor dependendo do público com quem trata. A meta não é ser falsa, mas ser a pessoa que é necessária no momento. "Em meu trabalho, algumas vezes sou líder, outras vezes sou uma seguidora; às vezes corro pela sala e outras vezes nada digo e deixo a sala correr sozinha", diz ela. Adaptar-se ao seu ambiente, como um lagarto que se mistura a qualquer fundo em que está, é a maneira de Lindsey gerenciar as forças concorrentes – e potencialmente enlouquecedoras – que enfrenta em seu trabalho. "Acredito firmemente na natureza caótica do processo criativo. Ele precisa sê-lo. Se o estruturarmos demais, ele morrerá. Assim, existe um delicado equilíbrio entre prover estrutura e segurança – financeira e emocional –, mas também deixar que tudo fique confuso por algum tempo. Para fazer isso, é preciso avaliar cada situação para ver o que é necessário. E então você precisa *transformar-se* no que for necessário.

Mas como fazer essa avaliação? Lindsey brinca dizendo que usa o "efeito Columbo" – uma referência ao icônico personagem do detetive interpretado por Peter Falk, que parecia tropeçar através de um caso, até identificar inevitavelmente o culpado. Por exemplo, quando está fazendo a mediação entre dois grupos que não estão se comunicando bem, Lindsey finge estar confusa. "Eu digo: 'Sabem, talvez seja apenas eu, mas não estou entendendo. Sinto muito por estar retardando vocês com todas as minhas perguntas bobas, mas vocês podem me explicar mais uma vez o que isso significa? Façam de conta que eu tenho 2 anos de idade.'"

Bons produtores – e bons gerentes – não ditam do alto da sua sabedoria. Eles estendem a mão, ouvem, discordam, persuadem e seduzem. E os modelos mentais dos seus cargos refletem isso. Katherine Sarafian, outra produtora da Pixar, reconhece que o psicólogo clínico Taibi Kahler ajudou-a a visualizar seu papel. "Um dos grandes ensinamentos de Kahler fala a respeito de encontrar as pessoas onde elas estão", diz ela, referindo-se àquilo que ele chama de Modelo de Comunicação de Processo, o qual compara ser gerente a pegar o elevador de um andar para outro em um grande edifício. "Faz sentido ver cada personalidade como um condomínio", diz Katherine. "As pessoas moram em andares diferentes e têm vistas diferentes." As que moram nos andares mais altos podem sentar-se em seus terraços, as que moram no térreo podem deitar-se em seus pátios. Para comunicar-se de forma eficaz com todos, você precisa ir até onde eles vivem. "Os membros mais talentosos da força de trabalho da Pixar – quer sejam diretores, produtores, membros da produção, artistas, qualquer coisa – podem tomar o elevador até qualquer andar e falar com cada pessoa com base nas suas necessidades do momento e como elas gostam de se comunicar. Uma pessoa pode precisar descarregar vinte minutos sobre por que uma coisa não parece certa antes que possamos focalizar os detalhes. Outra pessoa pode querer dizer: 'Não posso cumprir esses prazos, a menos que você libere este recurso de que necessito.' Sempre penso em meu trabalho como sendo de me movimentar entre andares. Para cima e para baixo, o dia inteiro."

Quando não está se imaginando em um elevador, Katherine finge que é uma pastora guiando um rebanho de ovelhas. Como Lindsey, ela passa algum tempo avaliando a situação, imaginando a melhor maneira de guiar seu rebanho. "Perderei algumas ovelhas pelo morro e terei de buscá-las", diz ela. Algumas vezes terei de correr para a frente e outras ficarei atrás dele. E em alguma parte no meio do rebanho acontecerão coisas que nem chegarei a ver. E enquanto estou em busca das ovelhas perdidas, irão acontecer coisas que irei ignorar. Também não estou inteiramente certa a respeito de para onde estamos indo. Morro acima? De volta ao celeiro? Sei que acabaremos voltando para lá, mas poderá ser devagar, muito devagar. Sabe, se um carro passa pela estrada, as ovelhas vão para todos os lados. Estou de olho no relógio e penso: 'Meu Deus, ovelhas, movam-se!' Mas elas irão se mover no seu ritmo e só podemos controlá-las da melhor maneira possível, mas o que realmente queremos fazer é prestar atenção à direção geral em que elas estão indo e tentar dirigi-las um pouco."

Perceba como cada um desses modelos contém muitos dos temas a cujo respeito já falamos: a necessidade de controlar o medo, a necessidade de equilíbrio, de tomar decisões (mas também de admitir a possibilidade de falhas) e a necessidade de sentir que está havendo progresso. Para mim, à medida que construo um modelo mental que funcione melhor, o importante é ser criterioso a respeito dos problemas que ele está ajudando a resolver.

Por exemplo, sempre fiquei intrigado com a maneira pela qual muitas pessoas usam a analogia de um trem para descrever suas empresas. Grande e poderoso, o trem se desloca de forma inexorável pelos trilhos, através de montanhas e planícies, do nevoeiro e da noite. Quando as coisas dão errado, falamos de "descarrilar" e de enfrentar um "desastre de trem". E já ouvi pessoas se referirem ao grupo de produção da Pixar como uma locomotiva bem regulada que adorariam dirigir. O que me interessa é o número de pessoas que acreditam que têm *capacidade* para dirigir o trem e pensam que essa é a posição de poder – que dirigi-lo é a maneira de moldar os futuros das suas empresas. Na verdade, não é. Dirigir o trem não define seu rumo. O importante é instalar os trilhos.

Estou repensando constantemente meus modelos mentais para lidar com incertezas e mudanças e como capacitar pessoas. Na Lucasfilm, eu tinha a imagem de montar em pelo um bando de cavalos selvagens, alguns mais rápidos que os outros, tentando me manter firme. Outras vezes, imaginava meus pés sobre uma tábua que oscilava sobre um cilindro. Fosse qual fosse a imagem que me ocorresse, permaneciam estas perguntas: como evitar ir longe demais para um lado ou para outro? Como seguir nossos planos com cuidado e, ao mesmo tempo, permanecer aberto a ideias de outras pessoas? Ao longo do tempo, com novas experiências, meu modelo continuou a evoluir – e ainda está evoluindo enquanto escrevo este livro.

Um modelo que tem sido extremamente útil para mim foi encontrado por acaso. Ele veio do estudo de atenção plena, que atraiu muita atenção nos últimos anos, tanto nos meios acadêmicos como empresariais. Os que escrevem a seu respeito focalizam como ele ajuda as pessoas a reduzir a tensão em suas vidas e dirigir sua atenção. Mas, para mim, ele também ajudou a clarificar meu pensamento a respeito de como grupos de pessoas criativas trabalham melhor em conjunto.

Há alguns anos Susan deu-me um presente que levou a essa percepção. Sentindo que eu precisava dar uma parada, ela me fez frequentar um retiro de meditação silenciosa no Shambhala Mountain Center, no Colorado. A imersão de uma semana era aberta para principiantes, mas das setenta pessoas que lá estavam eu era o único que nunca havia meditado. Para mim, a ideia de passar vários dias em silêncio parecia inimaginável, até estranha. Eu estava intrigado e algo desorientado, até que, dois dias depois, passamos ao silêncio total. Eu não estava certo quanto ao que fazer. A voz em minha cabeça falava sem parar e eu não sabia como processá-la. No terceiro dia, alvoroçado com aquela história de não falar, eu quase caí fora.

Muitas pessoas ouviram falar do ensinamento oriental que é importante existir no momento. Pode ser difícil treinar a si mesmo para observar o que é certo agora (e não ser perturbado pensando no que foi e no que será), mas o ensino filosófico subjacente a essa ideia – a razão pela qual permanecer no momento é tão vital – é igualmente importante. Tudo está mudando o tempo todo. E você não pode deter isso. Todas as tentativas de detenção colocam-no em um lugar ruim. Tudo isso causa dor, mas parece que nada aprendemos. Pior ainda, resistir às mudanças tira-lhe a mente de principiante – sua abertura para o novo.

Acabei não deixando o programa do Shambhala Mountain Center. Apesar da terminologia ser estranha para mim, ela repercutia com muitas das questões a cujo respeito pensei muito tempo na Pixar: controle, mudança, aleatoriedade, confiança, consequências. A busca por uma mente clara é uma das metas fundamentais das pessoas criativas, mas o caminho que cada um de nós percorre para chegar lá não está marcado. Para mim, que sempre valorizei a introspecção, o silêncio era um caminho ainda não tentado. Tenho ido a retiros de silêncio uma vez ou outra; além de me beneficiar pessoalmente, pensei muito a respeito das implicações gerenciais da atenção plena. Se você for atento, poderá se concentrar no problema que tem em mãos sem ser apanhado por planos ou processos. A atenção ajuda a aceitar o caráter passageiro e a natureza subjetiva dos nossos pensamentos, para ficar em paz com aquilo que não podemos controlar. Mais importante, ela permite que permaneçamos abertos a novas ideias e lidar honestamente com nossos problemas. Algumas pessoas cometem o erro de pensar que estão sendo cuidadosas porque estão focalizando os problemas de forma diligente. Mas se estão fazendo isso com o subconsciente associado às suas preocupações e expectativas, sem consciência de que não conseguem ver claramente ou de que os outros podem saber mais, então elas não estão abertas.

Analogamente, dentro das organizações alguns grupos muitas vezes se agarram tanto aos planos e às práticas do passado que não estão abertos para ver o que está mudando na sua frente.

Meu pensamento a esse respeito foi ainda mais enriquecido quando vi a gravação de uma palestra feita em 2011 em um evento anual denominado Buddhist Geeks Conference. Nela, uma mulher chamada Kelly McGonigal fez uma palestra intitulada "O que a ciência pode nos ensinar a respeito da prática". McGonigal, que leciona na Universidade de Stanford, expôs como estudos recentes do funcionamento interno do cérebro provaram que a prática da meditação pode amenizar o sofrimento humano – não apenas com a angústia existencial, que já é ruim, mas também a dor física.

Inicialmente, ela falou a respeito de um estudo feito na Universidade de Montreal em 2010, no qual dois grupos – um composto por meditadores zen experientes, o outro por não meditadores – passaram exatamente pela mesma experiência de dor: uma fonte de calor presa à panturrilha. Eles estavam ligados a monitores que acompanhavam quais áreas do cérebro eram estimuladas. O que os pesquisadores descobriram mais tarde, analisando as imagens do cérebro, foi que embora os meditadores experimentados não estivessem meditando ativamente durante o experimento, o limiar de tolerância deles para a dor era muito mais alto que o dos não meditadores. McGonigal explicou que os cérebros dos meditadores estavam dando atenção à dor, mas pelo fato de saberem como desligar a conversa interior – o comentário contínuo feito por nossos cérebros destreinados – eles estavam mais aptos para tolerar a dor do que aqueles que não praticavam meditação.

A seguir, McGonigal citou um estudo semelhante feito na Wake Forest University, que focalizou um grupo de meditadores recentes que haviam passado por apenas quatro dias de treinamento. Quando foram trazidos ao laboratório e submetidos ao mesmo teste de dor, alguns foram capazes de tolerar níveis de dor mais altos do que outros. Por quê? A tentação poderia ser de alegar que aquelas pessoas haviam apenas começado a estudar a arte da meditação, que eram melhores nisso que as outras. Porém, as imagens mostraram que na verdade seus cérebros estavam fazendo o oposto daquilo que fazem os cérebros dos meditadores experimentados. Em vez de darem atenção ao momento em que estavam, disse McGonigal: "Eles estavam *inibindo* informações sensoriais – mudando de algum modo sua atenção para ignorar o que estava acontecendo naquele momento. E era isso que causava menos sofrimento: inibir a consciência, em vez de lhe dar atenção."

Achei aquilo fascinante – e análogo ao comportamento que havia testemunhado como gerente. McGonigal estava falando a respeito da tendência do cérebro de suprimir problemas, em vez de enfrentá-los. O que torna isso ainda mais difícil é que as pessoas que estavam suprimindo *pensavam* que estavam fazendo a mesma coisa que as pessoas que estavam enfrentando o problema. É desanimador pensar que, na tentativa de serem cuidadosas, algumas pessoas acabam acidentalmente sendo exatamente o oposto, desviando e ignorando. E pelo menos por alguns instantes esse comportamento pode até dar bons resultados. Mas, nos experimentos citados por McGonigal, as pessoas que tinham prática em se tornarem cuidadosas não ignoravam o problema que enfrentavam – no caso, a dolorosa fonte de calor presa às suas pernas. Elas sentiam a dor, mas silenciavam sua reação a ela – a tendência natural do cérebro de amplificar por pensar demais – e assim se saíam muito melhor.

Esse modelo de prestar atenção àquilo que está à sua frente, não se segurando demais ao passado nem ao futuro, mostrou ser imensamente útil para mim para selecionar questões organizacionais e dissuadir meus colegas de se agarrarem a processos ou planos que tinham sobrevivido à sua utilidade. Da mesma forma, a noção de reconhecer problemas (em vez de instalar regras para suprimi-los) tem significado para mim.

Em última análise, não importa se o seu modelo é diferente do meu. Pirâmide invertida ou montanha invisível, montar cavalo ou guiar ovelhas, o essencial é que cada um se esforce para construir uma estrutura para ajudá-lo a estar aberto para fazer o novo. Os modelos em nossas cabeças nos incentivam enquanto assobiamos no escuro. Além disso, nos capacitam a fazer o difícil trabalho de navegar pelo desconhecido.

PARTE IV

TESTANDO O QUE SABEMOS

Capítulo 12

UM NOVO DESAFIO

"Estou pensando em vender a Pixar para a Disney", disse Steve. Dizer que John e eu ficamos surpresos não chega a descrever o que sentimos.

"Você o quê?", perguntamos em uníssono.

Era outubro de 2005, tínhamos acabado de chegar à casa de Steve, em Palo Alto, onde ele vivia com sua mulher e seus três filhos mais novos. Ele tinha nos convidado para jantar, mas de repente nem John nem eu estávamos com muito apetite.

Apenas 18 meses antes, depois de muitos anos frutíferos juntos, Disney e Pixar haviam tido um desentendimento público. Steve e Michael Eisner, CEO e presidente do conselho da Disney, tinham interrompido de forma abrupta as discussões para renovar nosso contrato de parceria e havia ressentimentos por toda parte. Em termos específicos, ficamos irritados com a declaração de Eisner sobre uma nova divisão na Disney Animation, chamada Circle 7, que ele havia criado para exercer o direito do estúdio de fazer sequências de nossos filmes sem nossa colaboração. Era um jogo sujo, uma tentativa de nos forçar tirando o controle dos nossos personagens das pessoas que os haviam criado. Para John, era quase como se Eisner estivesse tentando raptar seus filhos. Ele amava Woody, Buzz, Slinky, Rex como amava seus próprios cinco filhos e estava magoado por não poder protegê-los.

E agora Steve estava pensando em unir forças com a empresa que lhe havia feito aquilo?

Em retrospecto, eu suspeitava que algo importante estava em preparação. Eu sabia que, mesmo quando o relacionamento entre Steve e Michael estava o pior possível, Steve ainda tinha o resto da Disney em alta consideração. Por exemplo, mesmo quando não concordava com uma proposta do pessoal de marketing da Disney, ele nos lembrava em particular de que eles entendiam do assunto mais que ele. E Steve sentia que o talento da Disney para marketing, seu conhecimento de produtos de consumo e seus parques temáticos sempre fizeram dela a sócia preferida para a Pixar.

Quando Steve tocou no assunto da venda com John e comigo, eu também sabia que muita coisa havia mudado na Disney – Eisner estava fora, tendo sido substituído por Bob Iger. E um dos primeiros atos de Bob como CEO havia sido aproximar-se de Steve para eliminar problemas. Eles chegaram a um acordo para tornar os principais shows da rede ABC disponíveis em iTunes e, em grande parte por essa razão, Steve confiava em Bob. Para Steve, o acordo significava duas coisas: Iger era um homem de ação e estava disposto a resistir à tendência precipitada da indústria de fazer oposição à distribuição de conteúdo de entretenimento na internet. O acordo sobre o iTunes levou cerca de dez dias para ser concluído; Iger neutralizou as forças da oposição. Mas o fato permanecia: a Circle 7 ainda estava atuando e se preparando para colocar *Toy Story 3* em produção sem nenhuma participação de nossa parte.

Enquanto John e eu estávamos lá sentados, imaginando uma fusão, Steve começou a caminhar pela sala, expondo as razões pelas quais ela fazia sentido. É claro que ele havia estudado todos os ângulos. Número um, a Pixar precisava de um parceiro em marketing e distribuição para colocar seus filmes no mundo todo – isso nós já sabíamos. Steve sentia que uma fusão iria ajudar a Pixar a ter maior impacto criativo, permitindo que ela atuasse em um estágio maior e mais robusto. "Hoje a Pixar é um iate", disse ele. "Mas uma fusão irá nos colocar em um transatlântico gigante, onde ondas grandes e mau tempo não irão nos afetar tanto." No final de sua fala, Steve nos olhou nos olhos e garantiu que não iria prosseguir com a venda, a menos que nós dois concordássemos. Mas pediu que lhe fizéssemos um favor antes de chegarmos a qualquer decisão.

"Procurem conhecer Bob Iger", disse ele. "É tudo que peço. Ele é um bom homem."

Alguns meses mais tarde, em janeiro de 2006, foi fechado o acordo. Mas a aquisição da Pixar Animation Studios pela Walt Disney Company por 7,4 bilhões de dólares não foi uma fusão típica. Steve havia se certificado disso. Ele propôs que John e eu cuidássemos da Pixar e também da Disney Animation – eu seria presidente e John, diretor criativo principal – porque pensou, e Bob concordou, que se a liderança dos estúdios fosse separada, iria surgir uma competição pouco saudável que acabaria prejudicando ambos. (Francamente, ele também pensou que, como administradores das duas entidades, iríamos garantir que as tradições da Pixar não fossem superadas pelas tradições da Disney, uma corporação muito maior.)

O resultado foi que John e eu de repente tivemos a rara oportunidade de pegar as ideias que havíamos aperfeiçoado ao longo de décadas na Pixar e testá-las em outro contexto. Nossas teorias a respeito da necessidade de franqueza, coragem e autoconsciência iriam valer naquele ambiente novo? Ou elas eram peculiares para nossa empresa menor? Descobrir as respostas – para não mencionar como gerenciar duas empresas muito diferentes de uma maneira que beneficiasse ambas – caberia, em grande parte, a John e a mim.

John sempre havia pensado na Pixar como um estúdio cheio de pioneiros que se orgulham de ter inventado uma nova forma de arte e também aspiram ao mais alto nível de narração de histórias. Em contraste, a Disney Animation é um estúdio com uma grande herança. É o padrão ouro de excelência em animação; seus funcionários anseiam por fazer filmes à altura de Walt, tão bons quanto aqueles que ele fez, mas coerentes com nosso tempo. Para sermos honestos, John e eu não tínhamos a menor ideia sobre se nossas teorias a respeito de como gerenciar pessoas criativas iriam valer lá. O desafio era manter a Pixar saudável e, ao mesmo tempo, tornar a Disney Animation grande novamente.

Este capítulo é em grande parte dedicado a alguns dos caminhos que escolhemos para isso e vai ao centro de uma das principais razões pelas quais escrevi este livro. Você se lembra de que minha nova meta, depois da conclusão de *Toy Story*, era descobrir como criar um ambiente criativo sustentável. A união da Pixar com a Disney foi nossa oportunidade para provar – a nós mesmos ou a qualquer outra pessoa – que aquilo que tínhamos criado na Pixar poderia funcionar fora dela. A preparação para a aquisição e sua execução forneceram o melhor estudo de caso possível, tornando estimulante a participação nele. Falarei em primeiro lugar a respeito de como ocorreu a fusão, porque acredito que fizemos várias coisas nos estágios iniciais que posicionaram bem nossa parceria.

"Conheçam Bob Iger", Steve havia dito. Assim, algumas semanas depois, eu o fiz.

Fomos jantar perto dos estúdios da Disney em Burbank e gostei dele imediatamente. A primeira coisa que fez foi contar uma história: um mês antes, na inauguração da Disneylândia de Hong Kong, ele havia tido uma revelação. Aconteceu quando ele estava assistindo a um desfile de personagens Disney: Donald, Mickey, Branca de Neve, Ariel... e Buzz Lightyear e Woody. "Ocorreu-me que os únicos personagens clássicos que haviam sido criados nos últimos dez anos eram da Pixar", disse Bob. Ele contou que, embora a Walt Disney Company tivesse muitos interesses – de parques temáticos e navios de cruzeiro a produtos de consumo e filmes com personagens de carne e osso –, a animação sempre seria sua força vital e ele estava determinado a fazer com que essa parte do negócio crescesse novamente.

Uma coisa que me impressionou a respeito de Bob foi que ele preferia fazer perguntas a ficar calado – e suas perguntas eram incisivas e diretas. Uma coisa incomum tinha sido construída na Pixar, disse, e ele queria compreendê-la. Pela primeira vez, em todos os anos em que a Pixar e a Disney haviam trabalhado juntas, alguém da Disney estava perguntando o que estávamos fazendo que tornava nossa empresa diferente.

Bob já havia participado de duas grandes aquisições em sua carreira de executivo – quando a Capital Cities Communications comprou a ABC Broadcasting Company em 1985 e quando a Disney comprou a Cap Cities/ABC em 1996. Segundo ele, uma foi uma boa experiência e a outra foi negativa; assim, ele conheceu diretamente o quanto pode ser destrutivo quando se permite que uma cultura domine a outra numa fusão. Caso a aquisição da Pixar fosse em frente, garantiu, ele faria o possível para que isso não acontecesse. Sua agenda era clara: Reviver a Disney Animation preservando a autonomia da Pixar.

Alguns dias depois, John jantou com Bob e em seguida comparamos nossas impressões. John concordou que Bob parecia compartilhar de nossos valores centrais, mas estava preocupado com a possibilidade de a aquisição destruir aquilo que nos era mais caro: uma cultura de franqueza e liberdade e a espécie de autocrítica construtiva que permitia que nossos funcionários, e os filmes que eles faziam, evoluíssem para melhor. John muitas vezes compara a cultura da Pixar com um organismo vivo – "é como se encontrássemos uma forma", disse ele uma vez, "de dar vida a um planeta que nunca a tivesse sustentado" – e ele não queria ameaçar sua existência. Acreditávamos que Bob tivesse boas intenções, mas estávamos reticentes a respeito da capacidade da empresa maior passar por cima de nós, mesmo sem querer. Contudo, Bob havia tranquilizado John indicando que queria trabalhar conosco para garantir que aquilo não acontecesse. O acordo seria dispendioso, contou ele, e ao defendê-lo perante o conselho de administração da Disney, ele estava pondo em risco sua reputação. Por que, perguntou Bob, iria ele colocar em risco o valor do ativo que a Disney estava comprando?

Tínhamos chegado a uma encruzilhada. Uma decisão tinha de ser tomada e havia fatores importantes a considerar. Qual seria realmente a relação entre os estúdios? Pixar e Disney Animation poderiam florescer independentemente uma da outra, separadas, mas iguais?

Em meados de novembro de 2005, John, Steve e eu nos encontramos para jantar em um dos restaurantes japoneses preferidos por Steve em San Francisco. Enquanto discutíamos os desafios da fusão, Steve contou uma história. Vinte anos antes, no início dos anos 1980, a Apple estava desenvolvendo dois computadores pessoais – o Macintosh e o Lisa – e pediram que Steve presidisse a divisão Lisa. Ele não queria a tarefa e admitiu que não lidava bem com ela: em vez de inspirar a equipe Lisa, ele basicamente disse a todos que eles já tinham perdido para a equipe Mac – em outras palavras, que o trabalho deles nunca teria retorno. Efetivamente, ele esmagou os espíritos do pessoal, e aquilo tinha sido errado. Caso ocorresse a fusão, prosseguiu, "o que temos de fazer é não fazer com que as pessoas da Disney Animation sintam-se como se tivessem perdido. Precisamos fazer com que elas se sintam bem a respeito de si mesmas".

O fato de John e eu termos tanta afeição pela Disney certamente ajudaria nisso. Tínhamos passado nossas vidas tentando viver de acordo com os ideais artísticos de Walt Disney; assim a ideia de entrar pelas portas da Disney Animation com a missão de revigorar seus funcionários e ajudá-los a retornar à grandeza parecia assustadora, mas também válida e importante. Lá pelo fim do jantar, nós três estávamos de acordo. O futuro da Pixar, da Disney e da própria animação seria mais brilhante se juntássemos forças.

John e eu entendíamos que essa notícia seria um choque para nossos colegas na Pixar. ("Imaginamos que todos iriam sentir exatamente o mesmo que nós quando Steve lançou a ideia na sua sala de estar", recorda John.) Então, antes de qualquer comunicado, precisávamos fazer o possível para garantir que as pessoas se sentissem seguras e que tínhamos tomado providências para impedir que fossem feitas mudanças por motivos errados. Então, com a aprovação de Iger, tratamos de rascunhar um documento que viria a ser conhecido como "O Compacto Social de Cinco Anos". A lista de sete páginas era uma relação de todas as coisas que teriam de permanecer as mesmas na Pixar, caso houvesse a fusão.

Os 59 tópicos do documento abordavam muitos pontos óbvios: compensação, política de RH, férias e benefícios. (O item número 1 garantia que a equipe executiva da Pixar ainda poderia premiar os funcionários com bônus, como a Pixar sempre fizera, desde que as receitas de um filme atingissem uma determinada referência.) Outros itens eram estritamente ligados à expressão pessoal. (Por exemplo, o número 11 afirmava que os funcionários da Pixar deveriam continuar livres para exercer sua liberdade criativa com seus cargos e nomes nos cartões de visitas da empresa; o número 33 garantia que o pessoal da Pixar poderia continuar a exercer "liberdade para decorar seu espaço de forma que refletisse sua individualidade".) Alguns visavam preservar rituais populares na empresa. (Número 12: "As festas em eventos prevalecem na Pixar. Festas em feriados, no final de filmes, no concurso anual de aviões de papel e no churrasco do verão, para citar alguns.") Alguns visavam garantir o etos igualitário da Pixar. (Número 29: "Nada de vagas marcadas no estacionamento para nenhum funcionário, inclusive os executivos. As vagas serão ocupadas por quem chegar primeiro.")

Não podemos dizer com certeza que aqueles itens visavam salvaguardar aquilo que nos havia levado a tanto sucesso, mas nós os queríamos muito e iríamos nos esforçar para evitar que mudassem. Éramos diferentes, e como acreditamos que a diferença nos ajuda a manter nossa identidade, queríamos permanecer assim.

Outro fator importante que influenciou o acordo não foi citado na ocasião. Estava ligado à questão da confiança. Quando estávamos finalizando a fusão, os membros do conselho da Disney não gostaram do fato de os principais talentos da Pixar não estarem sob contrato.

Eles achavam que, se a Disney nos comprasse e John, eu ou alguns outros líderes deixássemos a empresa, seria um desastre; assim, pediram que todos nós assinássemos contratos antes do fechamento do acordo. Nós recusamos. É um princípio fundamental da cultura da Pixar que as pessoas trabalhem lá porque querem e não porque um contrato as obriga a fazê-lo; em consequência disso, ninguém na Pixar tinha contrato. Mas mesmo que aquela rejeição fosse baseada em um ideal, ele tornava o acordo questionável para a Disney. Ao mesmo tempo, no lado da Pixar havia uma grande preocupação a respeito da possibilidade da burocracia da Disney destruir inadvertidamente o que havíamos construído. Assim, ambos os lados sentiam-se em risco considerável. Contudo, o resultado foi que no centro daquela fusão estava um entendimento de que ambas as empresas precisavam confiar uma na outra. Cada lado sentia uma obrigação pessoal de cumprir o acordo – e creio que essa foi a maneira ideal de iniciar nosso relacionamento.

No dia da venda, Bob voou até a sede da Pixar em Emeryville, perto de Oakland, e, uma vez assinados os documentos e notificadas as bolsas de valores, Steve, John e eu fomos até um palco na Pixar e cumprimentamos todos os nossos oitocentos funcionários. Aquele era um momento crucial para a empresa e queríamos que nossos colegas entendessem sua gênese e como iria funcionar o acordo.

Um por um, John, Steve e eu falamos a respeito do pensamento por trás do acordo – como a Pixar precisava de um sócio mais forte, como aquele era um passo positivo em nossa evolução e o quanto estávamos determinados, a despeito das mudanças, a proteger nossa cultura. Olhando para os rostos de nossos colegas, pude ver que eles estavam perturbados – como sabíamos que iriam estar. Também nós estávamos emocionados.

Amávamos nossos colegas e a empresa que eles construíram e sabíamos o tamanho da mudança que estávamos iniciando.

Então demos boas-vindas a Bob no palco e nossos funcionários saudaram-no com um calor que me causou orgulho. Bob disse ao pessoal da Pixar exatamente o que nos havia dito: que acima de tudo gostava muito do trabalho que fazíamos, mas também que ele passara na vida por uma fusão ruim e uma boa – e estava determinado a fazer a nossa certa. "A Disney Animation precisa de ajuda; assim, tenho duas opções", disse ele. "Primeira, deixar o lugar nas mãos das pessoas que já estão encarregadas; ou segunda, recorrer a pessoas em quem confio, que têm um histórico comprovado de fazer grandes histórias e personagens que as pessoas amam. Essa é a Pixar. Prometo a vocês que a cultura da Pixar será protegida."

Mais tarde, numa entrevista coletiva com analistas, Steve e Bob se comprometeram a cumprir a promessa. Anunciaram que o Circle 7 seria fechado. "Temos certeza", disse Steve, "de que, se as sequências forem feitas, queremos as pessoas que estiveram envolvidas na produção dos filmes originais."

Foi só depois disso tudo que John, Steve e eu tivemos uma chance de respirar, indo para meu escritório. No instante em que a porta fechou-se atrás de nós, Steve nos abraçou e começou a chorar, lágrimas de orgulho e alívio – e, francamente, amor. Ele tinha conseguido equipar a Pixar, a empresa que havia ajudado a transformar de fornecedora de hardware em dificuldades em usina de animação, com as duas coisas de que ela necessitava para sobreviver por muito tempo: um parceiro corporativo forte na Disney e, em Bob, um verdadeiro defensor.

Na manhã seguinte, John e eu voamos até a sede da Disney em Burbank. Havia mãos para apertar e executivos para conhecer, mas nosso principal objetivo naquele dia era nos apresentarmos aos oitocentos homens e mulheres que trabalhavam na Disney Animation e assegurar a eles que viemos em paz. Às três da tarde, entramos no Soundstage 7 da Disney, um espaço imenso, lotado de funcionários de animação em pé lado a lado.

Bob falou primeiro. Disse que a aquisição da Pixar não deveria ser vista como um sinal de desrespeito aos quadros da Disney, mas sim como uma prova do quanto ele gostava de animação e a considerava um negócio central da Disney. Quando chegou minha vez de falar, fui breve. Contei a meus novos colegas que uma empresa só pode ser grande se seus funcionários estiverem dispostos a dizer o que pensam. Daquele dia em diante, disse eu, cada funcionário da Disney Animation deveria sentir-se livre para falar com qualquer colega, independentemente de posição, sem sentir medo das repercussões. Aquele era um princípio central na Pixar, mas rapidamente acrescentei que aquela seria uma das poucas vezes em que importaria uma ideia de Emeryville sem discuti-la antes com eles. "Quero que todos saibam que *não* quero que a Disney Animation seja um clone da Pixar", concluí.

Eu estava ansioso para passar o microfone para John, já reverenciado por muitos dos artistas na sala. Eu sentia que sua presença iria tranquilizá-los a respeito da transição, e tinha razão. John fez uma palestra apaixonada a respeito da importância do desenvolvimento das histórias e dos personagens e como ambos melhoram quando artistas e produtores trabalham juntos numa cultura de respeito mútuo. Ele falou a respeito do significado de ser uma empresa de animação regida por diretores e que faz filmes que brotaram dos corações das pessoas e estão realmente conectados com o público.

A julgar por como os funcionários da Disney estavam animados, percebi que – exatamente como Steve havia pedido – John e eu não tínhamos feito com que eles sentissem como se tivessem perdido a batalha. Anos depois, perguntei ao diretor Nathan Greno – que já estava na Disney havia uma década quando chegamos – o que passava pela sua mente naquela manhã em que a fusão foi anunciada. "Eis o que pensei", disse ele. "Quem sabe volte agora a Disney em que eu queria trabalhar quando era criança."

Em meu primeiro dia em Burbank, cheguei à Disney Animation antes das oito da manhã. Queria caminhar pelos corredores antes que os outros chegassem – apenas para sentir a atmosfera do lugar. Marquei hora com Chris Hiber, gerente de instalações da Disney, para um passeio. Começamos pelo porão e a primeira coisa que notei foi a estranha falta de itens pessoais dos funcionários sobre suas mesas. Na Pixar, as áreas de trabalho das pessoas são santuários de individualidade – decoradas, enfeitadas, modificadas de maneiras que expressam os hábitos e paixões dos ocupantes dos espaços. Mas, lá, as mesas eram estéreis e completamente despersonalizadas. Quando mencionei aquilo a Chris, ele resmungou uma evasiva e continuou andando. Fiquei tão surpreso que voltei ao assunto alguns minutos depois – e, mais uma vez, ele foi relutante. Quando nos encaminhamos para as escadas, voltei-me e perguntei diretamente a Chris por que as pessoas, naquele ambiente tão criativo, não personalizavam nada em suas áreas de trabalho. Havia alguma política contra isso? Parecia que ninguém permanecia naquele lugar. Naquele ponto, Chris parou e me encarou. Antes da minha chegada, confidenciou ele, tinham dito a todos que limpassem suas mesas de trabalho para causar "uma primeira boa impressão".

Aquela foi uma primeira indicação do trabalho que tínhamos pela frente. Para mim, alarmante não era a falta de objetos pessoais. Era a sensação generalizada de alienação e medo representada pela total ausência de individualidade. Parecia haver uma ênfase indevida na prevenção de erros, até mesmo em coisas pequenas, como a decoração do escritório; ninguém ousava se expor, nem cometer erros.

A sensação de alienação também se refletia no projeto do próprio edifício. Seu layout parecia impedir a colaboração e a troca de ideias que, para Steve, para John e para mim era fundamental para o trabalho criativo. Os funcionários estavam espalhados por quatro andares, o que dificultava que se encontrassem. Os dois andares inferiores pareciam calabouços, tetos baixos e muito poucas janelas, quase sem iluminação natural. Em vez de inspirar e promover criatividade, o lugar causava sufocação e isolamento. O último andar, dos executivos, tinha um portal imponente que desencorajava a entrada – criando uma sensação de condomínio fechado. Em poucas palavras, era um péssimo ambiente de trabalho.

Portanto, uma de nossas prioridades seria uma remodelagem básica. Primeiro transformamos o último andar em duas salas espaçosas onde os criadores de filmes poderiam reunir-se para trocar ideias a respeito de suas obras. John e eu instalamos nossos escritórios no segundo andar, no centro das coisas, e removemos os cubículos das secretárias que até então funcionavam como uma espécie de obstáculo ao acesso (com isso as secretárias, em sua maioria, ganharam suas próprias salas). John e eu fizemos questão de deixar abertas as persianas nas janelas de nossas salas, para que todos pudessem nos ver e nós a eles. Nossa meta – em nossas palavras e ações – era comunicar transparência. Em vez de um portal separando "nós" dos "outros", instalamos um carpete cujos painéis de cores brilhantes, como pistas de uma estrada, guiavam as pessoas até nossas salas, e não para longe delas. Demolimos várias paredes para criar um local central de reunião diante de nossas portas, completo, com café e lanchonete.

Essas mudanças podem parecer simbólicas ou mesmo superficiais, mas as mensagens que elas enviaram prepararam o cenário para algumas mudanças organizacionais importantes. E haveria muitas outras. Contei no capítulo 10 como eliminamos o "grupo de supervisão" que analisava os relatórios de produção para certificar-se de que os filmes estavam progredindo conforme o esperado – mas na realidade acabava corroendo o moral da equipe. Infelizmente, aquele grupo era apenas um de vários mecanismos hierárquicos que estavam impedindo a criatividade na Disney Animation. Tentamos ao máximo assumir cada um deles, mas devo admitir que no começo foi difícil.

Como pouco sabíamos a respeito das pessoas, dos diretores ou dos projetos da Disney, tivemos que fazer uma pequena auditoria. John e eu pedimos que nos fosse feito um resumo sobre cada filme em produção, e entrevistei cada um dos gerentes e líderes, produtores e diretores do estúdio. Na verdade, não consegui deduzir muito a partir daquelas entrevistas, mas elas não foram uma perda de tempo – uma vez que John e eu éramos vistos como os novos xerifes da cidade, foi bom provar que eu era humano apenas por conversar. Em termos gerais, sabíamos que a maneira de pensar do estúdio a respeito de filmes não estava funcionando, mas não sabíamos se era porque seus líderes careciam de capacidade ou eram apenas mal treinados. Tivemos que começar assumindo que eles haviam herdado práticas ruins e nossa tarefa era retreiná-los. Isso nos levou a buscar pessoas dispostas a crescer e aprender, mas esse é o tipo de coisa que não se pode verificar rapidamente e havia cerca de oitocentas pessoas para avaliar.

Apesar disso, fomos em frente com uma estratégia.

Precisávamos criar uma versão do Banco de Cérebros e ensinar ao pessoal do estúdio como trabalhar nele. Embora os diretores se gostassem, cada movimento na Disney tinha sido estabelecido para competir por recursos; assim eles não eram um grupo unido para criar um laço sadio de feedback; precisávamos mudar aquilo.

Tínhamos de descobrir quem eram os verdadeiros líderes dentro do estúdio (isto é, não assumir que os ocupantes dos escritórios maiores estivessem liderando).

Estava claro que havia disputas internas entre as produções e entre grupos técnicos. Até onde eu sabia, elas se originavam de concepções erradas, e não de nada substancial. Precisávamos corrigir aquilo.

Desde o início, decidimos que manteríamos a Pixar e a Disney Animation completamente separadas. Tratava-se de uma decisão crítica, mas não óbvia para a maioria das pessoas. Elas assumiram que a Pixar faria filmes em 3D e a Disney, em 2D. Ou que iríamos fundir os dois estúdios, ou decretar que a Disney usasse as ferramentas da Pixar. Mas para nós a separação era vital.

John e eu começamos a viajar de Emeryville a Burbank ao menos uma vez por semana. No início, o diretor financeiro da Pixar nos acompanhava para ajudar a desenvolver e implantar mudanças em procedimentos e um dos nossos líderes ajudou a Disney a reformar seu grupo técnico. Além disso, não permitimos que nenhum dos estúdios fizesse qualquer produção para o outro.

Implantadas essas estratégias, pudemos nos dedicar a descobrir o que fazer.

Um alto executivo da Disney chamou logo minha atenção dizendo não saber por que a Disney havia comprado a Pixar. Para ele, a Disney Animation estava quase resolvendo seus problemas – acabando finalmente com um período de 16 anos sem um único sucesso. Gostei da determinação do sujeito e da sua disposição, mas disse que, se ele quisesse continuar na Disney, teria que descobrir por que, na verdade, a Disney *não* estava prestes a resolver seus problemas. Aquele executivo era esperto, mas com o tempo me dei conta de que pedir que ele ajudasse a desmantelar a cultura que havia ajudado a construir era demais; assim, tive que deixá-lo ir embora. Ele estava tão fixado nos processos existentes e na noção de estar "certo" que não conseguia ver o quanto era falho o seu modo de pensar.

No fim, quem escolhi para a liderança foi a pessoa que, para muitos, iria se demitir em pouco tempo: o chefe do Circle 7, Andrew Millstein. A maioria achava que John e eu iríamos ver automaticamente qualquer pessoa associada às "sequências" dos filmes da Pixar como marcada, mas na verdade isso nem nos ocorreu. O pessoal do Circle 7 nada tinha a ver com a decisão de fazer sequências dos filmes da Pixar; eles apenas tinham sido contratados para executar uma tarefa. Andrew me deu a impressão de ser criterioso e de estar ansioso para entender a nova direção na qual íamos. "Nossos criadores de filmes haviam deixado de ter voz ativa", disse-me ele, resumindo o problema. "Não era que eles não quisessem se expressar, mas havia um desequilíbrio de forças na organização – não apenas dentro dela, mas entre ela e o restante da corporação – que reduzira a validade das vozes criativas. O equilíbrio havia acabado."

É fácil ver que Andrew falava minha língua. Com ele dava para trabalhar. Com o tempo, nós o nomeamos gerente-geral do estúdio.

Outro golpe de sorte foi o fato da gerente de recursos humanos da Disney Animation ser Ann Le Cam. Embora estivesse presa à velha maneira de fazer as coisas, Ann tinha uma curiosidade intelectual e uma disposição para reconstruir o Animation Studio com uma imagem diferente. Ela tornou-se minha guia para o funcionamento interno da Disney, enquanto eu a encorajava a pensar em novas maneiras a respeito do seu trabalho. Por exemplo, pouco tempo depois que cheguei, ela foi à minha sala e apresentou um plano de dois anos que mostrava exatamente como gerenciar várias questões de recursos humanos. O documento era específico a respeito dos alvos que iríamos atingir e quando iríamos fazê-lo, e era meticuloso – ela havia passado dois meses na sua preparação –, assim fui gentil quando lhe disse que não era o que eu queria. Para lhe mostrar o que queria, desenhei uma pirâmide numa folha de papel. "O que você fez neste relatório foi afirmar que, em dois anos, estaremos aqui", disse eu, colocando a ponta do meu lápis no topo da pirâmide. "Porém, uma vez que você afirme isso, a natureza humana diz que irá se concentrar somente em fazer com que seja verdade e irá deixar de pensar a respeito de outras possibilidades. Você irá estreitar seu pensamento e defender este plano porque seu nome estará nele e você se sentirá responsável." Então comecei a traçar linhas sobre a pirâmide para mostrar como preferia que ela abordasse.

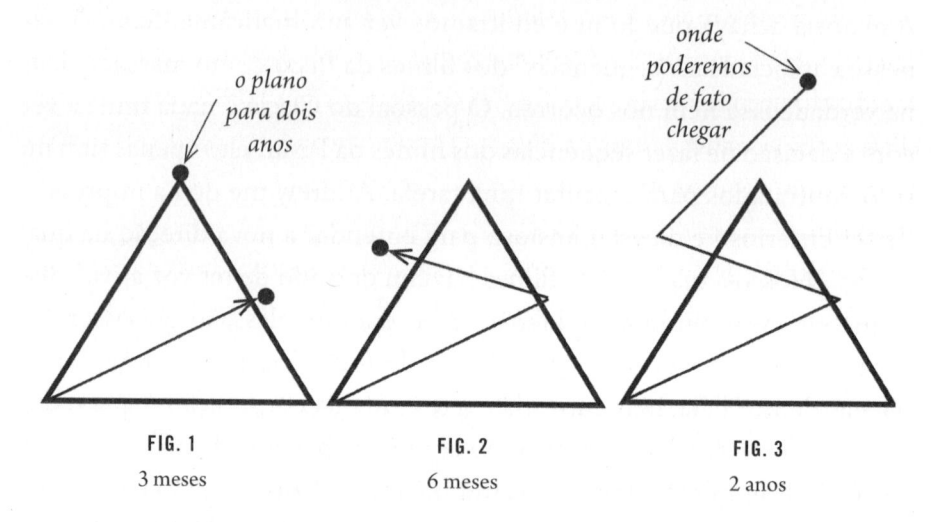

FIG. 1
3 meses

FIG. 2
6 meses

FIG. 3
2 anos

A primeira linha que tracei (Fig. 1) representava para onde queríamos ir em três meses. A seguinte (Fig. 2) representava onde poderíamos estar em mais três meses (e você irá notar que a linha saía dos limites do plano de dois anos de Ann). Era possível, eu disse, que acabássemos em outro lugar além daquele que ela tinha imaginado. E a Figura 3 mostrava como deveria ser. Em vez de traçar uma rota "perfeita" para atingir futuras metas (e manter-se nela de forma persistente), eu queria que Ann se mantivesse aberta para fazer ajustes ao longo do caminho e flexível para aceitar que iríamos trabalhar no plano à medida que prosseguíssemos. Ela não só entendeu intuitivamente o que eu estava dizendo, mas também realizou uma grande reorganização do seu grupo para alinhá-lo com o novo modo de pensar.

Algumas coisas que precisavam ser corrigidas no estúdio eram totalmente óbvias. Por exemplo, em conversa com diretores da Disney, descobrimos que eles estavam acostumados a receber três conjuntos de observações para seus filmes. Uma vinha do departamento de desenvolvimento do estúdio, outra, do chefe do estúdio, e a terceira, do próprio Michael Eisner. Na verdade, não se tratava de "observações". Elas eram obrigatórias, em forma de lista, com quadradinhos ao lado de cada item – que deviam ser marcados à medida que cada observação era executada. O pior era que nenhuma das pessoas que enviava aquelas observações já havia feito um filme e que os três conjuntos de observações muitas vezes conflitavam entre si, emprestando uma espécie de qualidade esquizofrênica ao feedback. Aquele conceito, completamente contrário àquilo em que acreditávamos e praticávamos na Pixar, só poderia resultar num produto inferior; assim, fizemos um comunicado: daquele dia em diante, não haveria mais observações obrigatórias.

Os diretores da Disney Animation precisavam de um sistema de feedback que funcionasse; assim, tratamos imediatamente de ajudá-los a criar sua própria versão do Banco de Cérebros – uma arena segura para solicitar e interpretar respostas sinceras a projetos em desenvolvimento. (Essa tarefa foi facilitada pelo fato de eles gostarem uns dos outros e terem confiança mútua. Mesmo antes da nossa chegada, soubemos, eles haviam formado seu próprio grupo abaixo do radar, chamado Banco de Histórias, mas a falta de compreensão da gerência em relação ao conceito havia impedido sua evolução para um fórum coerente.) Logo que foi possível, levamos cerca de uma dúzia de diretores e redatores da Disney à Pixar para observar uma sessão do Banco de Cérebros a respeito do filme *Ratatouille*, de Brad Bird. Porém, John e eu dissemos que eles só poderiam observar, não participar. Queríamos que eles fossem moscas na parede – para ver como coisas diferentes podiam ser feitas quando as pessoas sentiam-se livres para ser sinceras e as observações eram oferecidas com o intuito de ajudar, não de zombar.

No dia seguinte, vários diretores, autores e editores da Pixar acompanharam os funcionários da Disney de volta a Burbank para observar uma reunião do Banco de Histórias sobre um filme que estava sendo produzido lá, intitulado *A família do futuro*. Também lá insistimos que a equipe da Pixar observasse em silêncio, sem nada dizer. Pensei ter notado um pouco mais de desembaraço na sala naquele dia, como se os funcionários da Disney estivessem sondando com cautela os limites da sua nova liberdade, e a produtora do filme contou-me mais tarde que aquela tinha sido a sessão de observações mais construtiva que ela já havia visto na Disney. Contudo, John e eu sentimos que, embora todos aceitassem a ideia da sinceridade organizada no nível intelectual, algum tempo iria se passar antes de ela vir naturalmente.

Um momento importante para essa evolução ocorreu no último trimestre de 2006, nove meses depois da fusão, numa reunião do Banco de Histórias em Burbank, pouco depois da péssima exibição de *American Dog*, um filme estruturado em torno de um famoso e mimado ator canino (pense em Rin Tin Tin) que acreditava ser o super-herói que interpretava na TV. Quando se viu perdido no deserto, ele teve de enfrentar pela primeira vez o fato de que sua vida organizada e previsível não o havia preparado para a realidade – que na verdade ele não tinha poderes especiais. Até aí tudo bem, mas o enredo incluía uma bandeirante zumbi radioativa, que vendia biscoitos e era assassina em série. Sou a favor de ideias estranhas, mas aquela era exagerada. O filme ainda estava buscando seu caminho, para dizer o mínimo; então John iniciou a reunião, como costuma fazer, focalizando as coisas de que havia gostado. Ele também indicou alguns problemas, mas queria dar ao pessoal da Disney a chance de assumir a liderança na sua solução; assim, em vez de enfiar o dedo nas feridas e ser demasiado específico, ele abriu totalmente a reunião. Durante todo o encontro, os comentários permaneceram em nível superficial, num tom estranhamente otimista – a julgar pelos comentários, ninguém jamais saberia que o filme estava com problemas. Mais tarde, um dos diretores da Disney confessou para mim que muitas pessoas na sala tinham muitas reservas a respeito do filme, mas não disseram o que pensavam porque John havia tratado a questão de forma muito positiva e elas não queriam ir contra aquilo de que, pensavam elas, John gostava. Desconfiando de seus próprios instintos, elas se calaram.

John e eu organizamos imediatamente um jantar com os diretores – e dissemos que, se eles voltassem a recorrer àquele modo de pensar, estaríamos liquidados como estúdio.

"A Disney Animation era semelhante a um cão que havia sido surrado repetidamente", disse-me Byron Howard, o diretor, quando lhe pedi para descrever a atitude do pessoal da empresa. "A equipe *queria* ter sucesso, mas tinha medo de dedicar-se totalmente a algo que não seria um sucesso. Podia-se sentir isso. E nas reuniões para observações todos tinham tanto medo de ferir os sentimentos de alguém que nada diziam. Era preciso que aprendêssemos que não estávamos atacando pessoas, mas o projeto. Só então poderíamos criar um meio para eliminar tudo que não estava funcionando e deixar a estrutura mais forte."

Conquistar confiança leva tempo; não existia um atalho para fazer com que eles entendessem que realmente iríamos subir e cair juntos. Sem uma orientação vigilante – chamar à parte as pessoas que não revelavam o que pensavam em determinada reunião, ou encorajando aquelas que pulavam na fogueira – nosso progresso poderia facilmente ser detido. Falar a verdade não é fácil. Mas posso dizer que hoje o Banco de Histórias da Disney é composto por pessoas que compreendem não só que devem fazer o trabalho difícil de se abrirem umas com as outras, mas também como fazê-lo melhor.

Naqueles primeiros meses, também procuramos reforçar a confiança no estúdio de outra maneira: assim como havíamos nos recusado a assinar contratos de trabalho, agora queríamos eliminar os contratos para todos. Inicialmente, muitas pessoas pensaram que se tratava de uma tentativa de retirar força dos funcionários e lhes dar menos segurança. Na verdade, meu sentimento a respeito dos contratos de trabalho é que eles prejudicam o funcionário *e* o empregador. Os contratos em questão eram tendenciosos a favor do estúdio, resultando em consequências negativas inesperadas. Em primeiro lugar, não existia mais um feedback efetivo entre chefes e funcionários. Se alguém tivesse um problema com a empresa, não adiantaria muito reclamar, porque ambos estavam sob contrato. Por outro lado, se um funcionário não tivesse bom desempenho, não adiantava confrontá-lo a esse respeito; seu contrato simplesmente não seria renovado, o que poderia ser a primeira vez em que ele ouviria a respeito da sua necessidade de melhorar. Todo o sistema desencorajava e desvalorizava a comunicação no dia a dia e era culturalmente disfuncional. Mas como estavam acostumados com ele, todos se mostravam cegos para o problema.

Eu queria interromper aquele ciclo. Acreditava que era nossa responsabilidade garantir que a Disney Animation fosse um lugar onde as pessoas quisessem trabalhar; se nossos funcionários mais talentosos podiam sair, então teríamos de fazer o possível para mantê-los felizes. Quando alguém tinha um problema, queríamos que fosse trazido rapidamente à superfície. Em sua maioria, as pessoas sabem que não conseguem tudo o que desejam, mas é muito importante que saibam que estão sendo tratadas de forma honesta e que também serão ouvidas.

Como já disse, decidimos desde o início que a Pixar e a Disney Animation deveriam permanecer entidades completamente separadas. Isso significava que nenhuma delas executaria qualquer trabalho de produção para a outra, por mais prementes que fossem os prazos ou mais terrível que fosse a situação. Sem exceções. Por quê? Porque misturar os dois quadros seria um pesadelo burocrático. Mas também havia um princípio gerencial abrangente em ação. Em poucas palavras, queríamos que cada estúdio soubesse que podia resolver sozinho os seus próprios problemas. Se deixássemos que um estúdio tomasse pessoas ou recursos do outro para ajudar a resolver um problema, o resultado seria o mascaramento. A decisão de não permitir tais empréstimos foi uma opção consciente de nossa parte para forçar que os problemas fossem trazidos à superfície, onde poderíamos encará-los.

Logo depois tivemos uma crise com *Ratatouille* que iria pôr à prova aquela política.

Já mencionei que trocamos os diretores desse filme no meio do trabalho – trazendo Brad Bird, que acabara de terminar *Os Incríveis*, para reescrever a história de maneiras que exigiram um sério recomeço técnico. Especificamente, embora na primeira versão todos os ratos caminhassem sobre dois pés, Brad achava que, com exceção de Remy, nosso herói, eles deveriam caminhar sobre quatro – como ratos de verdade. Isso significou que o *rigging* dos ratos – o complexo conjunto de controles que permite que os animadores manipulem a forma e a posição do modelo computadorizado – teve de ser mudado de forma significativa. Pelo fato de já estar atrasada, a equipe de produção da Pixar achou que não dispunha de recursos para executar a mudança necessária para tornar os ratos quadrúpedes. O produtor disse que não terminariam o filme no prazo, a menos que tomassem emprestados funcionários da Disney para ajudar. Nós dissemos que não. Já havíamos explicado a lógica a todos, mas suponho que eles quisessem ver se era pra valer. Não posso culpá-los; conseguir pessoal extra era mais fácil do que ter que resolver os problemas. Mas no fim a equipe de *Ratatouille* descobriu como fazer o filme no prazo com os recursos de que dispunha.

Pouco tempo depois, a Disney teve uma crise com *American Dog*. Já mencionei o aparecimento do enredo de um assassino em série, que – embora nos orgulhássemos de estar sempre abertos a novas ideias – parecia algo sombrio para um filme destinado a famílias. Apesar de nossas dúvidas, decidimos dar ao filme uma chance para evoluir. Achar a linha para um filme sempre leva tempo, dissemos a nós mesmos. Mas depois de dez meses de reuniões do Banco de Histórias – e muito pouco progresso – concluímos que a única opção era reiniciar o projeto. Convidamos Chris Williams, artista veterano conhecido por *Mulan* e por *A nova onda do imperador*, e Byron Howard, então supervisor de animação de *Lilo & Stitch*, para serem os diretores. Imediatamente eles começaram a reconceber o filme. O assassino em série foi eliminado e o filme passou a se chamar *Bolt – Super Cão*. Para eles, um dos maiores problemas era que o personagem Bolt não tinha apelo visual suficiente para carregar o filme. "Ele simplesmente não estava pronto", lembrou Byron, acrescentando que pouco antes do Natal de 2007 "tivemos uma reunião sobre 'This Dog Looks Bad', onde dissemos: 'Mas o que estamos fazendo a este respeito?' E dois dos nossos animadores trabalharam no feriado do Natal para refazer o cachorro. Trabalharam duas semanas, mas, quando voltamos, Bolt havia subido de 20% de apelo para 90%."

Clark Spencer, o produtor de *Bolt – Super Cão*, com muito trabalho por fazer e pouco tempo, perguntou se poderia tomar emprestados alguns funcionários da produção da Pixar. Mais uma vez, John e eu dissemos não. Achamos importante que o pessoal de cada estúdio soubesse que, quando terminassem um filme, ninguém os tinha socorrido – eles haviam feito tudo.

Mais tarde, Chris contou-me que estar no comando de uma produção cuja equipe mostrava essa espécie de comprometimento, sob muita pressão, era revigorante. "Era incrível encontrar-me no centro daquela coisa tão galvanizante para todo o estúdio", recordou ele. "Em meus 15 anos na Disney, nunca havia visto pessoas trabalharem tão duro e reclamarem tão pouco. Eles estavam de fato investindo na coisa – sabiam que aquele era o primeiro filme sob o comando de John – e queriam ser ótimos."

Isso era bom porque mais uma crise estava chegando.

Perto do fim da produção, surgiram problemas em torno de Rhino, o Hamster, o companheiro de confiança do nosso herói e o personagem mais engraçado do filme. No início de 2008, com apenas alguns meses para o final da produção, os animadores relataram que Rhino estava se mostrando proibitivamente demorado para animar. Ironicamente, o problema era o inverso daquele enfrentado pela Pixar em *Ratatouille*. O novo enredo exigia que Rhino fosse capaz de caminhar sobre dois pés, mas na origem ele era quadrúpede. Não parece muito, mas animar um personagem bípede com o conjunto de controles para um quadrúpede é extremamente difícil sem que o personagem pareça distorcido. Era um grande problema. Rhino era vital para o humor e a exposição do filme, mas os animadores disseram que ele era tão difícil de animar que seria impossível cumprir o prazo estipulado. Desesperados, recorremos aos diretores do filme e perguntamos se eles poderiam simplificar os controles do personagem para facilitar sua animação. A resposta deles foi que as alterações nos controles levariam mais meses, que era o tempo que tínhamos para terminar o filme.

Em outras palavras, estávamos em maus lençóis. John e eu convocamos uma reunião de toda a empresa. Explicamos a situação e fiz aquilo que alguns na Disney ainda chamam de "o discurso Toyota", no qual descrevi o compromisso daquela empresa automotiva para delegar poderes aos seus funcionários e permitir que a linha de montagem tomasse decisões quando encontrasse problemas. Em particular, John e eu destacamos que ninguém da Disney precisava esperar permissão para oferecer soluções. Qual é a vantagem de contratar pessoas inteligentes, perguntamos, se você não lhes dá poderes para consertar o que está quebrado? Por muito tempo, uma cultura de medo havia travado aqueles que queriam agir fora dos protocolos aceitos pela Disney. Aquele tipo de timidez não iria tornar a Disney grande, dissemos. Isso seria feito pela inovação que sabíamos estar dentro deles. Nós os desafiamos a nos ajudar a corrigir aquele problema.

Depois da reunião, três membros da equipe assumiram a tarefa de remodelar Rhino durante o fim de semana. Dentro de uma semana, o projeto estava de volta aos trilhos.

Por que um problema que levou alguns dias para ser resolvido tinha tido sua duração estimada originalmente em seis meses?

Acho que a resposta está no fato de que, por muito tempo, os líderes da Disney Animation davam mais valor à prevenção de erros do que a qualquer outra coisa. Seus funcionários sabiam que haveria repercussões caso erros fossem cometidos; assim, a principal meta era nunca cometer nenhum. Para mim, aquele medo institucional estava por trás do problema da reformulação de *Bolt*. Com as melhores intenções, os gerentes de produção do filme tinham reagido à crise com um cronograma que iria assegurar um personagem que era totalmente funcional *sem nenhum erro*. (A ironia é que, se uma solução leva só alguns dias para ser encontrada, então você não se importa tanto caso haja erros, porque haverá tempo suficiente para corrigi-los.) Mas tentar eliminar erros naquele caso – e, diria eu, na maioria deles – seria precisamente a coisa errada a ser feita.

Para que três pessoas decidissem se reunir fora da empresa para pensar em soluções, tivemos que instilar na Disney um etos que tornasse aquele comportamento correto, *mesmo não sendo bem-sucedido*. Aquele etos tinha existido no estúdio no passado, mas estava tristemente ausente quando chegamos. Foi divertido vê-lo de volta no caso de *Bolt*. Chris, Byron e sua equipe criativa eram abertos e sensíveis e, mais importante, capazes de tirar o foco da noção da maneira "certa" de resolver o problema para de fato resolvê-lo – uma distinção sutil, mas importante.

Mesmo antes de *Bolt* ser lançado com críticas positivas e uma sólida receita, o impacto daquelas vitórias internas havia revigorado as fileiras da Disney Animation. Graças ao trabalho conjunto, eles tinham transformado um projeto atolado em um projeto convincente – e em tempo recorde. No início de 2009, quando o filme foi indicado para um Oscar como Melhor Longa-Metragem de Animação, aquilo pareceu um bônus. Às vezes é difícil dizer a diferença entre o que é impossível e o que é possível (mas exige um grande esforço). Numa empresa criativa, confundi-los pode ser fatal – mas fazer certo sempre eleva. Na Disney, *Bolt* foi o filme que comprovou essa verdade. E nós fazíamos parte daquilo.

Não se fala muito nisso, mas depois da fusão chegaram a comentar a possibilidade do fechamento da Disney Animation. O argumento para isso, expresso entre outros por Steve Jobs, era de que John e eu iríamos nos dividir demais para fazer um bom trabalho nos dois lugares – e que deveríamos concentrar nossas energias em manter a Pixar forte. Mas John e eu queríamos muito a oportunidade de ajudar a reviver a Disney Animation, e Bob Iger nos apoiou naquela meta. Acreditávamos que o estúdio seria grande novamente.

Contudo, a preocupação de Steve a respeito da nossa resistência – ou, em outras palavras, nossa capacidade para estar em dois lugares ao mesmo tempo – não era infundada. Nosso tempo era limitado e a Pixar, por definição, estava recebendo menos que no passado. A partir do momento em que a fusão foi anunciada, John e eu tínhamos tentado acalmar os temores de nossos colegas com o excesso de reuniões que fazíamos com qualquer um que quisesse ouvir mais sobre por que a fusão fazia sentido. Porém, à medida que começamos a passar mais tempo na Disney, a impressão geral na Pixar, expressa por muitas pessoas a John e a mim, era de que nossa presença reduzida em Emeryville e nosso foco nas necessidades de Burbank constituíam um mau sinal para a empresa. Um gerente da Pixar comparou a situação ao resultado de um divórcio, quando seus pais se casam de novo e adotam os filhos dos novos cônjuges. "Nós nos sentíamos como os filhos originais e tínhamos sido bons, mas os filhos adotados estão recebendo toda a atenção", contou ele. "Em certo sentido, estamos sendo punidos por necessitar de menos ajuda."

Eu não queria que a Pixar se sentisse negligenciada, mas admito que vi uma vantagem naquela nova realidade. Era uma oportunidade para que outros gerentes da Pixar se destacassem. Dado o tempo que John e eu havíamos estado lá, tinha sido construída uma perigosa mitologia em torno da ideia de que, embora não fôssemos os únicos que reconheciam problemas, éramos parte essencial para sua solução. Mas a verdade era que, assim como muitas vezes outras pessoas reconheciam os problemas antes de nós, porque estavam mais perto deles, elas levantavam as questões conosco e nos ajudavam a resolvê-los. Nossa presença reduzida no escritório era uma oportunidade para os funcionários da Pixar verem aquilo que eu já sabia: que outros líderes na empresa também tinham respostas.

Contudo, apesar das proteções que adotamos, levou algum tempo até que o pessoal da Pixar acreditasse que ninguém iria nos mudar ou que nós os estávamos abandonando. Mas com o tempo o sentimento que esperávamos que fosse emergir na Pixar – um forte senso de propriedade associado ao orgulho também existente na Disney – conduziu a um relacionamento mais sadio com a Disney como um todo. A lição para os gerentes foi que aquilo não aconteceu por acaso. Aquele entendimento corporativo não teria sido possível sem o Compacto de Cinco Anos.

O documento, ao mesmo tempo que gerou um grande conforto para os funcionários da Pixar, provocou várias reclamações do departamento de recursos humanos da Disney. As queixas resumiam-se ao fato de que eles não davam importância à excepcionalidade causada por nossas políticas cuidadosamente respeitadas. Minha resposta àquilo veio menos de uma lealdade à Pixar do que do meu compromisso com uma ideia maior: em grandes organizações existem vantagens na consistência, mas acredito que grupos menores dentro do todo maior devem poder se diferenciar e operar de acordo com suas próprias regras, desde que elas funcionem. Isso promove na empresa um senso de propriedade pessoal e de orgulho que, para mim, beneficia a empresa maior.

Numa fusão desse escopo, há aparentemente incontáveis chamados a fazer, sobre questões grandes e pequenas. Uma das maiores decisões que John e eu tomamos na Disney foi na verdade reverter uma decisão, tomada em 2004, encerrar os esforços do estúdio com animação desenhada manualmente. A ascensão da animação por computador – e da 3D em particular – havia convencido os líderes anteriores da Disney de que a era da animação manual tinha acabado. Observando de longe, John e eu achamos que aquilo era trágico. Sentíamos que o declínio da animação manual não era atribuível à 3D, mas simplesmente à narração enfadonha. Queríamos que a Disney Animation voltasse àquilo que a tornara grande. Assim, quando ouvimos que nossos predecessores tinham optado por não renovar os contratos de uma das melhores duplas de diretores, John Musker e Ron Clements, cujos créditos incluíam *A pequena sereia* e *Aladdin*, aquele chamado em particular parecia simples.

Trouxemos John e Ron de volta o mais rápido possível e lhes dissemos para buscar novas ideias. Logo depois eles propuseram uma mudança em um conto de fadas clássico – *O príncipe sapo* – que teria lugar em Nova Orleans e apresentaria, como sua heroína, a primeira princesa afro-americana da Disney. Demos luz verde para *A princesa e o sapo* e começamos a reunir uma equipe que havia sido dispersa. Pedimos à nossa equipe da Disney que propusesse três cenários para reconstruir o esforço de produção manual. A primeira missão foi restabelecer o antigo sistema exatamente como existia antes da nossa chegada, o qual rejeitamos por ser caro demais. O segundo cenário foi de terceirizar o trabalho de produção – passando-o para casas de animação menos dispendiosas no exterior – o qual foi rejeitado por medo de perda da qualidade. O terceiro cenário pareceu certo – uma combinação de contratar talentos importantes no estúdio e terceirizar partes do processo que não iriam afetar a qualidade. Fui informado de que o número de pessoas de que iríamos precisar para fazer aquilo acontecer era 192. Aprovei, com a condição de aquele número não ser ultrapassado.

John e eu estávamos entusiasmados. Não só estávamos revivendo a forma de arte sobre a qual o estúdio havia sido construído, mas também aquele era o primeiro filme da Disney que seria feito, do começo ao fim, sob nossa supervisão. Podíamos sentir a energia no edifício. Era como se todos que estavam trabalhando em *A Princesa e o Sapo* sentissem que tinham algo para provar. Começamos a lhes dar algumas das ferramentas que usávamos na Pixar e a ensinar como usá-las.

Por exemplo, viagens de pesquisa. Explicamos o valor da pesquisa quando o enredo de um novo filme está sendo elaborado. Francamente, levou algum tempo até que o pessoal da Disney aceitasse essa ideia. Parecia que queriam fechar a história rapidamente para poderem começar a fazer o filme, e não viam como a pesquisa poderia ajudá-los; eles achavam isso um atraso. "É como um problema de matemática no qual lhe dizem: 'Mostre seu trabalho'", diz Byron Howard, expressando como o pessoal da Disney Animation via inicialmente a insistência de John para que todos deixassem o prédio quando concebiam suas histórias. "John espera que, se você rascunhou prédios a partir do seu filme, não está projetando apenas besteira na tela. O mesmo se dá com personagens, roupas, enredo. John acredita realmente que a autenticidade está em cada detalhe."

Mas nós persistimos: sabíamos que aquele era um componente essencial da criatividade e não estávamos brincando a respeito da sua importância. Assim, durante a preparação de *A princesa e o sapo*, toda a liderança criativa do filme foi para a Louisiana. Assistir ao desfile Krewe of Bacchus no domingo anterior à Terça-Feira Gorda lhes deu um ótimo quadro de referência quando animaram a sequência baseada naquele festival; o passeio no barco fluvial *Natchez* ajudou-os a eliminar uma cena em um barco semelhante; uma volta pela linha de bondes da St. Charles Street garantiu que captassem o som distinto do sino do bonde, os sons e as cores. Tudo isso estava ali na frente deles. Quando voltaram, os diretores Ron e John contaram que aquela pesquisa inspirou a produção de maneiras inesperadas. Era o início de uma grande mudança: hoje, os diretores e escritores da Disney não conseguem imaginar o desenvolvimento de uma ideia para um filme sem fazer pesquisa.

Antes do lançamento de *A princesa e o sapo*, tivemos muitas conversas a respeito do nome do filme. Por algum tempo consideramos o título "A princesa sapa", mas o pessoal de marketing da Disney nos alertou: a palavra *princesa* no título levaria muitas pessoas a pensar que o filme era só para garotas. Deixamos o título como estava, acreditando que a qualidade do filme iria bloquear essa associação e atrair espectadores de todas as idades, homens e mulheres. Achávamos que o retorno à animação manual, feito a serviço de um belo conto de fadas, resolveria tudo.

Essa foi nossa versão de uma coisa estúpida.

Quando *A princesa e o sapo* foi lançado, acreditávamos ter feito um bom filme, as críticas confirmaram essa crença e as pessoas que viram o filme adoraram. Porém, logo soubemos que tínhamos cometido um sério erro – que foi aumentado pelo fato de o lançamento nacional do nosso filme ter ocorrido apenas cinco dias antes do lançamento de *Avatar*, de James Cameron. Essa programação encorajou o público a dar uma olhada em um filme com a palavra *princesa* no título e pensar: *Esse é um filme só para garotinhas*. Dizer que fizemos um grande filme, mas não demos ouvidos às sugestões de colegas experimentados, colocou em risco a qualidade de que tanto nos orgulhávamos. Qualidade significa que todo aspecto – não apenas a apresentação e a narrativa, mas também o posicionamento e o marketing – precisava ser bem-feito, o que significava estar aberto a opiniões fundamentadas, mesmo quando elas contradiziam a sua. O filme havia ficado dentro do orçamento, uma realização das mais raras na indústria de entretenimento. A qualidade da animação rivalizava com a dos melhores filmes do estúdio. O filme foi lucrativo, pois mantivemos os custos sob controle, mas não rendeu o suficiente para convencer ninguém no estúdio de que deveríamos investir mais em filmes feitos manualmente.

Embora tivéssemos muitas esperanças de que o filme iria provar que o sistema 2D podia crescer novamente, nossa visão estreita e decisões erradas fizeram parecer que o oposto era verdade. Apesar de então pensarmos – e ainda pensamos – que a animação manual é um meio maravilhosamente expressivo, compreendo hoje que fui levado por minhas lembranças de infância da Disney Animation que tanto me divertiu. Eu tinha gostado da ideia de celebrar a forma de arte da qual o próprio Walt Disney foi um pioneiro.

Depois do lançamento algo modesto de *A princesa e o sapo*, eu sabia que precisávamos repensar o que estávamos fazendo. Naquela ocasião, Andrew Millstein chamou-me de lado e alertou que nossa abordagem dupla – reviver o 2D e ao mesmo tempo promover o 3D – estava confundindo as pessoas no estúdio que queríamos encorajar a focalizar o futuro. O problema com o 2D não era a validade daquela tradicional forma de arte, mas sim que os diretores da Disney precisavam e desejavam se engajar com o novo.

Logo depois da fusão, muitas pessoas haviam me perguntado se a Disney faria 2D e a Pixar, 3D. Elas esperavam que a Disney fizesse as coisas antigas e a Pixar as novas. Depois de *A princesa e o sapo*, compreendi que era importante eliminar aquele modo tóxico de pensar logo no início. A verdade era que os diretores da Disney respeitavam a herança do estúdio, mas queriam construir sobre ela – e para isso tinham de estar livres para criar seu próprio caminho.

Ironicamente, a adoção do novo pela Disney aconteceu quando a empresa finalmente descobriu como reestruturar e repensar uma história antiga: o conto de fadas *Rapunzel*. Era um projeto que ficara durante anos em desenvolvimento e finalmente tinha sido deixado para morrer. Mas então o estúdio estava se tornando mais saudável em termos de criatividade e as pessoas falavam entre si. John dizia sempre que o problema da Disney Animation nunca foi falta de talento, e sim que anos de condições de trabalho sufocantes tinham feito com que as pessoas perdessem suas bússolas criativas. Agora, mesmo com o desapontamento da renda de *A princesa e o sapo*, elas estavam novamente tirando a poeira das suas bússolas.

Durante anos, muitos na Disney haviam tentado – e não conseguido – fazer da história de Rapunzel um grande filme. O maior desafio era que uma garota trancada numa torre dificilmente constitui um cenário ativo para um longa-metragem. Em certo ponto, o próprio Michael Eisner havia proposto atualizar a história, mudando seu título para *Rapunzel sem Tranças*, e situando-a na San Francisco de nossos dias. Então, de alguma forma nossa heroína seria transportada para o mundo dos contos de fada. O diretor do filme, Glen Keane, um dos maiores animadores que já existiram – conhecido por seu trabalho em *A pequena sereia*, *Aladdin* e *A Bela e a Fera* – não conseguiu fazer a ideia funcionar, o que deixou o projeto num impasse. Na semana anterior à minha chegada com John, nossos antecessores encerraram o projeto.

Um de nossos primeiros atos na Disney foi pedir a Glen que mantivesse *Rapunzel* em andamento. Era uma história clássica, perfeita para a marca Disney. Certamente havia como fazê-la funcionar como filme. Na mesma ocasião, Glen teve um problema temporário de saúde e foi forçado a reduzir sua participação no filme para a de conselheiro. Em outubro de 2008, trouxemos os diretores Byron Howard e Nathan Greno, logo depois do seu sucesso com *Bolt*. Eles levaram a história para uma direção diferente, em conjunto com o escritor Dan Fogelman e o compositor Alan Menken, que havia feito a música para os icônicos musicais da Disney da década de 1990. A nova Rapunzel era mais assertiva que a personagem do conto clássico e seus cabelos tinham poderes curativos mágicos, que ela podia ativar cantando uma canção mágica. Essa versão da história era conhecida, mas atrevida e moderna ao mesmo tempo.

Determinados a não repetir o erro que cometemos com *A princesa e o sapo*, mudamos o título de *Rapunzel* para *Enrolados*, mais neutro em relação ao gênero. Internamente, a decisão era controversa, pois algumas pessoas estavam achando que estávamos deixando que aspectos de marketing afetassem decisões criativas, que estávamos deturpando uma propriedade clássica. Nathan e Byron refutaram essa acusação, alegando que a história era sobre um casal de personagens, um ex-ladrão chamado Flynn Rider; assim, o título captava melhor o fato de o filme ser a respeito de uma dupla.

"Você não chamaria *Toy Story* de 'Buzz Lightyear'", como disse Nathan.

Lançado em novembro de 2010, *Enrolados* foi um grande sucesso, artística e comercialmente. A.O. Scott, do *New York Times*, escreveu: "Sua aparência e seu espírito transmitem uma qualidade modificada e atualizada, mas mesmo assim sincera, do Disney do passado." O filme faturou mais de 590 milhões de dólares em todo o mundo, a segunda maior renda de um filme da Disney depois de *O Rei Leão*. O estúdio teve seu primeiro grande sucesso em 16 anos, e as reverberações no prédio foram palpáveis.

Eu poderia parar por aqui, mas há um final para essa história que terá eco com qualquer gerente, em qualquer ramo de negócio. Ele envolveu nossa determinação para usar o sucesso de *Enrolados* como monumento de cura para o estúdio e nós sentíamos que sabíamos exatamente como fazê-lo.

Tínhamos aprendido havia muito que, apesar das pessoas gostarem de bônus em dinheiro, há uma coisa à qual elas dão quase o mesmo valor: ser olhado nos olhos por uma pessoa respeitada, que também diz: "Muito obrigado." Na Pixar, tínhamos descoberto uma maneira para dar aos nossos funcionários dinheiro *e* gratidão. Quando um filme rende o suficiente para justificar bônus, John e eu nos reunimos com os diretores e produtores e distribuímos pessoalmente cheques a todas as pessoas que trabalharam no filme. Isso está de acordo com nossa crença de que cada filme pertence a todos no estúdio (e está relacionado à nossa crença de que "ideias podem vir de todas as partes"; todos são encorajados a fazer observações e dar palpites, e eles o fazem). A distribuição de bônus um por um pode levar algum tempo, mas achamos que é essencial apertar a mão de cada pessoa e lhe dizer o quanto sua contribuição foi importante.

Logo depois do sucesso de *Enrolados*, pedi que Ann Le Cam, nossa vice-presidente de recursos humanos, nos ajudasse a fazer algo semelhante na Disney. Ela mandou imprimir cartas personalizadas explicando o motivo dos bônus e, certa manhã de 2010, Andrew Millstein, gerente-geral da Disney Animation, os diretores Nathan Greno e Byron Howard, o diretor anterior e (inspirador do filme) Glen Keane, o produtor Roy Conli, John e eu pedimos que todos aqueles que haviam trabalhado em *Enrolados* se reunissem num dos grandes palcos da Disney. Enquanto se juntavam, eles não sabiam o que iria acontecer – tínhamos sugerido que se tratava de uma reunião geral. Mas quando viram os envelopes em nossas mãos, eles souberam que alguma coisa iria acontecer. Foi ideia de Ann também dar a cada membro da equipe um DVD do filme, que tinha acabado de ser produzido – um pequeno gesto que fez nossa gratidão parecer ainda mais sincera. Até hoje alguns veteranos de *Enrolados* ainda exibem em suas salas exemplares emoldurados da carta que receberam naquele dia.

Teria sido mais fácil depositar simplesmente os bônus diretamente nas contas-correntes dos funcionários? Sim. Mas como sempre digo a respeito de se fazer um filme, o fácil não é o bom. A qualidade é a meta.

O rumo estava começando a mudar – e continuaria a mudar.

Mencionei anteriormente que o Banco de Histórias da Disney tem evoluído, transformando-se em um grupo forte e solidário; mas em nossos primeiros anos, ele carecia de líderes competentes em estrutura narrativa. Apesar de o grupo ser muito bom, eu não sabia com certeza se algum dos seus membros iria transformar-se na espécie de facilitador que havia surgido na Pixar. Isso me preocupava, porque eu sabia o quanto a Pixar dependia da capacidade de Andrew Stanton e Brad Bird mapearem os caminhos de uma história e torná-la melhor. Mas eu sabia que tudo que podíamos fazer na Disney era gerar um ambiente criativo saudável e ver o que acontecia.

Assim, fiquei muito gratificado quando o estúdio estava fazendo *Detona Ralph* e *Frozen – Uma aventura congelante* (dirigidos por Chris Buck e Jennifer Lee, que também escreveu o enredo), ao perceber alguma coisa mudando de dentro para fora. Os escritores do estúdio haviam se unido e, em grupo, começado a desempenhar um papel vital nas reuniões do Banco de Histórias, em especial quando se tratava de estruturar os filmes. Aquele grupo de feedback tinha se tornado tão bom quanto o Banco de Cérebros da Pixar, mas com personalidade própria. Era uma indicação de que alguma coisa maior estava acontecendo. O estúdio como um todo estava operando de forma mais suave. E quero enfatizar que ele ainda era ocupado, em sua maioria, pelas mesmas pessoas que John e eu encontramos na nossa chegada. Tínhamos aplicado nossos princípios a um grupo disfuncional e mudado a todos, liberando seu potencial criativo. Elas tinham se tornado uma equipe coesa, repleta de grandes talentos. Isso levou a Disney Animation a um novo nível. Agora tínhamos um núcleo criativo tão bom quanto o da Pixar, mas algo diferente. O estúdio construído por Walt Disney mais uma vez era merecedor do seu nome.

Capítulo 13

DIA DE OBSERVAÇÕES

Quando comecei este livro, esperava captar parte do pensamento subjacente à maneira pela qual trabalhamos na Pixar e na Disney Animation. Também esperava que, conversando com meus colegas a respeito de minhas teorias e refletindo sobre aquilo que construímos, eu iria clarificar minhas crenças a respeito de criatividade e como ela é criada, protegida e sustentada. Dois anos depois, acho que consegui fazer essas coisas, mas a clareza não veio com facilidade. Em parte porque, enquanto estava escrevendo este livro, eu também estava trabalhando em tempo integral na Disney e na Pixar, e o mundo não ficava parado. Em parte a clareza era ilusória, porque eu não acreditava em fórmulas simples para o sucesso. Queria que este livro reconhecesse a complexidade exigida pela criatividade. E isso significava penetrar em áreas obscuras.

Durante o período em que trabalhei neste livro, a Disney continuou a evoluir de forma um tanto dramática, com seu Banco de Histórias tornando-se um sistema de feedback sincero e útil e seu grupo de produção atingindo novos níveis de sofisticação técnica e narrativa. Cada um dos filmes da Disney tinha problemas – que esperávamos –, mas encontramos maneiras de resolvê-los. *Frozen* foi lançado na véspera do Dia de Ação de Graças de 2013 e, como *Enrolados*, tornou-se um sucesso mundial de receitas – uma vitória ainda mais doce porque veio logo depois de *Detona Ralph*, o sucesso do estúdio em 2012. Creio que a cultura criativa da Disney Animation está basicamente diferente de quando John e eu chegamos lá em 2006.

Enquanto isso tudo estava acontecendo, a Pixar lançou *Universidade Monstros*, que passou por uma troca de diretores em sua jornada até os cinemas. O filme – nosso décimo quarto campeão de bilheteria consecutivo – faturou 82 milhões de dólares na semana de lançamento e chegou a 740 milhões em todo o mundo. A atmosfera na Pixar era de júbilo. Mas, como sempre, meu foco estava nos desafios que estavam à frente e em permanecer fiel à nossa meta de reconhecer problemas cedo e enfrentá-los com tudo.

Tenho observado que em qualquer empresa existem forças em ação que são difíceis de se ver. Na Pixar, essas forças – entre as quais o impacto do crescimento e as reverberações do sucesso – tinham provocado vários problemas. Por exemplo, à medida que crescemos, havíamos admitido uma grande mistura de pessoas. Assim, além dos colegas que estavam conosco desde o início e compreendiam os princípios que guiavam a empresa, uma vez que haviam passado pelos eventos que tinham forjado aqueles princípios, tínhamos chegadas mais recentes. Embora algumas dessas pessoas aprendessem depressa, absorvendo as ideias que faziam nossa empresa funcionar e tornando-se novos líderes, outras estavam em estado de admiração pelo lugar – respeitosas de nossa história a ponto de poderem ser atrapalhadas por ela. Muitas trouxeram consigo boas novas ideias, mas algumas relutavam em sugeri-las. Afinal, aquela era a grande e poderosa Pixar – quem eram *elas* para pedir mudanças? Algumas eram agradecidas pelo ambiente favorável – a cafeteria subsidiada, as ferramentas topo de linha –, mas outras davam aquilo como certo, imaginando que aqueles privilégios vinham com o território. Muitas adoravam nosso sucesso, mas algumas não compreendiam a luta e o risco acarretados por ele. Essas queriam saber por que não tornávamos as coisas mais simples.

Em resumo, a Pixar tinha os mesmos problemas de qualquer empresa de sucesso. Mas, para mim, um dos maiores era que cada vez mais pessoas tinham começado a sentir que não era seguro, nem bem recebido, oferecer novas ideias. Essa hesitação era difícil de se ver inicialmente, mas, quando prestávamos atenção, víamos muitas indicações de que alguns se continham. Para mim, aquilo significava uma coisa: nós, como líderes, estávamos permitindo que algumas ideias erradas se disseminassem e isso era ruim para nossa cultura.

Mas não existe nada como uma crise para trazer para a superfície aquilo que incomoda uma empresa. E então vieram três crises ao mesmo tempo: (1) nossos custos de produção estavam subindo e precisávamos controlá-los; (2) forças econômicas externas estavam pressionando nosso negócio; e (3) um dos princípios centrais da nossa cultura – boas ideias podem vir de todas as partes; assim, todos devem sentir-se à vontade para falar – estava tropeçando. Um número excessivo de funcionários – e para mim isso quer dizer todos – estava se autocensurando. Isso precisava mudar.

Aqueles três desafios – e nossa crença de que não havia uma só grande ideia que os resolvesse – nos levaram a tentar uma coisa que, esperávamos, iria romper o impasse e revigorar o estúdio. Nós o chamamos de Dia de Observações e eu o vejo como um ótimo exemplo de como preparar o terreno para a criatividade. Os gerentes de empresas criativas nunca devem se esquecer de perguntar a si mesmos: "Como podemos utilizar a inteligência do nosso pessoal?" Da sua criação à execução, da boa vontade que gerou às mudanças que provocou em toda a empresa, o Dia de Observações foi um sucesso, em parte porque foi baseado na ideia de que consertar coisas é um processo permanente e incremental. As pessoas criativas precisam aceitar que os desafios nunca cessam, o fracasso não pode ser evitado e a "visão" com frequência é uma ilusão. Mas elas também devem sempre sentir-se seguras para dizer o que pensam. O Dia de Observações foi um lembrete de que colaboração, determinação e sinceridade nunca deixam de nos estimular.

Muitas vezes perguntam de qual filme da Pixar eu mais me orgulho. Minha resposta é que, apesar de sentir orgulho por todos os nossos filmes, o que mais me orgulha é a maneira pela qual nosso pessoal reage a crises. Quando temos um problema, os líderes da empresa não dizem: "O que diabos *vocês* vão fazer a esse respeito?" Em vez disso, fala-se do "nosso" problema e do que "nós" podemos fazer para resolvê-lo juntos. Meus colegas se veem como parcialmente donos da empresa e da cultura, porque eles são. Eles protegem muito a Pixar. E foi esse espírito protetor e participativo que conduziu ao Dia de Observações.

Em janeiro de 2013, a liderança da Pixar – cerca de 35 pessoas, inclusive produtores e diretores – reuniu-se em Cavallo Point, uma antiga base militar transformada em centro de convenções em Sausalito, perto de San Francisco. Na agenda havia duas questões prementes. A primeira era o custo crescente de fazer nossos filmes; a segunda era uma infeliz mudança na cultura da Pixar, observada por todos os seus líderes. Com o crescimento, a Pixar havia mudado. Isso não deveria constituir surpresa – mudanças acontecem, e uma empresa com 1.200 funcionários (a Pixar hoje) opera de maneira muito diferente de uma com 45 (a Pixar no início). Mas muitos de nós estavam preocupados porque aquele crescimento causara a erosão de alguns dos princípios que haviam contribuído para nosso sucesso no passado. A situação não era péssima, longe disso, uma vez que tínhamos alguns projetos muito estimulantes em andamento. Mas quando nos reunimos em Cavallo Point havia na sala uma atmosfera de urgência. Cada um dos 35 homens e mulheres presentes desejava manter a Pixar no caminho certo.

Tom Porter – nosso chefe de produção, que também é um pioneiro em computação gráfica e um dos fundadores da Pixar – abriu o dia com uma extensa análise dos nossos custos. Os métodos de distribuição estavam mudando rapidamente, observou ele, e também a economia do nosso negócio. O fato de estarmos bem como empresa não nos tornava imunes àquelas forças maiores, e todos nós concordamos que precisávamos nos manter à frente dos problemas mantendo baixos os nossos custos. Ao mesmo tempo não queríamos deixar de correr riscos. Queríamos ser sempre uma empresa que apostasse em filmes incomuns, como *Up – Altas aventuras*, *Ratatouille* e *WALL-E*. É claro que nem todos os filmes tinham de abordar histórias pouco convencionais, mas queríamos que todos os diretores de filmes se sentissem livres para sugeri-los.

Essas duas questões estavam interligadas. Quando os custos estão baixos, é mais fácil justificar assumir um risco. Assim, a menos que reduzíssemos nossos custos, iríamos efetivamente limitar os tipos de filmes que poderíamos fazer. Além disso, havia outro benefício da redução de custos. Filmes baratos são feitos por equipes menores e todos concordam que, quanto menor a equipe, melhor a experiência de trabalho. Não é só porque uma equipe mais enxuta é mais próxima e colegiada; é que numa produção menor é mais fácil as pessoas sentirem que tiveram um impacto. *Toy Story*, nosso primeiro filme, foi feito com a menor de todas as nossas equipes, mas à medida que cada novo filme se tornava visualmente mais complexo, as equipes começaram a crescer. Na época da reunião em Cavallo Point, fazer um filme na Pixar custava, em média, cerca de 22 mil pessoas-semanas, a unidade de medida que usamos comumente em nosso orçamento. Precisávamos reduzir aquele número em cerca de 10%.

Mas também precisávamos de algo a mais, mais difícil de quantificar. Sentíamos cada vez mais que nossos funcionários, depois de anos de sucesso, estavam sob muita pressão para não fracassarem. Ninguém queria ter trabalhado no primeiro filme a não ter sucesso. E o resultado era uma tentação crescente de exagerar nos detalhes visuais dos filmes, para torná-los "perfeitos". Aquele desejo, aparentemente honroso, era acompanhado por uma espécie de ansiedade paralisante. E se não conseguíssemos alcançar o nível de excelência esperado? E se não conseguíssemos ser visualmente inovadores? Como empresa, nossa determinação para evitar desapontamentos também estava fazendo com que evitássemos riscos. O espectro da excelência do passado estava minando parte da energia que antes usávamos para buscar a excelência. Além disso, muitas pessoas novas haviam entrado na empresa, pessoas essas que não haviam sentido os altos e baixos dos nossos filmes anteriores. Assim, elas tinham noções preconcebidas do que era trabalhar numa empresa de sucesso. Como ocorre em muitas empresas, uma das consequências de um grande sucesso é uma perniciosa distorção da realidade. Ouviríamos cada vez mais que as pessoas consideravam determinadas coisas erradas, mas não queriam expressá-las. Um de nossos maiores valores – que as soluções poderiam vir de qualquer um e que todos deveriam ficar à vontade para oferecer soluções – aos poucos estava sendo subvertido sob nossos olhos vigilantes. E somente nós podíamos corrigir aquilo.

"Às vezes penso que as pessoas estão à vontade demais", disse John quando nos reunimos numa capela reformada na área do centro de convenções. "Elas precisam sentir-se estimuladas – como um dia nos sentimos: animados e cheios de possibilidades!"

Aquela não era a primeira vez em que John e eu havíamos perguntado como o pessoal da Pixar era afetado pelo fato de estar à frente do grupo por tanto tempo. Será que começariam gradualmente a dar o sucesso como certo? "Existe na Disney uma leveza e uma velocidade que quero ver mais na Pixar", disse John.

Como, todos nós nos perguntávamos, poderíamos manter o senso de intensidade e jovialidade, deixando para trás o conservadorismo paralisante que acompanha o sucesso de, ao mesmo tempo, nos tornarmos mais enxutos e ágeis?

Foi quando Guido Quaroni falou. Guido é vice-presidente do nosso departamento de ferramentas e passa muito tempo pensando a respeito de como manter satisfeitos seus 120 engenheiros. Nessa frente, seu desafio é real: seu departamento desenvolve tecnologia, mas a Pixar não a vende. Ela vende histórias *possibilitadas* pela tecnologia. Isso significa que, quando um engenheiro da Pixar desenvolve um software, este só é considerado um sucesso se ajudar na feitura de nossos filmes. Já falei a respeito do problema que ocorre na Pixar, de pessoas questionando que parte do sucesso de cada filme pode ser atribuída pessoalmente a elas. Para engenheiros, essa incerteza pode ser particularmente aguda. Guido sabe que, se não tomar cuidado, essa desconexão pode provocar uma baixa no moral. Assim, para reter os melhores engenheiros, ele se esforça muito para assegurar que eles gostem de seu trabalho.

Certa vez, Guido contou uma história a respeito de algo que ele havia instituído em seu departamento, os "dias de projetos pessoais". Dois dias por mês ele permitia que seus engenheiros trabalhassem em qualquer coisa que quisessem, usando recursos da Pixar na solução de qualquer problema ou pergunta que achassem interessante. A solução não precisava ser diretamente aplicável a qualquer filme em particular nem satisfazer qualquer necessidade da produção. Se um engenheiro quisesse ver, por exemplo, como seria iluminar uma cena de *Valente*, ele podia fazê-lo. Se um grupo de engenheiros quisesse construir um protótipo usando Kinect, o dispositivo sensor de movimentos da Microsoft, para ajudar os animadores a capturar movimentos dos personagens, também poderia fazê-lo. Qualquer ideia que despertasse sua curiosidade poderia ser perseguida.

"Você dá tempo às pessoas e elas vêm com as ideias", disse Guido. "Isso é que é bonito. Elas vêm deles."

Guido já havia me contado a respeito de como, em apenas quatro meses, os dias de projetos pessoais haviam revigorado a equipe. Tínhamos até começado a pensar em ideias a respeito de como esforços semelhantes poderiam ser implantados em toda a empresa. Ele até sugeriu fechar a Pixar por uma semana no final do ciclo de produção de um filme para conversar a respeito do que dera certo, do que saíra errado e como nos prepararmos para o projeto seguinte – uma espécie de superpostmortem. Acabamos vendo que a ideia não era prática, mas era provocadora. E enquanto pensávamos em como atingir a meta de cortar os custos em 10%, Guido tinha uma sugestão simples.

"Vamos pedir aos funcionários da Pixar – todos eles – sugestões a respeito de como fazer isso", disse ele.

Olhando para John, pude sentir suas engrenagens mentais começarem a rodar. "Muito bem, *isso* é interessante", disse ele. "E se fechássemos a Pixar por um dia? Todos virão trabalhar, mas só falaremos a respeito de como resolver esse problema. Dedicaremos um dia inteiro a ele."

No mesmo instante a sala se agitou. "Isto é a Pixar", disse Andrew. "Totalmente inesperado. Sim! Vocês querem estimular o pessoal? Vamos fazê-lo!"

Quando perguntei quem estava disposto a ajudar na organização do evento, todas as mãos se ergueram.

Acredito que nenhuma empresa criativa deve parar de evoluir e aquela seria nossa mais recente tentativa para evitar a estagnação. Queríamos explorar questões grandes e pequenas – fazer observações sinceras a nós mesmos a respeito da situação da empresa, assim como fazemos com os filmes nas reuniões do Banco de Cérebros. Assim, quando começamos a tornar realidade a ideia de Guido, fazia sentido invocar a palavra que usamos para um feedback sincero: *observações*. Em certo ponto, decidimos que o dia 11 de março de 2013, uma segunda-feira, seria chamado de "Dia de Observações".

O exercício seria inútil sem a adesão do nosso pessoal; assim, programamos três reuniões em um auditório para explicar a ideia a mais de trezentos funcionários por vez. Tom Porter apresentou uma versão abreviada da sua palestra para expor o problema, e então John e eu explicamos o plano. "Será um dia em que vocês nos dirão como tornar a Pixar melhor", disse John. "Nesse dia não iremos trabalhar. Não haverá visitantes. Todos devem comparecer."

"Temos um problema", disse eu, "e acreditamos que as únicas pessoas que sabem como resolvê-lo são vocês."

Indicamos Tom para presidir o Dia de Observações e garantir que ele fosse mais que um mero exercício para sentir-se bem. Desde o início ele deixou claro o que era – e o que não era – o Dia de Observações. "Este não é um apelo para trabalhar mais depressa, fazer mais horas extras ou fazer o mesmo com menos pessoas", disse ele em um fórum. "Trata-se de fazer três filmes a cada dois anos com mais ou menos o mesmo número de pessoas que temos hoje. Esperamos nos basear em aperfeiçoamentos em tecnologia e também que a produção possa dividir recursos e evitar a reinvenção da roda a cada vez. Esperamos que os artistas possam se beneficiar de maior clareza por parte dos diretores." Mas para transformar em realidade essas esperanças – e descobrir outras áreas nas quais poderemos melhorar – os líderes da Pixar precisavam que todos falassem.

Tom formou um Grupo de Trabalho do Dia de Observações, que, por sua vez, criou uma caixa de sugestões eletrônica onde os funcionários da Pixar podiam apresentar tópicos para discussão que achassem úteis para nos tornar mais inovadores e mais eficientes. Imediatamente, ideias para tópicos começaram a entrar, juntamente com sugestões a respeito de como dirigir o próprio Dia de Observações.

Por sua vez, a caixa de sugestões inspirou algo que nenhum de nós esperava. Muitos departamentos, sem qualquer estímulo, criaram suas próprias wiki páginas e blogs para debater aquelas que para eles eram as verdadeiras questões centrais na Pixar. Semanas antes do Dia de Observações, as pessoas estavam falando entre si de maneira inédita a respeito de como, especificamente, melhorar o fluxo de trabalho e realizar mudanças positivas. Quando as pessoas pediam orientação sobre como se envolverem, Tom incentivou-as, fazendo este lembrete hipotético para quem perguntasse: "O ano é 2017. Os dois filmes deste ano foram concluídos em bem menos de 18.500 pessoas-semanas... Que inovações ajudaram essas produções a atingir as metas orçamentárias? Que coisas específicas fizemos de maneiras diferentes?"

No fim, quatro mil e-mails chegaram à caixa de sugestões do Dia de Observações contendo mil ideias separadas. Quando foram avaliá-las, Tom e sua equipe tiveram o cuidado de não descartar o inesperado. "Apesar de descartarmos aquelas que pareciam reclamações gerais, também demos espaço para ideias interessantes que poderiam ou não levar a algum lugar", contou ele. "Tenho certeza de que estávamos inclinados para ideias que iriam claramente nos ajudar a chegar a 18.500 pessoas-semanas, mas houve muitos tópicos selecionados com uma conexão frouxa ou não óbvia com aquela meta. Eu diria que nosso principal critério era: 'Você pode imaginar vinte pessoas conversando sobre esse tópico por uma hora?'"

Juntando as semelhantes, a equipe de Tom reduziu as mil ideias a 293 tópicos para discussão. Ainda era demais para a agenda de um único dia; assim, um grupo de gerentes seniores reduziu aquele total a 120 tópicos, organizados em várias categorias amplas, como Treinamento, Meio Ambiente e Cultura; Compartilhamento de Recursos entre Filmes; Ferramentas e Tecnologia; e Fluxo de Trabalho.

O processo de seleção foi difícil e agravado pela diversidade das perguntas colocadas. Algumas eram válidas, mas de natureza altamente técnica, como: "Nossos erros de memória relacionados a conjuntos mal simplificados consomem muito tempo humano e de computador. O que pode ser feito para melhorar a simplificação?" Outras eram mais sociológicas, como: "Como podemos voltar à cultura de 'boas ideias podem vir de qualquer lugar?'" E também a minha favorita: "Como podemos conseguir um filme de *12 mil* pessoas-semanas?" Está certo: 12 mil. Esse foi um tópico para discussão provocado por e-mails de várias pessoas cuja reação ao apelo por um corte orçamentário de 10% foi, naturalmente, perguntar se um corte mais drástico também seria possível.

Em um dos e-mails, seu autor sugeriu que dos três filmes feitos a cada dois anos um fosse produzido ao custo de 15 mil pessoas-semanas? Ou até mesmo 12.500? "Não economizando na história, apenas simplificando o resto?"

Outra pessoa sugeriu: "Eu gostaria de trabalhar em um 'filme de 10 mil pessoas-semanas'. Acho que as medidas tomadas para possibilitar isso iriam aperfeiçoar os esforços para se fazer o filme de 18.500 pessoas-semanas."

Ainda outra perguntou: "Que espécie de filme faria a Pixar com 12 mil pessoas-semanas? Existe uma ideia criativa que poderia estar à altura da nossa reputação, mas feita por tão pouco? Onde seriam os cortes? O que seria diferente a respeito do processo?" O título do e-mail era "SEJAM RADICAIS".

Uma vez concluído o processo de seleção, Tom precisava descobrir aproximadamente quantas pessoas estavam interessadas em cada tópico para poder planejar o dia. Para isso, o Grupo de Trabalho do Dia de Observações fez circular uma pesquisa e o que ele aprendeu foi impressionante: o tópico número um – aquele a cujo respeito mais pessoas queriam debater – era como conseguir um filme de 12 mil pessoas-semanas. No fim, Tom e sua equipe organizaram sete sessões separadas de noventa minutos somente sobre esse tópico. As pessoas que se inscreveram para essas sessões não eram mártires. O problema de fazer mais com menos era interessante e elas queriam participar da sua solução. (Pense nisso – o tópico que mais despertou a imaginação dos meus colegas de Pixar foi uma tentativa de ser ainda mais agressivo na tentativa de reduzir o orçamento! Eles realmente entenderam o problema e suas implicações. Você vê por que me orgulho tanto deste lugar?)

Os detalhes de como tudo isso foi organizado parecem um pouco micro para serem descritos aqui, mas nada poderia ter sido mais vital para a maneira pela qual transcorreu o dia. É bom reunir pessoas para debater desafios do trabalho, mas era extremamente importante que encontrássemos uma maneira de transformar toda aquela conversa em alguma coisa tangível, utilizável, valiosa.

Para nós, a organização do dia seria o fator decisivo na consecução dos objetivos.

Tom e sua equipe decidiram logo de início que as pessoas iriam determinar suas programações, inscrevendo-se só para as sessões que lhes interessassem. Cada um dos grupos de debates do Dia de Observações seria liderado por um facilitador recrutado entre os gerentes de produção da empresa. Na semana anterior ao Dia de Observações, todos os facilitadores compareceram a uma sessão de treinamento para ajudá-los a manter cada grupo nos trilhos e assegurar que todos fossem ouvidos. Então, para garantir que surgisse algo de concreto, o Grupo de Trabalho designou um conjunto de "formulários de saída" que seriam preenchidos por todos os participantes.

Os formulários vermelhos eram para propostas, os azuis, para sessões de *brainstorm*, e os amarelos eram para algo que chamamos de "melhores práticas" – ideias que por si sós não eram itens para ação, mas princípios a respeito de como deveríamos nos comportar como empresa. Os formulários eram simples e específicos: cada sessão recebeu seu conjunto, elaborado especificamente para o tópico em questão, que fazia uma pergunta específica. Por exemplo, a sessão chamada "Retornar a uma Cultura de 'Boas Ideias Vêm de Qualquer Parte'" tinha formulários de saída azuis com este título: *Imagine que é 2017. Rompemos barreiras de forma que as pessoas sentem-se seguras para falar. Os funcionários graduados estão abertos a novos processos. O que fizemos para alcançar esse sucesso?* Sob essa pergunta havia lugares para três respostas. Então, depois dos participantes redigirem uma descrição geral de cada ideia, eram solicitados a ir alguns passos à frente. Que "Benefícios para a Pixar" trariam aquelas ideias? E quais deveriam ser os "Próximos Passos" para transformar as ideias em realidade? Finalmente, havia espaço para especificar: "Qual é o melhor público para esta ideia?" e "Quem deveria tocar essa ideia?".

A meta era um engajamento sério que levaria a ações. E embora Tom e sua equipe tivessem deixado espaço para vários tópicos, havia consistência na maneira pela qual estavam enquadrados. Uma sessão de melhores práticas chamada de "Lições de Fora" tinha um formulário de saída amarelo que continha a seguinte pergunta: "O que podemos aprender com as melhores práticas de outras empresas?" Abaixo, havia espaço para três lições, cada uma com o mesmo acompanhamento "Benefícios para a Pixar/Próximos Passos".

O formulário de saída vermelho para uma sessão de propostas chamada "Ajudar os Diretores a Entender Custos na História" dava aos participantes um ponto de partida: *Apresente o conceito de custo no início do processo da história. Faça discussões de escopo na fase de geração de ideias. A história desempenha um papel no processo do orçamento quando os carretéis são feitos.* Então, em um espaço marcado "Proposta Revista?", o formulário encorajava os participantes a melhorar a abordagem declarada. "Como isso beneficia o estúdio?", perguntava o formulário, e: "Quais são as devantagens?" Embaixo havia outra pergunta: "Vale a pena seguir essa ideia?", com duas respostas abaixo: "SIM! & Próximos passos" ou "NÃO, porque..."

A opção positiva perguntava: "Qual é o melhor público para esta proposta? (Seja específico)." E, mais uma vez: "Quem deve tocar esta proposta?"

Acho que você está percebendo o esforço da nossa equipe para garantir que o Dia de Observações nos levasse para onde precisávamos ir. Como disse Tom: "Não queríamos apenas fazer listas de coisas boas que poderíamos fazer. A meta era identificar pessoas apaixonadas que levariam as ideias adiante. Queríamos colocar pessoas com critérios inteligentes diante da equipe executiva da Pixar."

Na sexta-feira anterior ao Dia de Observações, soube que 1.059 pessoas estavam inscritas – quase toda a empresa, dado que alguns funcionários estavam fora ou de licença. Na segunda-feira seguinte, iríamos debater 106 tópicos em 171 sessões gerenciadas por 138 facilitadores em 66 espaços em nossos três edifícios – de escritórios a salas de reuniões e espaços comuns, como o Poodle Lounge, que tem na parede um retrato de George Washington, um jogo no piso e uma bola de espelhos suspensa.

Estávamos totalmente preparados para a realização do evento.

Às 9 da manhã de 11 de março, todos se reuniram no átrio do edifício Steve Jobs. Se o suéter azul-marinho da Pixar que eu usava não fosse suficientemente óbvio, meu rosto era: eu estava enormemente orgulhoso de como nosso pessoal já havia mostrado seu comprometimento em tornar o Dia de Observações histórico para nós. Eu lhes disse isso quando dei as boas-vindas e passei o microfone para John.

John muitas vezes assume o papel de inspirador-chefe e o pessoal, tanto na Disney como na Pixar, confia na sua energia e no seu otimismo. Mas aquele não era um apelo barato à ação. Encaminhando-se para a frente do palco, John fez o discurso mais sincero e apaixonado que já o vi fazer. Ele começou falando a respeito de franqueza e como passamos muito tempo na Pixar falando a respeito da sua importância. Mas franqueza é difícil, para dar e para receber. Ele sabia disso por experiência própria, disse, porque na preparação para o Dia de Observações os organizadores haviam contado sobre outra coisa que tinha chegado à caixa de sugestões eletrônica; boa parte do feedback havia focalizado ele próprio e nem tudo era positivo. Em particular, o pessoal estava irritado – porque ele estava dividindo seu tempo entre dois estúdios – e assim era menos visto. Em resumo, as pessoas sentiam falta dele, mas também achavam que havia maneiras pelas quais John poderia enfrentar melhor a enorme pressão sob a qual estava.

John admitiu que aquilo doeu; contudo, queria ouvir todas as críticas específicas. "Assim eles prepararam uma lista", disse ele. "Pensei que seria uma página, mas foram duas e meia." Aqui estão algumas coisas que John aprendeu: sua agenda era tão carregada e as reuniões com ele eram tão preciosas que as pessoas tendiam a se preparar demais para vê-lo, o que era inútil. Na verdade, disse John, "havia muitas observações a respeito de como gerencio meu tempo e como levo a emoção de uma reunião para a seguinte, levando algumas pessoas a perguntar: 'Por que ele está irritado conosco?' Eu não sabia que estava fazendo aquilo e aquelas duas páginas e meia foram realmente duras de ler. Mas para mim foi valioso ouvir e já estou trabalhando para corrigir tudo isso."

O átrio estava em silêncio, a despeito da multidão.

"Assim, por favor, sejam honestos hoje", continuou John. "E quanto aos ocupantes de cargos gerenciais, estejam alertas porque parte do que for dito irá parecer dirigido pessoalmente a vocês. Não estou brincando. Isso irá acontecer. Mas vistam a sua pele grossa e, pelo bem da Pixar, falem o que pensam e não interrompam a honestidade. Confiem em mim. O dia de hoje é para isso, para tornar a Pixar melhor para sempre, para todos vocês e para a próxima geração de funcionários. Isso irá mudar a empresa para melhor de uma forma fundamental. Mas tudo começa com vocês."

Estava na hora de ir para a sala de aulas.

Durante a primeira hora do Dia de Observações, todos foram para as reuniões de seus próprios departamentos – História, Iluminação, Sombreado, Contabilidade e assim por diante –, onde trocaram ideias com seus colegas mais próximos a respeito de como serem mais eficientes. Achamos que aquelas reuniões departamentais serviriam como uma espécie de aquecimento para o dia; sempre é mais fácil ser sincero com pessoas conhecidas do que com estranhos. Mas como John havia recomendado, o pessoal da Pixar precisava vestir sua pele mais grossa e seus rostos mais corajosos. Porque a partir das 10:45, quando todos foram para suas sessões finais, era possível que pelo resto do dia nenhum funcionário da Pixar iria estar sentado ao lado das pessoas que mais conhecia.

Por quê? Porque as sessões não estavam organizadas por cargo nem departamento, mas por interesse individual. Durante a preparação para o Dia de Observações, perguntaram a cada pessoa o que queria debater e a equipe de Tom havia criado sessões suficientes para acomodar a todos. Embora alguns tópicos fossem tão especializados que interessavam somente a um pequeno número de funcionários (por exemplo: "De que gama de soluções dispomos para melhorar a produtividade da Iluminação?"), atraiu a curiosidade de todas as espécies de pessoas de toda a empresa.

Por exemplo, se comparecesse a uma sessão de *brainstorming* denominada "Desenvolvimento e valorização de um ótimo local de trabalho" – *Estamos em 2017. Ninguém no estúdio se comporta como se tivesse direitos adquiridos. Como conseguimos isso?* –, você teria encontrado a chef executiva da empresa, uma mulher do jurídico, outra de finanças, um animador veterano e um homem de sistemas, além de outras 12 pessoas. O que havia atraído uma amostra tão variada? Para aquela sessão em particular, todos disseram que a escolheram pela expressão *direitos adquiridos* do título. Todos tinham conhecido na Pixar pessoas que agiam como se tivessem aqueles direitos – pessoas que insistiam em ter seu próprio equipamento, mesmo se ele pudesse ser compartilhado, ou que reclamavam que não podiam trazer seus cães para o trabalho. "Isto é um emprego", disse um animador. "Um ótimo emprego. Somos bem pagos. Essas pessoas precisam acordar."

Para aqueles que compareceram à sessão do "Ótimo local de trabalho" o mais impressionante era o que tinham em comum. O sujeito de sistemas contou uma história a respeito de atender a um frenético pedido de suporte técnico. Ele se apressou a atendê-lo, só para ouvir da irritada artista que sua máquina deveria ser consertada durante o almoço – porque seria mais conveniente para ela. "Eu também preciso almoçar", disse ele ao grupo, e todos concordaram. A chef contou uma história semelhante a respeito de um pedido de almoço de última hora, que chegou sem nenhum reconhecimento do incômodo que iria causar à equipe dela. Um animador lamentou não saber mais a respeito do que faziam as pessoas em outros departamentos. "Isso torna mais fácil caluniar e criar ressentimentos", disse ele.

Todas as pessoas dessa sessão tocaram nos mesmos temas. "Precisamos fazer com que as pessoas se comportem mais como pares", disse uma. Outra disse: "Gostaria que mais pessoas conhecessem toda a linha de produção; creio que com isso entenderiam e dariam mais valor àquilo que as outras fazem. Precisamos aumentar o nível de conscientização das pessoas a respeito do que desconhecem."

Eis algumas ideias colocadas por esse grupo em seus formulários de saída: promover maior empatia entre os departamentos através de um programa de intercâmbio de funções, estabelecendo um sistema de sorteios para reunir pessoas ao acaso para incentivar novas conexões e amizades e promover o encontro de colegas distantes para que se conheçam em torno de algumas cervejas.

Optei por descrever essa sessão em parte porque, não importando em que negócio está, você já enfrentou o problema dos direitos adquiridos. (Se descrevesse aqui algumas outras sessões do Dia de Observações, acho que correria o risco de perder algumas pessoas.) Mas independentemente do tópico discutido, onde quer que estivesse, você poderia sentir um frisson de energia. Se entrasse num banheiro ou parasse lá fora em busca de ar fresco, você certamente ouviria pessoas conversando a respeito do quão estimulante foi o Dia de Observações. Sentia-se que estávamos engajados em algo que iria fazer a diferença.

No meio do dia, Tom reuniu os facilitadores para verificar como estavam indo as coisas e encorajá-los a contar suas experiências até aquele momento. A certa altura, ele perguntou: "Quantos de vocês tiveram, em suas sessões, sugestões que poderiam ser implantadas imediatamente?" Todos ergueram a mão.

Tomamos a decisão de separar os executivos, diretores e produtores da Pixar das sessões do Dia de Observações, em parte porque era vital que as pessoas falassem livremente e não sabíamos se elas o fariam se estivéssemos lá. E em parte porque havia alguns tópicos que precisávamos analisar entre nós: supervisão criativa (Será que as sessões do Banco de Cérebros eram tão úteis quanto há dez anos?), tom e temperamento da liderança (Como podemos promover melhor uma cultura inclusiva, na qual qualquer um pode sugerir uma ideia para poupar mão de obra?), a necessidade de gastar dinheiro onde isso pode ser mais útil (Temos um sistema que é vulnerável a excessos, que premia perfeccionistas e pessoas que gostam de agradar. Como gerenciar o perfeccionismo e o desejo de inovar?).

Eu sabia que as coisas estavam indo bem pelas expressões faciais de nossos colegas quando se apressavam de uma sessão para outra. Elas estavam brilhando. No final do dia, quando toda a empresa reuniu-se lá fora para cerveja, cachorros-quentes e algumas análises, notei que algumas pessoas de diferentes departamentos continuavam a discutir aquilo que haviam começado lá dentro. A energia em todo o lugar era intensa. Aquela era a Pixar que eles queriam, que nós queríamos. Fiz questão de parar ao lado de vários quadros de avisos que tínhamos instalado para encorajar as pessoas a comunicar suas impressões. Entre as mensagens afixadas estavam:

Melhor momento do Dia de Observações: "A sinceridade de John Lasseter."

Uma coisa nova que aprendi hoje: "As pessoas se importam; elas podem mudar."

Quantas pessoas você conheceu hoje? "Vinte e três."

E havia esta: "O Dia de Observações é a prova de que a Pixar se importa com pessoas tanto quanto se importa com finanças." E: "Façam isto de novo no próximo ano."

Na manhã seguinte, recebi e-mails de centenas de funcionários. Um deles, de um artista, captava o sentimento expresso por muitos. "Olá, Eddie. Só queria agradecer pelo Dia de Observações. Foi um dia realmente incrível, inspirador, informativo e, como ouvi muitas vezes durante o dia, de muitas pessoas, catártico. Se houve cinismo em algum lugar, eu não vi. Senti como se a empresa tivesse encolhido um pouco. Conheci pessoas novas, recebi pontos de vista completamente novos e aprendi contra o que outros departamentos lutam, e com sucesso. Não sei se existe um meio para medir o impacto deste dia, mas para mim foi enorme. No fim, acho que todos nós saímos com um senso de propriedade sobre este lugar incrível e seu futuro. Um senso de 'estamos todos juntos nessa'. Foi uma grande vitória. A abertura de John e a coragem de falar a respeito de feedback estabeleceram um padrão incrível. A admissão dele colocou toda a empresa firmemente atrás dele e foi um dos melhores casos de 'liderar pelo exemplo' em que posso pensar. Acho que todos nós podemos aprender com isso e aceitar nossa introspecção/feedback com a mesma elegância e humildade. Muito obrigado por criar um ambiente onde esse tipo de debate pode acontecer."

Você deve se lembrar de que os formulários de saída preenchidos pelos participantes do Dia de Observações não faziam cerimônia para perguntar "Quem deveria tocar esta proposta?". Isso foi de propósito – queríamos que as melhores ideias fossem levadas avante e não se perdessem. Assim, nas semanas subsequentes, todos aqueles que tinham sido voluntários para "defensores de ideias" foram convocados para trabalhar com Tom e sua equipe. Eles encaminhavam as ideias para mim, John e Jim Morris, nosso gerente-geral – e nós, em conjunto, começamos imediatamente a implantar aquelas que faziam sentido.

Em outras palavras, as ideias surgidas no Dia de Observações não foram engavetadas. Elas estavam mudando a Pixar – para melhor. As mudanças específicas em procedimentos podem parecer triviais para quem não trabalha com animação – para citar um exemplo, implantamos uma maneira mais rápida e segura de entregar os cortes mais recentes aos diretores –, mas quando somadas foram importantes. Nas semanas que se seguiram, implantamos quatro boas ideias, nos comprometemos com outras cinco e assinalamos mais uma dúzia para desenvolvimento continuado. Todas elas serviram para melhorar nossos processos, nossa cultura ou a maneira pela qual a Pixar é gerenciada.

Mais importante, rompemos o impasse que impedia a sinceridade e a fazia parecer perigosa. Algumas pessoas podiam medir o sucesso do dia mapeando os seus resultados concretos e, na verdade, também demos atenção a isso. Mas o verdadeiro melhoramento provém do rigor e da participação consistentes. Por essa razão, acredito que o maior retorno do Dia de Observações foi que tornamos mais seguro as pessoas dizerem o que pensam, inclusive discordando. Esta e o sentimento do nosso pessoal, de que eles fizeram parte da solução, foram as maiores contribuições do dia.

O que fez o Dia de Observações funcionar? Para mim, foram três fatores. Primeiro, havia uma meta clara e focada. Não se tratava de um evento gratuito, mas de uma discussão abrangente (organizada em torno de tópicos sugeridos não pelos recursos humanos ou por executivos da

Pixar, mas pelos funcionários da empresa) visando abordar uma *realidade específica*: a necessidade de reduzir nossos custos em 10%. O fato de os tópicos para discussão poderem se desviar para áreas apenas vagamente relacionadas à meta foi vital, pois forneceu uma estrutura que impediu que nos confundíssemos.

Segundo, a ideia foi promovida pelos níveis mais altos da empresa. Se a enorme tarefa de transformar o Dia de Observações em realidade tivesse sido entregue a alguém sem poder, e não a Tom, que por sua vez recrutou as pessoas mais organizadas da empresa para ajudá-lo – a experiência poderia ter sido inteiramente diferente. Os funcionários não teriam comprado a ideia porque iriam sentir que a gerência também não tinha. E isso teria tornado o evento discutível.

Terceiro, o Dia de Observações foi liderado de dentro. Muitas empresas contratam firmas externas de consultoria para organizar suas reuniões gerais, e entendo por que: fazer isso bem é um empreendimento monumental que consome muito tempo. Mas o fato de o nosso próprio pessoal ter feito o Dia de Observações acontecer foi, para mim, vital para seu sucesso. Eles não só dirigiram os debates, mas seu envolvimento teve seus próprios dividendos. O envolvimento e a cooperação dos funcionários na orientação da agenda no sentido de algo que podia fazer uma diferença real fez com que se lembrassem de por que trabalhavam na Pixar. O comprometimento deles foi contagioso. O Dia de Observações não foi um ponto final, mas um começo – uma forma de abrir espaço para que nossos funcionários avançassem e pensassem a respeito do seu papel no futuro da nossa empresa. Falei antes que os problemas são fáceis de identificar, mas encontrar a sua origem é muito difícil. O evento trouxe os problemas para a superfície – mas todo o trabalho ainda estava à nossa frente. O dia não resolveu nada por si mesmo, mas mudou nossa cultura ou até consertou-a – de maneiras que irão nos tornar melhores à medida que avançarmos.

Eu já disse isto, mas vale a pena repetir: as coisas mudam constantemente, como deve acontecer. E com as mudanças vem a necessidade de adaptação, de novos modos de pensar e, às vezes, de um reinício total do seu projeto, seu departamento, sua divisão ou sua empresa como um todo. Em tempos de mudança, precisamos de apoio – da família e dos colegas. Lembro-me de uma carta escrita por Austin Madison, um dos nossos animadores, que achei particularmente edificante.

"A quem isto puder inspirar", escreveu ele. "Como muitos artistas, eu oscilo constantemente entre dois estados. O primeiro (e muito mais preferível) é funcionando em velocidade máxima no modo criativo. É quando largo a caneta e as ideias brotam como vinho de um cálice real! Isso acontece em cerca de 3% do tempo. Nos outros 97% estou no modo frustrado, perturbado e lutando contra a papelada. O importante é labutar com diligência através desse pântano de desânimo e desespero. Ouça as histórias de profissionais que fazem filmes há décadas passando pelos mesmos problemas de produção. Em uma palavra: PERSISTA. PERSISTA em contar sua história. PERSISTA em atingir seu público. PERSISTA em ser fiel à sua visão..."

Eu não teria feito melhor. Minha meta nunca foi contar às pessoas como a Pixar e a Disney imaginaram tudo, mas sim mostrar como continuamos a fazê-lo, cada hora de cada dia. Como persistimos. O futuro não é um destino – é uma direção. Então, nossa tarefa é trabalhar cada dia para mapear o rumo certo e fazer correções quando inevitavelmente nos desviamos. Já posso sentir a próxima crise a caminho. Para manter vibrante uma cultura criativa, precisamos não ter medo da incerteza constante. Devemos aceitá-la, assim como aceitamos o tempo. Incerteza e mudança são constantes da vida. E essa é a parte divertida.

Na verdade, assim como surgem desafios, erros sempre serão cometidos e nosso trabalho nunca termina. Sempre teremos problemas, muitos dos quais estão fora da nossa vista; devemos trabalhar para descobri-los e avaliar nosso papel neles, mesmo que isso signifique sairmos do conforto; quando enfrentamos um problema, precisamos reunir todas as nossas energias para resolvê-lo. Se nossas afirmações parecem familiares, é porque usei-as para dar o pontapé inicial neste livro. Existe outra coisa que vale repetir aqui: liberar a criatividade exige que afrouxemos os controles, aceitemos riscos, confiemos nos colegas, limpemos o caminho para eles e prestemos atenção a qualquer coisa que crie medo. Fazer tudo isso não irá necessariamente tornar mais fácil o gerenciamento de uma cultura criativa. Mas a meta não é a facilidade, e sim a excelência.

POSFÁCIO

O STEVE QUE CONHECEMOS

Era fim de 1985 e a divisão de computadores que eu dirigia na Lucasfilm estava carente de clientes e, ao que parecia, de opções. Tínhamos batido à porta de todas as empresas com até mesmo um mínimo interesse por geração de imagens por computador. Tivemos um contato promissor com a General Motors, mas acabou dando em nada. Como contei antes, foi nessa ocasião que um dos advogados dele chamou-me de lado durante uma reunião e – brincando, eu acho – disse que estávamos prestes a embarcar na montanha-russa de Steve Jobs. Assim fizemos, e que volta foi aquela – com todos os altos e baixos a que tínhamos direito.

Trabalhei próximo de Steve Jobs por 26 anos. Até hoje, com tudo que foi escrito a seu respeito, não creio que nada disso chegue perto de descrever o homem que conheci. Fico frustrado com o fato de as histórias sobre ele tenderem a focalizar excessivamente seus traços extremos e os aspectos difíceis e negativos da sua personalidade. Os perfis de Steve descrevem-no inevitavelmente como obstinado e autoritário, um homem que se agarrou de forma firme e inabalável aos seus ideais, recusando-se a ceder ou mudar, e que com frequência tentava intimidar os outros para que fizessem as coisas à sua maneira. Embora muitos dos casos contados a seu respeito como jovem executivo provavelmente sejam verdadeiros, o retrato geral é muito diferente. Na realidade, Steve mudou profundamente nos anos em que o conheci.

Hoje em dia, a palavra *gênio* é muito usada – demais, eu acho –, mas com Steve penso que ela se justifica. Contudo, quando o vi pela primeira vez, ele frequentemente era arrogante e brusco. Essa é a parte de Steve a respeito da qual as pessoas adoram escrever. Sei que é difícil entender pessoas que se desviam da norma de forma tão radical, como fazia Steve, e suspeito que aqueles que focalizam seus traços mais extremos o fazem porque esses traços são divertidos e, de certa forma, reveladores. Porém, permitir que eles dominem a biografia de Steve é perder a história mais importante. No tempo em que trabalhei com Steve, ele não só ganhou a espécie de experiência prática que seria de esperar dirigindo duas empresas dinâmicas e bem-sucedidas, mas também ficou mais esperto a respeito de quando parar de forçar as pessoas e quando continuar a forçá-las, se necessário, sem abusar delas. Ele tornou-se mais justo e sábio, e sua compreensão de parceria tornou-se mais profunda – em grande parte devido ao seu casamento com Laurene e ao seu relacionamento com os filhos que tanto amava. Essa mudança não o levou a abandonar seu famoso compromisso com a inovação, somente solidificou-o. Ao mesmo tempo, ele tornou-se um líder mais bondoso e autoconsciente. E penso que a Pixar teve seu papel nesse desenvolvimento.

Lembre-se, no final da década de 1980, quando a Pixar foi fundada, Steve estava gastando a maior parte do seu tempo construindo a NeXT, a empresa de computadores que havia iniciado quando foi forçado a sair da Apple. Na Pixar, ninguém, inclusive Steve, sabia o que estava fazendo. Steve exagerava nas primeiras reuniões com clientes, o que às vezes dava certo, mas em alguns casos era contraproducente. Por exemplo, na NeXT, ele fechou um acordo de 100 milhões de dólares que permitia à IBM usar o software da NeXT. A enorme quantia, associada ao fato de Steve não dar à IBM direito de uso das versões subsequentes do software, fez com que o acordo parecesse um sucesso da NeXT. Na verdade, Steve havia exagerado – seu comportamento criou má vontade e ele aprendeu com isso, contou-me mais tarde.

Naqueles primeiros dias, Steve sentia que havia algo de especial acontecendo na Pixar, mas ficou frustrado por não conseguir descobrir o que era – e enquanto isso continuou perdendo dinheiro. Ele tinha um grupo dispendioso que estava à frente do seu tempo. Poderia ele se aguentar por tempo suficiente para que aquele potencial florescesse, em especial se ele não sabia se viria ou não a florescer? Que tipo de pessoa investe nisso? Você investiria?

Tendemos a pensar em emoção e lógica como dois domínios distintos e mutuamente exclusivos. Não o Steve. Desde o início, quando tomava decisões, a paixão era uma parte vital do seu cálculo. No começo ele a provocava de forma grosseira, fazendo declarações extremadas ou ultrajantes e desafiando as pessoas a responder. Mas na Pixar, mesmo quando estávamos longe de ter lucro, essa agressividade era moderada pelo reconhecimento de que sabíamos coisas a respeito de animação e narração de histórias que ele não sabia. Ele respeitava nossa determinação em sermos os primeiros a fazer um filme animado de longa-metragem. Ele não nos dizia como fazer nosso trabalho, nem impunha sua vontade. Mesmo quando estávamos inseguros a respeito de como atingir nossa meta, nossa paixão era algo que Steve reconhecia e valorizava. Em última análise, o que unia Steve, John e a mim era a paixão pela excelência – uma paixão tão ardente que estávamos dispostos a discutir, lutar e permanecer juntos, mesmo quando as coisas ficavam extremamente desagradáveis.

Lembro que fiquei impressionado com a reação de Steve à paixão quando estávamos trabalhando em nosso segundo filme, *Vida de inseto*. Havia um desacordo interno a respeito da relação de aspecto do filme – a relação proporcional entre a largura e a altura. Em um cinema, os filmes são exibidos no formato de tela larga, onde a largura da imagem é mais de duas vezes maior que a altura; nos televisores daquela época, em contraste, a largura da imagem era somente uma vez e um terço maiores que a altura. Quando se faz uma versão para vídeo de um filme para tela larga que será vista em um monitor de TV, você ou tem barras pretas no alto e no pé da tela, ou corta as laterais da imagem; nenhuma das duas é uma boa representação do filme original.

Em *Vida de inseto*, o pessoal de marketing estava em conflito com os produtores do filme. Eles queriam o formato de tela larga porque ele levava a uma melhor experiência panorâmica no cinema, a qual para eles era mais importante que a experiência na TV. Os profissionais de marketing, acreditando que era menos provável que os consumidores comprassem um vídeo com barras pretas em cima e embaixo, argumentavam que o formato de tela larga iria significar uma redução nas nossas vendas de DVD. Steve – que não era apaixonado por filmes – concordava com o pessoal de marketing, que iríamos nos prejudicar em termos financeiros se lançássemos o filme em tela larga. O debate a esse respeito ainda não estava resolvido quando, numa tarde, levei Steve para uma volta pelos escritórios para que ele visse alguns departamentos da Pixar em ação e terminamos numa sala cheia de pessoas que estavam trabalhando na iluminação de uma cena de *Vida de inseto*. Bill Cone, responsável pela produção do filme, estava mostrando algumas imagens em monitores no formato de tela larga.

Ao ver aquilo, Steve disse que era "loucura" fazermos um filme em tela larga. Bill explicou por que o formato de tela larga era absolutamente crucial do ponto de vista artístico. Seguiu-se um acalorado debate. A discussão parecia não chegar a uma conclusão, e Steve e eu continuamos a debater.

Mais tarde Bill veio me ver, parecendo abalado. "Ó meu Deus", disse ele. "Eu estava apenas argumentando com Steve Jobs. Estraguei tudo?"

"Ao contrário", respondi. "Você venceu."

Consegui ver algo que Bill não viu: Steve havia reagido à paixão de Bill a respeito da questão. O fato de Bill estar disposto a defender de forma tão veemente e articulada aquilo em que acreditava mostrou a Steve que as ideias de Bill mereciam respeito. Steve nunca mais tocou naquele assunto conosco.

Não foi que aquela paixão triunfou sobre a lógica na mente de Steve. Ele estava bem consciente de que decisões nunca devem ser baseadas somente em emoções. Mas também via que a criatividade não era linear, que arte não era comércio e que insistir na lógica de aplicação de dólares e centavos significava pôr em risco aquilo que nos diferenciava. Steve dava valor a ambos os lados daquela equação, lógica e emoção, e a maneira pela qual ele mantinha esse equilíbrio era vital para compreendê-lo.

Em meados dos anos 1990, ficou claro que a Pixar, havia muito espremida em alguns prédios de Point Richmond, Califórnia, iria precisar de um novo lar. Tinha chegado a hora de estabelecer uma sede adequada – um lugar nosso, que servisse às nossas necessidades. Steve assumiu a tarefa de projetá-la e o magnífico edifício que hoje ocupamos é o resultado de todo aquele trabalho. Mas não foi fácil.

O primeiro passo de Steve num projeto era baseado em algumas ideias peculiares que ele tinha a respeito de como forçar a interação das pessoas. Numa reunião fora do escritório para discutir aqueles planos em 1998, várias pessoas se queixaram a respeito da intenção dele de construir um único sanitário feminino e um único masculino. Steve cedeu, mas estava claramente frustrado porque as pessoas não compreendiam o que ele estava tentando fazer: aproximar as pessoas devido a uma necessidade. Inicialmente, ele lutou para achar a melhor maneira de possibilitar aquela experiência mútua.

A seguir, ele imaginou um edifício separado para cada filme em produção – a ideia seria que cada equipe deveria se beneficiar de ter seu espaço separado, livre de distrações. Eu não estava tão seguro a respeito daquilo e convidei-o para um passeio de carro.

Mostrar, em vez de falar, funcionava melhor com Steve e foi assim que o convenci a ir até Burbank para ver o edifício de quatro andares de vidro e alumínio na Thornton Avenue, conhecido como Northside. A Disney Animation havia ficado com ele em 1997, usando-o para a equipe do primeiro filme animado em 3D, *Dinossauro*, entre outros projetos.

Mas o prédio era mais famoso por ter sido a sede, na década de 1940, da divisão secreta da Lockheed, a Skunk Works, que projetou caças a jato, aviões espiões e um caça invisível ao radar. Eu gostava daquele pedaço de história – e do fato do nome Skunk Works ter sido tomado emprestado das tiras em quadrinhos *Li'l Abner*, de Al Capp. Naquelas tiras, havia uma piada a respeito de um misterioso lugar na profundeza da floresta denominado "Skunk Works", onde uma bebida forte era produzida a partir de gambás, sapatos velhos e outros ingredientes estranhos.

Steve sabia que meu objetivo naquele dia não era discutir tiras de quadrinhos nem a história da aviação, mas mostrar-lhe o edifício – um espaço acolhedor, onde várias centenas de animadores trabalhavam simultaneamente em múltiplos projetos sob o mesmo teto. Eu gostava da sensação dos corredores amplos. Lembro-me de Steve ter criticado numerosas facetas da disposição física do prédio, mas depois de uma hora andando pelo lugar, pude sentir que ele havia captado a mensagem. Criar edifícios separados para cada filme causaria isolamento. Ele viu pessoalmente a maneira pela qual o pessoal da Disney tirou proveito dos espaços abertos, trocando informações e fazendo *brainstormings*. Steve acreditava muito no poder da mistura acidental de pessoas; ele sabia que a criatividade não era um empreendimento solitário. Mas nossa ida ao edifício Northside ajudou a esclarecer esse modo de pensar. Numa empresa criativa, separar as pessoas em silos distintos – Projeto A aqui, Projeto B ali – pode ser contraproducente.

Depois do passeio, ele reuniu-se de novo com seus arquitetos e lançou os primeiros passos para um edifício único. Ele assumiu a criação de uma nova sede da Pixar como uma responsabilidade pessoal.

Você já ouviu a frase "seus funcionários são seu recurso mais importante". Para a maioria dos executivos, são apenas palavras que você diz para que as pessoas sintam-se bem, embora possam ser aceitas como verdade, poucos líderes alteram seu comportamento ou tomam decisões com base nelas. Mas Steve fazia isso, seguiu o princípio e construiu nossa sede em torno dele. Tudo no lugar foi projetado para encorajar que as pessoas se misturassem e se comunicassem, para apoiar nossa produção de filmes melhorando nossa capacidade para trabalhar em conjunto.

No fim, Steve dirigiu todos os detalhes da construção do nosso novo edifício, das pontes em arco no átrio central até o tipo de poltronas em nossas salas de projeção. Ele não queria barreiras; assim, as escadas eram abertas e convidativas. Ele queria uma entrada única para o edifício, para que todos se vissem ao entrar. Tínhamos salas de reuniões, sanitários, uma sala de correspondência, três auditórios, uma área para jogos e uma área para refeições no centro do átrio (onde até hoje todos se reúnem para comer, jogar pingue-pongue ou receber informações dos líderes da Pixar sobre os fatos da empresa). Tudo isso resultou em tráfego cruzado – as pessoas se encontram sem querer o dia inteiro, significando um melhor fluxo de comunicação e aumentando a possibilidade de encontros casuais. Dava para sentir a energia no edifício. Steve havia definido tudo com a metalógica de um filósofo e a meticulosidade de um artesão. Ele acreditava em materiais simples e bem construídos. Queria todo o aço exposto, não pintado. Queria portas de vidro. Não é de admirar que, quando o prédio foi inaugurado no final de 2000, depois de anos de planejamento e construção, o pessoal da Pixar – que normalmente trabalha por quatro anos em cada filme – resolveu chamá-lo de "filme do Steve".

Reconheço que houve momentos em que me preocupei com a possibilidade de a Pixar cair na armadilha do "complexo do edifício", em que empresas constroem sedes magníficas que são meras extensões do ego dos executivos. Mas essa preocupação mostrou ser infundada. Desde o dia em que nos mudamos, no fim de semana de Ação de Graças de 2000, o edifício tornou-se um lar extraordinário e fértil. Além disso, na mente de nossos funcionários, ele transformou Steve – sempre nosso defensor externo – em parte integrante da nossa cultura interna. O ambiente era tão exemplar e claramente atribuído a Steve que todos podiam apreciar a sua singular contribuição, além de compreensão do nosso modo de trabalhar.

Essa apreciação foi um fato positivo porque, como eu já disse, depois de conhecer Steve as pessoas tinham de se acostumar com seu estilo. Brad Bird lembra-se de uma reunião durante a produção de *Os Incríveis*, logo depois de ele entrar no estúdio, em que Steve feriu seus sentimentos dizendo que algumas das artes finais do filme pareciam trabalhos para desenhos animados baratos produzidos pela Hanna Barbera e outros estúdios. "Em meu mundo, isso é como xingar a mãe", lembra Brad. "Eu estava furioso. Quando a reunião terminou, fui até Andrew e disse: 'Cara, Steve disse uma coisa que me deixou realmente irritado.' E Andrew, sem nem mesmo perguntar o que era, disse: 'Só *uma* coisa?'" Brad acabou entendendo que Steve não falava como um crítico, mas como o defensor supremo. Muitas vezes, os super-heróis animados tinham produção barata e também mostravam isso na sua aparência – sobre isso Steve e Brad concordavam. Ele estava querendo dizer que *Os Incríveis* tinha de ser superior. "Ele estava apenas dizendo que tínhamos que mostrar que os nossos eram melhores", diz Brad. "E isso descrevia Steve."

Embora fora da Pixar ninguém soubesse, Steve desenvolveu um laço duradouro com nossos diretores. No começo achei que era apenas porque ele apreciava as habilidades criativas e de liderança deles, que, por sua vez, apreciavam seu apoio e seu critério. Mas, quando prestei mais atenção, reconheci que havia algo muito importante que eles compartilhavam. Por exemplo, quando os diretores tinham uma ideia, investiam totalmente nela, apesar de uma parte deles saber que no fim ela poderia não funcionar. Eles faziam isso para testar materiais, avaliando-os e, importante, os melhorando – observando seu desempenho perante uma audiência. Mas se a ideia não decolasse, eles a deixavam de lado e seguiam em frente. Esse é um talento raro que Steve também tinha.

Steve tinha um dom notável para deixar de lado coisas que não funcionavam. Se você estivesse discutindo com ele e o convencesse de que estava com a razão, ele mudava de ideia instantaneamente. Steve não se agarrava a uma ideia porque no passado havia acreditado que ela era brilhante. Seu ego não se ligava às sugestões que ele fazia, mesmo que nelas pusesse todo o seu peso. Quando Steve viu diretores da Pixar fazerem o mesmo, reconheceu-os como almas gêmeas.

Um dos perigos dessa abordagem pode ser que, se você estiver forçando seus argumentos, sua própria atitude levará os outros a não responderem com franqueza. Quando uma pessoa tem personalidade forte, as outras podem hesitar diante dela. Como evitar que isso aconteça? O segredo, em qualquer reunião, é mudar a ênfase da fonte de uma ideia para a própria ideia. As pessoas costumam dar importância demais à origem de uma ideia, aceitando-a (ou não a criticando) porque ela provém de Steve ou de um diretor respeitado. Mas Steve não tem interesse nesse tipo de afirmação. Lembro-me de muitas vezes observá-lo jogar ideias no ar – bastante bizarras – só para ver a reação a elas. E se ela não fosse boa, ele mudava de assunto. Na verdade, essa é uma forma de narração de histórias – buscar a melhor maneira de enquadrar e comunicar a ideia. Se as pessoas não entendiam Steve, interpretavam – erradamente – as mudanças de ideias como protagonismo. E interpretavam seu entusiasmo ou insistência como intransigência ou teimosia. Em vez disso, ele estava aferindo as reações às suas ideias para ver se deveria ou não defendê-las.

Steve não costuma ser descrito como um contador de histórias, e sempre tomava o cuidado de dizer que não entendia nada a respeito de fazer filmes. Contudo, parte da sua ligação com nossos diretores provinha do fato de ele saber o quanto era importante construir uma história que se conectasse com as pessoas. Essa era uma qualidade que ele usava em suas apresentações na Apple. Quando se levantava diante de uma audiência para apresentar um novo produto, ele sabia que iria se comunicar de forma mais eficaz se contasse uma história, e qualquer um que o tenha visto fazê-lo pode contar que suas performances eram extraordinárias e cuidadosamente elaboradas.

Na Pixar, Steve conseguiu participar da elaboração de histórias de *outras* pessoas e acredito que esse processo ajudou-o a entender melhor as dinâmicas humanas. Ele gostava de aplicar seu intelecto à emoção de um filme – Era convincente? Parecia verdadeiro? –; isso o libertou e ele passou a ver que o sucesso da Pixar dependia dos seus filmes se conectarem profundamente com o público. Dada a maneira pela qual seu comportamento foi descrito no passado, pode-se pensar que dar um feedback construtivo a um diretor vulnerável sobre um filme ainda não definido não seria uma coisa que Steve pudesse fazer com elegância. Mas com o tempo ele tornou-se bastante habilidoso nisso. Peter Docter lembra-se de Steve ter lhe contado uma vez que esperava, em sua próxima vida, voltar como diretor da Pixar. Não tenho dúvida de que, se o fizesse, ele teria sido um dos melhores.

Chegou o outono de 2003, com Steve cada vez mais difícil de controlar. Ele era conhecido por responder aos e-mails, a qualquer hora, dentro de minutos. Mas eu não estava conseguindo respostas para meus chamados ou e-mails. Em outubro ele apareceu na Pixar, o que era incomum – a menos que houvesse uma reunião do conselho, costumávamos nos comunicar pelo telefone. Quando John e eu nos sentamos diante dele, Steve fechou a porta e nos contou que estava com uma dor nas costas que não parava. Seu médico havia diagnosticado um câncer no pâncreas. Noventa e cinco por cento das pessoas com aquele diagnóstico não sobreviviam mais de cinco anos, contou ele. Steve estava determinado a lutar, mas sabia que poderia não vencer.

Ao longo dos oito anos seguintes, Steve passou por uma variedade aparentemente infindável de tratamentos, tradicionais e experimentais. À medida que sua energia se esvaía, nossos contatos tornaram-se menos frequentes, embora ele ligasse semanalmente para oferecer conselhos e expressar preocupações. Em certo ponto desse período, John e eu fomos até a Apple para almoçar com ele. Depois do almoço, Steve nos levou a uma sala segura onde a Apple guardava os produtos supersecretos e nos mostrou um protótipo de uma coisa que chamou de iPhone. O aparelho tinha uma tela sensível ao toque que atraía o usuário, tornando a navegação não apenas fácil, mas divertida. Vimos instantaneamente que ele transformava nossos celulares artefatos antigos. Ele estava muito entusiasmado com o produto, porque sua meta não era apenas criar um telefone que as pessoas usassem, mas projetar um telefone que as pessoas *amassem* – que tornasse suas vidas melhores, funcional e esteticamente. Ele achava que a Apple havia tido sucesso na criação do aparelho.

Quando saímos da sala, Steve parou no corredor e disse que vinha trabalhando numa lista de coisas que desejava fazer – lembro-me precisamente das suas palavras – "antes de partir". Uma meta extremamente importante para ele era lançar o produto que acabara de nos mostrar, além de alguns outros que, para ele, iriam assegurar o futuro da Apple. A segunda era proteger o sucesso continuado da Pixar. E a terceira e mais importante era deixar seus três filhos mais novos bem encaminhados. Lembro-me dele dizer que esperava estar entre nós para ver seu filho Reed, então no oitavo grau, formar-se no ensino médio. É claro que ouvir aquele homem anteriormente impossível de deter reduzindo suas esperanças e ambições a um punhado de últimos desejos era de partir o coração, mas lembro-me de pensar que, quando Steve disse aquilo, pareceu natural. Ele parecia ter chegado a um acordo com a inevitabilidade de não estar aqui.

No fim, ele realizou todas as três metas.

Numa tarde de domingo, em fevereiro de 2007, minha filha Jeanne e eu descemos de um carro, percorremos um longo tapete vermelho e fomos abraçar Steve Jobs. Estávamos a algumas horas da 79ª entrega dos Prêmios Anuais da Academia e, para chegar aos nossos lugares, tivemos de passar pela multidão que estava diante do Kodak Theatre, no centro de Hollywood. *Carros* tinha sido indicado para Melhor Filme de Animação e, como todos os candidatos, iríamos tremer um pouco. Mas enquanto avançávamos, Steve olhou ao redor, para o circo – homens e mulheres elegantemente vestidos, os entrevistadores da TV, os bandos de paparazzi e espectadores gritando, a linha de limusines –, e disse: "O que realmente falta nesta cena é um monge budista ateando fogo em si mesmo."

Perspectiva é uma coisa difícil de captar. Trabalhei com Steve por mais de um quarto de século – mais do que qualquer outra pessoa, creio – e vi um aspecto da sua vida que não combina com os relatos de perfeccionismo implacável que li em revistas, jornais e mesmo na sua biografia autorizada. O implacável Steve – o grosseiro, brilhante, mas emocionalmente insensível sujeito que inicialmente viemos a conhecer – se transformou em um homem diferente nas duas últimas décadas de sua vida. Todos nós que conhecíamos Steve percebemos a transformação. Ele tornou-se mais sensível, não só aos sentimentos das outras pessoas, mas também ao valor delas como contribuintes para o processo criativo.

Sua experiência com a Pixar foi parte dessa mudança. Steve aspirava criar coisas utilitárias que também trouxessem alegria; era sua maneira de tornar o mundo um lugar melhor. Isso era parte da causa pela qual a Pixar lhe dava tanto orgulho – porque ele sentia que o mundo *era* melhor por causa dos filmes que fazíamos. Ele costumava dizer que os produtos da Apple, por mais brilhantes que fossem, acabariam todos em aterros sanitários. Os filmes da Pixar, por outro lado, viveriam para sempre. Como eu, ele acreditava que nossos filmes, pelo fato de buscarem verdades mais profundas, irão perdurar, e via beleza nessa ideia. John fala a respeito da "nobreza de se entreter pessoas". Steve compreendeu profundamente essa missão, particularmente perto do fim da sua vida, e – sabendo que o entretenimento não era seu principal conjunto de talentos – ele achava que tivera sorte por ter se envolvido nele.

A Pixar ocupou um lugar especial no mundo de Steve, e seu papel evoluiu durante o tempo em que estivemos juntos. Nos primeiros anos ele era nosso benfeitor, aquele que pagava as contas para manter as luzes acesas. Depois, tornou-se nosso protetor – internamente um crítico construtivo, mas fora nosso mais feroz defensor. É verdade que tivemos dificuldades, mas através delas forjamos um elo raro. Sempre achei que a Pixar era para Steve uma filha adotiva muito amada – concebida antes que ele entrasse em nossas vidas, mas ainda assim alimentada por ele em nossos anos de formação. Na década anterior à sua morte, observei Steve mudar a Pixar mesmo quando ela o mudava. Digo isso ao mesmo tempo que reconheço que nenhum segmento da vida de uma pessoa pode ser divorciado do resto; é claro, Steve sempre estava aprendendo com sua família e seus colegas na Apple. Mas havia algo de especial a respeito do tempo que ele passava conosco – ampliado, contrariamente à lógica, pelo fato de a Pixar ser sua segunda ocupação. Sua mulher e seus filhos, é claro, eram os mais importantes, e a Apple era sua primeira e mais proclamada realização profissional; a Pixar era um lugar onde ele podia se descontrair um pouco e brincar. Embora nunca tenha perdido sua intensidade, nós o vimos desenvolver a capacidade de ouvir. Cada vez mais ele conseguia expressar empatia, atenção e paciência. Ele tornou-se realmente sábio. A mudança nele foi real e profunda.

No capítulo 5, mencionei que, por insistência minha, Steve não participava das reuniões do Banco de Cérebros. Mas muitas vezes, depois que os filmes eram projetados, ele enviava observações ao conselho da Pixar. Uma ou duas vezes por filme, quando havia uma crise, ele inevitavelmente intervinha e dizia algo que ajudava a alterar nossas percepções e melhorar o filme. Suas observações sempre tinham o mesmo começo: "Não sei realmente fazer filmes; assim, você pode ignorar tudo que eu digo..." Então ele fazia, com grande eficiência, o diagnóstico preciso do problema. Steve focalizava o problema, não seus produtores, o que tornava suas críticas mais poderosas. Se você sente que uma crítica se deve a razões pessoais, ela é fácil de dispensar. Mas não era o caso de Steve. Cada filme comentado por ele se beneficiava com o seu critério.

Mas, embora nos primeiros tempos suas opiniões oscilassem muito e seu modo de se expressar pudesse ser rude, com o passar do tempo ele tornou-se mais articulado e observador dos sentimentos das outras pessoas. Steve aprendeu a interpretar a sala, demonstrando talentos que, anos antes, eu não pensava que ele tivesse. Algumas pessoas têm dito que ele ficou mais moderado com a idade, mas não creio que esta seja uma descrição adequada do que aconteceu; parece passiva demais, como se ele estivesse deixando passar mais. A transformação de Steve foi ativa. Ele continuou a se empenhar; apenas mudou sua maneira de ser.

Há uma frase usada por muitos para descrever a aptidão de Steve para realizar o impossível. Eles dizem que ele empregava um "campo de distorção da realidade". Em sua biografia de Steve, Walter Isaacson dedicou todo um capítulo a isso, citando Andy Hertzfield, um membro da equipe Mac original na Apple, dizendo: "O campo de distorção da realidade era uma mistura confusa de estilo retórico carismático, vontade indomável e disposição para torcer qualquer fato para que satisfizesse o objetivo do momento." Também ouvi essa frase muitas vezes na Pixar. Algumas pessoas, depois de ouvirem Steve, sentiam que haviam atingido um novo nível de critério, mas então descobriam que não conseguiam reconstruir os passos do raciocínio dele; então o critério se evaporava, deixando-as coçando a cabeça, sentindo que haviam sido induzidas ao erro. Daí veio a distorção da realidade.

Eu não gostava da expressão porque ela tinha um toque de negatividade – significando que Steve tentava criar um mundo de fantasia por capricho, sem levar em conta como sua recusa em enfrentar os fatos significava que todos ao seu redor tinham de varar noites e entortar suas vidas na esperança de satisfazer suas expectativas impossíveis. Muito foi dito a respeito de Steve recusar-se a seguir regras – realidades – que se aplicavam aos outros; por exemplo, ele não usava placas no seu carro. Mas focalizar demais esse aspecto significa deixar de ver uma coisa importante. Ele reconhecia que muitas regras eram de fato arbitrárias. Sim, ele testava limites e às vezes passava da linha. Como traço comportamental, isso pode ser considerado antissocial – ou, se consegue mudar o mundo, você pode ganhar o título de "visionário". Com frequência apoiamos a ideia de forçar os limites na teoria, ignorando os problemas que ela pode causar na prática.

Antes de a Pixar ter esse nome, ela estava dedicada à realização de algo nunca feito antes. Para mim, essa era uma meta de vida, e meus colegas na empresa – Steve entre eles – também estavam dispostos a dar esse salto, antes que os computadores tivessem velocidade ou memória suficientes para tornar isso realidade. Uma característica das pessoas criativas é que elas imaginam tornar o impossível possível. Essa capacidade de imaginar – sonhar, rejeitando audaciosamente aquilo que no momento é verdade – é a maneira pela qual descobrimos o que é novo ou importante. Steve compreendia o valor da ciência e da lei, mas também que sistemas complexos reagem de maneiras não lineares e imprevisíveis. E que a criatividade nos surpreende a todos.

Para mim, existe outro significado de distorção da realidade. Ele se origina da minha crença em que nossas decisões e ações têm consequências e que estas moldam nosso futuro. Nossas ações mudam nossa realidade. Nossas intenções têm importância. Em sua maioria, as pessoas acreditam que suas ações têm consequências, mas não pensam muito nas implicações dessa crença. Mas Steve pensava. Como eu, ele acreditava que é precisamente por agir de acordo com nossas intenções e permanecer fiel aos nossos valores que mudamos o mundo.

Em 24 de agosto de 2011, Steve deixou de ser CEO da Apple, pois não conseguia mais acompanhar os rigores do cargo que amava. Pouco tempo depois, eu estava me exercitando em casa pela manhã quando o telefone tocou. Era Steve. Para ser honesto, não consigo lembrar exatamente o que foi dito, porque eu sabia que ele estava se aproximando do fim e aquela era uma realidade incrivelmente difícil de enfrentar. Mas lembro-me de que sua voz estava forte – mais forte do que deveria, diante daquilo por que ele estava passando – enquanto ele falava a respeito dos muitos anos em que havíamos trabalhado juntos e do quanto era grato por ter tido essa experiência. Lembro-me dele dizendo que se sentia honrado por ter feito parte do sucesso da Pixar. Eu disse que sentia o mesmo e era grato por sua amizade, seu exemplo e sua lealdade. Quando desligamos, disse para mim mesmo: "Essa foi a ligação do adeus." E estava certo. Ele viveu mais seis semanas, mas eu nunca mais ouvi a sua voz.

Numa segunda-feira pela manhã, cinco dias depois da sua morte, toda a força de trabalho da Pixar reuniu-se no átrio do prédio construído por Steve para lamentar e se lembrar. Às 11 da manhã, o átrio estava lotado e era hora de começar. Eu pensava a respeito do homem que havia sido o mais feroz defensor da Pixar e um grande amigo. Coube a mim falar em primeiro lugar.

Havia tantas coisas que poderia falar a respeito de Steve – como ele comprou de George Lucas a divisão que viria a ser a Pixar em 1986, salvando-nos da extinção; como nos encorajou a embarcar em nosso primeiro longa-metragem, *Toy Story*, três anos depois, quando a ideia de um filme animado por computador ainda parecia além do nosso alcance; como ele havia solidificado nosso futuro vendendo a empresa à Disney e, a seguir, garantindo nossa autonomia orquestrando uma fusão que criou uma verdadeira parceria; como ele nos ajudou a ir de 43 funcionários para os 1.100 homens e mulheres que estavam diante de mim. Olhando para trás, eu podia lembrar os primeiros momentos do nosso relacionamento – ele testando e cutucando, eu melhorando e fortificando minhas ideias. Ele havia me tornado mais focado, mais resiliente, mais esperto, melhor. Com o tempo, passei a confiar na sua exigente especificidade, a qual nunca deixava de me ajudar a clarificar meu próprio pensamento. Eu já podia sentir o peso da sua ausência.

"Lembro-me de 26 anos atrás, em fevereiro, o dia em que a Pixar foi formada", comecei, recordando como nos reunimos numa sala da Lucasfilm para assinar os papéis que transferiam o controle acionário para Steve. Estávamos exaustos depois de meses em busca de pretendentes em potencial antes de Steve aparecer. Para aqueles que não estavam na Pixar no começo, recordei como Steve havia chamado de lado Alvy Ray Smith e a mim, pôs os braços em torno de nós e disse: "Ao fazermos isto, há uma coisa que peço muito. Que sejamos leais uns com os outros." Contei aos colegas que Steve sempre havia respeitado a promessa. "Ao longo dos anos, a Pixar e Steve passaram por muitas mudanças e dificuldades", eu disse. "Foram tempos difíceis. A Pixar chegou perto de falir. Qualquer outro investidor ou capitalista de risco teria desistido." Mas não Steve. Ele exigia de si mesmo aquilo que nos tinha pedido: lealdade.

"Não sei o que acontecerá no futuro", concluí enquanto o sol passava pelas claraboias acima de nós. "Mas creio que o foco de Steve em paixão e qualidade nos irá levar a lugares que desconhecemos. E por isso estou verdadeiramente grato." Naquele momento, eu estava mais consciente do que nunca da importância de compreender e proteger aquilo que Steve tanto se orgulhava. Sempre havia sido minha meta criar na Pixar uma cultura que sobrevivesse aos seus líderes – Steve, John e eu. Nenhum de nós tinha ido cedo demais e a tarefa de fortalecer aquela cultura – garantir que ela seria autossustentável – foi deixada para John e para mim.

Quando terminei, ofereci o microfone a outros que haviam tido um relacionamento próximo com Steve e, um por um, eles subiram ao pódio. Andrew Stanton descreveu Steve como: "A parede corta-fogo criativa." Com Steve por perto, os funcionários da Pixar "eram como um bando de frangos", disse ele, provocando risos. "Steve faria qualquer coisa para nos manter criativamente seguros."

Pete Docter, sempre observador, foi o seguinte e recordou uma das imagens mais cativantes que tinha de Steve. Durante uma reunião anos antes, Pete percebeu que Steve tinha dois pequenos furos idênticos numa das pernas da sua calça Lewis 501. Steve se mexeu e Pete viu os mesmos furos na outra perna, pouco acima do tornozelo. Enquanto Pete tentava – e não conseguia – imaginar uma razão para aqueles furos simétricos, Steve se abaixou para arrumar as meias e pôs os dedos exatamente sobre os furos! "Lá estava Steve, valendo milhões, mas aparentemente um novo par de calça não era importante para ele", disse Pete. "Ou talvez ele precisasse de meias novas com elásticos melhores. De qualquer maneira, era um aspecto humanizador para aquele sujeito marcante."

Brad Bird recordou que, quando começou a conversar com a Pixar a respeito de fazer *Os Incríveis*, não tinha certeza de que iria aceitar a proposta: ele ainda estava pensando em ficar na Warner Bros., a qual havia lançado seu filme anterior, *O gigante de ferro*. "Mas demorei um mês para conseguir uma reunião com a administração do estúdio para o qual eu tinha acabado de fazer um filme", disse Brad. "E durante esse período, Steve conseguiu o nome da minha mulher e perguntou a respeito de meus filhos pelos nomes – ele fez sua lição de casa. Pensei: 'Por que diabos estou conversando com a Warner?' Aquilo facilitou o acordo."

"Steve dava muito valor à qualidade", prosseguiu Brad. "Ele sempre pensava no longo prazo. Ele gostava do budismo, mas eu o vejo apenas como um sujeito espiritual. Sou levado a crer que ele acreditava em algo além disto" – ele hesitou por um momento – "e será lá que iremos vê-lo de novo. Então até lá, Steve, no longo prazo."

Agora era a vez de John. A sala ficou em silêncio, mas podia-se sentir a corrente de emoção em todos nós. Subindo ao pódio, ele descreveu a honra que tinha sido ser amigo de Steve enquanto ele mudava para melhor – como todos nós queremos fazer.

"Quando Steve nos comprou", disse John, "havia confiança nele. Algumas pessoas chamam isso de arrogância; eu chamo de confiança. Mas era basicamente a crença de que ele podia fazer melhor o trabalho de qualquer outra pessoa. Era por isso que as pessoas detestavam entrar num elevador na Apple com Steve, porque elas sentiam que, quando chegassem ao andar de cima, provavelmente estariam demitidas." De novo a sala se encheu de risadas. "Mas à medida que a Pixar evoluiu e transformou-se em estúdio de animação, ele começou a ver todo o trabalho que estávamos fazendo e ficou impressionado. Ele entendeu que não poderia nem chegar perto de fazer o que fazíamos. Gosto de pensar que, quando estava construindo a Pixar, quando ele e Laurene se casaram e tiveram filhos, aquela percepção de como o pessoal da Pixar era brilhante – tudo isso ajudou a fazer dele o grande líder que era."

Três semanas antes, John havia visitado Steve pela última vez. "Ficamos cerca de uma hora conversando a respeito dos projetos em que ele estava interessado", disse John com a voz embargada. "Olhei para ele e percebi que aquele homem dera a mim – a nós – tudo aquilo que poderíamos querer. Dei-lhe um grande abraço. Beijei-o na bochecha e, por todos vocês", agora ele estava chorando –, "eu disse: Muito obrigado. Amo você, Steve."

A sala explodiu em aplausos, que só baixaram quando um dos cantores da Pixar subiu ao palco. Em voz baixa, ele anunciou, assim como nosso grupo à capella havia cantado em todas as festas da Pixar, eles agora iriam cantar para Steve. Em pé no edifício que todos nós chamávamos de "filme do Steve", não pude deixar de pensar que ele teria adorado aquilo – um final perfeito para a produção que era Steve Jobs.

A montanha-russa parou e um bom amigo desceu, mas que passeio fizemos juntos. Tinha sido uma grande viagem.

PONTOS DE PARTIDA

PENSAMENTOS PARA GERENCIAR UMA CULTURA CRIATIVA

Aqui estão alguns dos princípios que desenvolvemos ao longo dos anos para possibilitar e proteger uma cultura criativa sadia. Sei que quando resumimos uma ideia complexa num slogan para imprimir numa camiseta, estamos nos arriscando a dar a ilusão de entendimento – e no processo, de tirar da ideia sua força. Um adágio que vale a pena repetir também está a caminho de ser irrelevante. Você acaba com algo fácil de dizer, mas não ligado ao comportamento. Mas, embora tenha desdenhado verdades resumidas em todo este livro, eu tenho um ponto de vista e achei que poderia ser útil compartilhar com você alguns dos princípios que mais prezo. O segredo é pensar em cada declaração como um ponto de partida, como um alerta no sentido de uma busca mais profunda, e não como uma conclusão.

- Dê uma boa ideia a uma equipe medíocre e ela irá estragá-la. Dê uma ideia medíocre a uma grande equipe e ela irá corrigi-la ou oferecer uma coisa melhor. Se você puder ter a equipe certa, então terá as ideias certas.

- Quando for contratar pessoas, dê ao potencial para crescer mais peso do que ao atual nível de qualificações delas. O que elas serão capazes de fazer amanhã é mais importante do que aquilo que podem fazer hoje.

- Procure sempre contratar pessoas mais inteligentes que você. Dê sempre uma chance ao melhor, mesmo que isso possa parecer uma ameaça em potencial.

- Se há em sua organização pessoas que sentem que não têm liberdade para sugerir ideias, você perde. Não despreze ideias de fontes inesperadas. A inspiração pode vir, e vem, de qualquer lugar.

- Não basta estar aberto a ideias de outras pessoas. Engajar o poder mental coletivo das pessoas com quem você trabalha é um processo ativo e continuado. Como gerente, você deve extrair ideias da sua equipe e persuadi-la constantemente a contribuir.

- Existem muitas razões válidas pelas quais as pessoas não são sinceras umas com as outras no ambiente de trabalho. Sua tarefa é buscar essas razões e ocupar-se delas.

- Analogamente, se alguém discorda de você, existe uma razão. Nossa primeira tarefa é entender o raciocínio por trás das conclusões.

- Se existe medo numa organização, há uma razão para isso, sua tarefa é (a) descobrir o que o está causando, (b) entendê-lo e (c) tentar eliminá-lo.

- Para eliminar pontos de vista alternativos, nada é mais eficaz do que estar convencido de que você está certo.

- Em geral, as pessoas hesitam em dizer coisas que podem balançar o bote. Reuniões do Banco de Cérebros, reuniões diárias, postmortem e o Dia de Observações são esforços para reforçar a ideia de que é certo expressar-se. Todos são mecanismos de autoavaliação que buscam descobrir o que é real.

- Se há mais verdade nos corredores do que nas reuniões, você tem um problema.

- Muitos gerentes acham que, se não forem notificados a respeito de problemas antes dos outros, ou se forem pegos de surpresa numa reunião, é sinal de desrespeito. Cresça.

- Uma "mensagem" elaborada para minimizar problemas faz você parecer mentiroso, iludido, ignorante ou indiferente. Comunicar problemas é um ato de inclusão que faz com que os funcionários sintam que têm um lugar na empresa.

- As primeiras conclusões que extraímos de nossos sucessos ou fracassos normalmente são erradas. Medir o resultado sem avaliar o processo é ilusório.

- Não caia na ilusão de que, evitando erros, você não terá erros para corrigir. Na verdade, o custo de evitar erros costuma ser muito maior do que o custo de corrigi-los.

- Mudanças e incertezas fazem parte da vida. Nossa tarefa não é resistir a elas, mas construir a capacidade de recuperação quando ocorrem eventos inesperados. Se não procurar sempre descobrir aquilo que não é visto e compreender sua natureza, você estará despreparado para liderar.

- Analogamente, não é tarefa do gerente evitar erros. Sua tarefa é tornar seguro assumi-los.

- O fracasso não é necessariamente ruim. Na verdade, ele não é ruim. É uma consequência necessária de se fazer algo novo.

- Confiar não significa que você confia que ninguém irá estragar tudo – significa que você confia em seus funcionários até mesmo quando eles estragam tudo.

- As pessoas responsáveis pela implantação de um plano devem receber poderes para tomar decisões quando as coisas dão errado, mesmo antes de receberem uma aprovação. Encontrar e corrigir problemas é tarefa de todos. Qualquer um deve poder parar a linha de produção.

- O desejo que tudo funcione bem é uma falsa meta, porque conduz à medição das pessoas pelos erros que cometem, e não por sua capacidade para resolver problemas.

- Não espere até que as coisas fiquem perfeitas para comunicá-las aos outros. Mostre logo e com frequência. Elas estarão bem quando chegarmos lá, mas não durante o caminho. E é assim que deve ser.

- A estrutura de comunicação de uma empresa não deve refletir sua estrutura organizacional. Todos devem poder falar com todos.

- Evite criar regras demais. Elas podem simplificar a vida para os gerentes, mas podem ser degradantes para os 95% que se comportam bem.

Não crie regras para controlar os outros 5% – resolva individualmente os abusos do bom senso. Dá mais trabalho, mas é mais saudável.

- Impor limites pode encorajar uma resposta criativa. Um trabalho excelente pode surgir a partir de circunstâncias desconfortáveis ou aparentemente insustentáveis.

- Engajar-se com problemas excepcionalmente difíceis nos força a pensar de forma diferente.

- Uma organização como um todo é mais conservadora e resistente a mudanças do que os indivíduos que a compõem. Não assuma que a concordância geral levará a mudanças – mover um grupo requer muita energia, mesmo quando todos estão no mesmo barco.

- As organizações mais sadias são compostas por departamentos cujas agendas diferem, mas cujas metas são interdependentes. Se uma agenda vence, todos perdem.

- Nossa tarefa como gerentes em ambientes criativos é proteger as novas ideias daqueles que não entendem que, para surgir a grandeza, é preciso que haja fases nem tão grandiosas. Proteja o futuro, não o passado.

- Novas crises nem sempre são lamentáveis – elas testam e demonstram os valores da empresa. O processo de solução de problemas muitas vezes une as pessoas e mantém a cultura no presente.

- *Excelência, qualidade* e *bom* devem ser palavras merecidas, atribuídas a nós por outras pessoas, e não proclamadas por nós a nosso próprio respeito.

- Não torne acidentalmente a estabilidade uma meta. Equilíbrio é mais importante que estabilidade.

- Não confunda o processo com a meta. Trabalhar em nossos processos para torná-los melhores, mais fáceis e mais eficientes é uma atividade indispensável e algo em que devemos trabalhar continuamente – mas não é a meta. Tornar excelente o produto é a meta.

AGRADECIMENTOS

ED CATMULL

Escrever um livro como este, que se baseia em muitos anos de aprendizado e experiência, não seria possível sem a contribuição de inúmeras pessoas. Chamarei várias delas pelo nome, mas na verdade este livro se beneficiou com o trabalho de todos os meus colegas e amigos na Pixar e na Disney. Sou grato a cada um e a todos eles.

Em primeiro lugar, devo agradecer a John Lasseter, diretor criativo da Pixar e da Disney Animation e amigo de longa data. John é aberto e generoso. Contribuiu com muitas memórias e ideias. Bob Iger, chairman e CEO da Walt Disney Company, que apoiou esse projeto desde o início e cujos comentários o fizeram imensuravelmente melhor. Alan Horn e Alan Bergman, chairman e presidente, respectivamente, da Walt Disney Studios, líderes sábios que trabalharam comigo quando passamos por muitas mudanças.

Tenho a sorte de contar com uma equipe incrível de gerentes com quem trabalho todos os dias: na Pixar, o gerente-geral Jim Morris e Lori McAdams, vice-presidente de recursos humanos; na Disney Animation, Andrew Millstein, gerente-geral, e Ann Le Cam, vice-presidente de produção e de recursos humanos. Os quatro são excelentes parceiros que me tornam mais inteligente.

Este livro nunca teria acontecido sem minha agente, Christy Fletcher, e meu editor na Random House, Andy Ward. Andy cuidou deste projeto desde o início até sua conclusão. É um grande editor que tornou cada página mais legível, mais convincente e simplesmente melhor. Devo também agradecer a Wendy Tanzillo, minha assistente há 13 anos, sem cujo cuidado e atenção minha vida estaria perto do caos.

Tive muitas discussões ao longo dos anos, que me ajudaram a enfrentar alguns dos conceitos mais difíceis deste livro. Entre aqueles cuja disposição para ajudar me foi imensamente útil estão Michael Arndt, Brad Bird e Bob Peterson. Também me beneficiei de conversas particularmente profundas com Phillip Moffitt, diretor do Life Balance Institute.

Pedi que muitas pessoas lessem este livro à medida que ele tomava forma. Abordei este processo de maneira semelhante à que usamos nas projeções de nossos filmes, imaginando que, quanto mais anotações recebesse, de um grupo muito variado de pessoas, melhor e mais claro iria se tornar. Dada a extensão deste livro, sei que não estava pedindo um pequeno favor; contudo, cada uma dessas pessoas deu-me seu tempo sem hesitar. Por isso agradeço a Jennifer Aaker, Darla Anderson, Brad Bird, Jeannie Catmull, Lindsey Collins, Pete Docter, Bob Friese, Marc Greenberg, Casey Hawkins, Byron Howard, Michael Jennings, Michael Johnson, Jim Kennedy, John Lasseter, Ann Le Cam, Jason Levy, Lawrence Levy, Emily Loose, Lenny Mendonca, Andrew Millstein, Jim Morris, Donna Newbold, Karen Paik, Tom Porter, Kori Rae, Jonas Rivera, Ali Rowghani, Peter Sims, Andy Smith, Andrew Stanton, Galyn Susman, Bob Sutton, Karen Tenkoff, Lee Unkrich e Jamie Woolf. Robert Baird, Dan Gerson e Nathan Greno chegaram à minha sala certo dia com um enorme quadro-branco; eles foram particularmente úteis na estruturação do livro. Além disso, Christine Freeman, arquivista da Pixar, prestou uma enorme ajuda em pesquisa, Elyse Klaidman e Cory Knox mantiveram várias partes em movimento quando eu as perdia e Oren Jacob ajudou a preencher lacunas importantes.

Devo também observar que as ideias neste livro foram desenvolvidas ao longo de um período de 45 anos, e que muitos personagens participaram dessa jornada. Este não é um livro de história. Embora eu faça uma narrativa cronológica para apoiar os conceitos apresentados, estou ciente de que algumas pessoas – em especial aquelas que executam trabalho técnico – não estão bem representadas, em grande parte porque descrever o que elas fazem é complexo e pouco acessível. Para o registro, então, Bill Reeves, Eben Ostby e Alvy Ray Smith foram essenciais para aquele que considero o maior triunfo da Pixar – a integração de arte e tecnologia – e para este livro lhes devo muita gratidão.

Finalmente, a minha mulher, Susan, e às sete crianças que circulam em nossas vidas – Ben, David, Jeannie, Matt, Michael, Miles e Sean –, agradeço pela paciência, pelo apoio e pelo amor. Agradeço também ao meu pai, de 92 anos, Earl Catmull, cuja memória de minha infância continua mais clara que a minha e cujas descrições de meus primeiros anos foram inestimáveis.

AMY WALLACE

Agradeço à minha agente, Elyse Cheney, por me trazer este projeto.

A Andy Ward, da Random House, pelo seu brilho. A meu filho, Jack Newton, por ser criterioso, divertido e inspirador. A Mary Melton e Jim Nelson, meus enormemente prestativos editores nas revistas *Los Angeles* e *GQ*, por possibilitarem que eu cuidasse deste livro. A todos na Pixar e na Disney Animation que ajudaram a definir momentos importantes, mas em particular a Brad Bird, Pete Docter, Christine Freeman, Elyse Klaidman, John Lasseter, Jim Morris, Tom Porter, Andrew Stanton e Wendy Tanzillo. Aos meus pais, por me ensinarem que "se você quer escrever, leia", e a meus caros amigos que nunca deixaram de dar bons conselhos: Julie Buckner, Karla Clement, Sacha Feinman, Ben Goldhirsh, Carla Hall, Gary Harris, Nancy Hass, Jon Herbst, Claire Hoffman, Beth Hubbard, Justin McLeod, J. R. Moehringer, Bob Roe, Julia St. Pierre, Minna Towbin Pinger, Valerie Van Galder, Brendan Vaughan e Sherri Wolf. Finalmente, a Ed Catmull, por me dar a oportunidade e por ter me convidado a participar.

Impressão e Acabamento:
EDITORA JPA LTDA.